MÜNCHENER UNIVERSITÄTS-SCHRIFTEN
Katholisch-Theologische Fakultät

BERNHARD SPÖRLEIN

DIE LEUGNUNG DER AUFERSTEHUNG

1971

VERLAG FRIEDRICH PUSTET REGENSBURG

MÜNCHENER UNIVERSITÄTS-SCHRIFTEN
Katholisch-Theologische Fakultät

1971

VERLAG FRIEDRICH PUSTET REGENSBURG

BERNHARD SPÖRLEIN

DIE LEUGNUNG
DER AUFERSTEHUNG

Eine historisch-kritische Untersuchung zu 1 Kor 15

1971

VERLAG FRIEDRICH PUSTET REGENSBURG

BIBLISCHE UNTERSUCHUNGEN

HERAUSGEGEBEN VON OTTO KUSS

Band 7

ISBN 3 7917 0323 4

Gedruckt mit Unterstützung aus den Mitteln
der Münchener Universitäts-Schriften

©

Copyright 1971 by Friedrich Pustet Regensburg
Gesamtherstellung: Passavia Passau
Printed in Germany 1971

INHALTSVERZEICHNIS

VORWORT

Diese Arbeit wurde 1969 von der Katholisch-Theologischen Fakultät der Universität München als Dissertation angenommen. Für die Drucklegung habe ich einerseits das Manuskript gestrafft, andererseits habe ich an verschiedenen Stellen nach Möglichkeit noch die neuere Literatur berücksichtigt.

Vielen habe ich aufrichtig zu danken: zunächst den Professoren der Münchener Katholisch-Theologischen Fakultät, ganz besonders Herrn Professor Dr. Otto Kuss, der mich zu diesem Thema geführt und die Arbeit bis zu ihrem Abschluß begleitet hat. Er ermöglichte auch die Aufnahme dieses Bandes in die von ihm begründete und herausgegebene Reihe der »Biblischen Untersuchungen« und vermittelte dafür einen Druckkostenzuschuß aus den Mitteln der Münchener Universitätsschriften.

Meiner Ordensgemeinschaft, den Redemptoristen der Münchner Provinz, besonders P. Provinzial G. Mittermeier, habe ich für die Freistellung zum Studium und für die geistige und materielle Sicherheit, die mir in diesen Jahren geboten wurde, herzlich zu danken; ferner dem Verlag Friedrich Pustet für die sorgfältige Betreuung der Drucklegung und Veröffentlichung, meinem Bruder, Studienrat H. Spörlein, sowie Herrn stud. theol. C. Holdener und Studienreferendarin Fräulein M. Ritterbex für das Lesen der Korrekturen und das Erstellen der Register.

In Dankbarkeit widme ich dieses Buch meinen Eltern.

München, im November 1971   Bernhard *Spörlein*

Ein Blick in die Schriften des Neuen Testaments zeigt, wie wenig die Auferstehung der Toten in frühesten Christengemeinden unangefochtenes Glaubensgut gewesen ist. Schon das älteste erhaltene literarische Dokument des Christentums muß Stellung nehmen zur Frage nach dem Schicksal der Verstorbenen (1 Thess 4, 13–18).

Eine deutliche Ablehnung der apostolischen Verkündigung von der Auferstehung der Toten bekundet der erste Korintherbrief: Einige in der Gemeinde behaupten, es gebe keine Auferstehung Toter (1 Kor 15, 12).

Nach dem Hintergrund und den Ursachen dieser Auferstehungsleugnung fragt die vorliegende Arbeit. Sie sucht die geistige Position der Auferstehungsleugner und den Inhalt des Satzes: »Auferstehung Toter gibt es nicht« zu bestimmen. Handelt es sich um Gnosis, die behauptet, Auferstehung sei schon geschehen durch die Taufe und die Annahme der christlichen Botschaft? Oder sind radikale Jenseitsleugner am Werk? Glaubt man in Korinth an das Weiterleben der Geist-Seele des Menschen, aber nicht an die Auferstehung der Toten?

Das Ergebnis dieser Untersuchung mag dazu beitragen, das Bild frühester christlicher Gemeinden zu vervollständigen und deren Probleme und Schwierigkeiten zu zeigen. Darüber hinaus aber gestattet erst das Wissen um die gegnerischen Anschauungen in Korinth eine genaue Beurteilung der paulinischen Lehre von der Auferstehung der Toten. Denn nirgends handelt Paulus so eingehend über dieses Thema wie in 1 Kor 15 und an dieser Stelle eben nicht in einem sachlichen Traktat, sondern in polemischer Auseinandersetzung, und es ist wichtig zu wissen, wo und wieweit Polemik die Darlegungen des Apostels prägte und bestimmte.

Das erste Kapitel der hier vorgelegten Untersuchung macht bekannt mit der Beurteilung der Auferstehungsleugner, wie sie durch die Jahrhunderte gegeben wurde. Die beiden folgenden Kapitel bemühen sich um die richtige Einordnung des Auferstehungskapitels in die beiden Korintherbriefe und um die Wortbedeutung von ἀνάστασις und ἐγείρω, der Termini also, mit denen Paulus vorzugsweise das Auferstehungsgeschehen umschreibt. Das vierte Kapitel befaßt sich mit der Einzelexegese von 1 Kor 15, und die beiden abschließenden Kapitel versuchen einerseits die Antwort des Paulus und andererseits die Hintergründe der korinthischen Auferstehungsleugnung darzustellen.

Erstes Kapitel

ZUR GESCHICHTE DER AUSLEGUNG

I. Die Exegese der Patristik

Die Hoffnung, in der exegetischen Literatur der alten Kirche, die doch den Ereignissen, um deren Erforschung historisch-kritische Exegese sich müht, zeitlich sowohl wie auch geistig näher stand, eine Auskunft zu erhalten, wird – wie vielfach – enttäuscht, stellt man die Frage nach einer näheren Bestimmung der Bestreitung der Auferstehung in der Gemeinde der Christusgläubigen zu Korinth.

Die ältesten erhaltenen ausführlichen Erläuterungen zu 1 Kor 15 finden sich in den Homilien des Origenes zum ersten Korintherbrief[1]. Doch ist die paränetische Zielsetzung dieser Auslegung unschwer zu erkennen[2] und eine exakte Rückfrage nach dem historischen Hintergrund von 1 Kor 15 somit kaum zu erwarten. So überrascht es nicht, wenn sich Paulus – nach Origenes – bald an solche wendet, die nur die Leiblichkeit einer Totenauferstehung bestreiten[3], wenig später aber an solche, die jedwedes Leben über den Tod hinaus verneinen[4]. Hier sind des Paulus Worte an die Korinther schon umgeschmiedet zu Waffen gegen Zeitgenossen des Origenes.

Von den übrigen Exegeten der griechischen Patristik, deren Auslegung des ersten Korintherbriefes wenigstens in Fragmenten auf uns gekommen ist, sehen Severian von Gabala[5], Johannes Chrysostomus[6] und Theodoret

---

[1] Text der Fragmente bei C. Jenkins, Origen on I Corinthians, in: JThSt Band IX (1908), 232–247, 353–372, 500–514 und Band X (1909), 29–51. Vgl. dazu die Anmerkungen von C. H. Turner, a.a.O. Band X (1909), 270–276.

[2] Vgl. etwa die homiletischen Auslegungen zu 1 Kor 15,1, a.a.O. Band X, 43. Siehe auch O. Bardenhewer, Geschichte der altkirchlichen Literatur II, Freiburg 1914, 139. C. Jenkins, a.a.O. Band X, 45, Fußnote zu § LXXXIV vermutet vor allem für das Fragment zu V. 20–23 eher eine Herkunft aus einer Homilie oder aus der Schrift De Resurrectione als aus einem Kommentar.

[3] A.a.O. Band X, 46, Zeile 13–20. Dazu die Anmerkung von C. H. Turner, a.a.O. Band X, 274f.

[4] A.a.O. Band X, 47, Zeile 59–65. Dazu die Anmerkung von C.H. Turner, a.a.O. Band X, 275.

[5] Text der Katenenfragmente zu 1 Kor 15 bei K. Staab, Pauluskommentare aus der griechischen Kirche, Münster 1933 (NtAbh 15), 271–277.

[6] MPG 61 (1962), 321–368. Auf 1 Kor 15 beziehen sich die Homilien XXXVIII-XLII. Vgl. unten S. 16 f.

von Cyrus[1] in der korinthischen Auferstehungsleugnung eine Bestreitung der Auferstehung des Leibes (oder des Fleisches[2]), wie sie ihnen auch bei den Widersachern des kirchlichen Auferstehungsglaubens ihrer Tage begegnet[3].

Dagegen interpretieren die Katenenfragmente aus dem Kommentar des Didymus von Alexandrien[4] zum ersten Korintherbrief die Leugnung der Auferstehung in Korinth als eine Bestreitung auch der Unsterblichkeit der Seele: ἐπειδή τινες ἐν Κορίνθῳ ἔλεγον εἶναι τὴν ψυχὴν φθαρτὴν καὶ περιττὴν τὴν τοῦ σώματος ἀνάστασιν διελέγχει αὐτῶν ὁ Παῦλος τὴν πλάνην[5]. Diese Aussage verdient Beachtung, denn soweit es die wenigen Katenenglieder erkennen lassen, kommt Didymus zu dieser Interpretation nicht wegen einer Auseinandersetzung mit einer gleichartigen Irrlehre seiner Zeit, sondern auf Grund des Textes, vor allem von 1 Kor 15, 18–20.30.32[6].

Aus der lateinischen Patristik bieten nur der Ambrosiaster und Pelagius eine ausführliche Erläuterung zu 1 Kor 15. Der Ambrosiaster[7] bringt 1 Kor 15 in Verbindung mit christologischen Häresien, wie sie 1 Joh 2,22f. genannt werden: eine Ablehnung der Menschwerdung des Christus und somit auch seines Todes und seiner Auferstehung. Pelagius[8] dagegen umschreibt die Auferstehungsleugnung in Korinth wieder als Bestreitung der Auferstehung des Fleisches: »Inter cetera quidam Corinthiorum etiam resurrectionem carnis ausi fuerant ex veteris scientiae praesumptione negare«[9]. Sowohl die griechische wie auch die lateinische patristische Exegese verrät also weder die Kenntnis einer sicheren alten Tradition hinsichtlich der korinthischen Auferstehungsleugnung, noch auch ein Interesse an der geschichtlichen Fragestellung[10].

---

[1] MPG 82 (1769) 348–369.

[2] Eine exakte Unterscheidung der beiden Begriffe scheint vielfach nicht vorgenommen worden zu sein.

[3] Keine sicheren Angaben für unsere Fragestellung lassen sich gewinnen aus den Katenenfragmenten des Theodor von Mopsuestia (Text bei K. Staab, Pauluskommentare 193–196)und des Cyrill von Alexandrien (Text bei MPG 74, 893–916).

[4] Text bei K. Staab, a.a.O. 6–12.

[5] A.a.O. 6, Zeile 5–7.

[6] A.a.O. 7, Zeile 14–16 und S. 8, Zeile 23–27.

[7] Text in CSEL LXXXI, Wien 1968, 164–187 (bzw. MPL 17, 193–290). Zu 1 Kor 15, 12: »haec a falsis apostolis erant tradita, qui Christum neque natum neque (in carne) passum neque resurrexisse adseverabant. quos et Iohannes apostolus denotat, quod Christum in carne venisse negabant, unde dicit: qui negat Christum in carne venisse, hic Antichristus est, et qui negat filium, nec patrem habet« (a.a.O. 168).

[8] Text bei A. Souter, Pelagius's Expositions of Thirteen Epistles of St. Paul II, Text and Apparatus Criticus, Cambridge 1926 (TSt 9).

[9] A.a.O. 212.

[10] Vgl. W. G. Kümmel, Das Neue Testament, Geschichte der Erforschung seiner Probleme, Freiburg–München 1958, 3; A. Sand, Der Begriff »Fleisch« in den paulinischen Hauptbriefen (BU 2), Regensburg 1967, 3.

II. Die Exegese des Mittelalters

Auch die mittelalterlichen Kommentatoren der Korintherbriefe zeigen kein Interesse an der geschichtlichen Fragestellung nach dem Kreis der Auferstehungsleugner und ihrer Lehre. Soweit sie sich dazu äußern, geben sie vielfach die ihnen vorliegende Tradition wieder, besonders die des Ambrosiaster, doch fehlt es auch nicht an eigenen Überlegungen.

Im Sinne des Ambrosiaster[1] und z. T. auch mit dessen Worten schreibt Petrus Lombardus: »Haec pseudoapostoli tradiderant, qui negabant veritatem dicentes Christum nec venisse in carnem, nec passum, nec resurrexisse«[2]. Ähnlich äußern sich Walafried Strabo[3] und Haymo von Halberstadt[4]. Eigene Gedanken zeigt dagegen Atto von Vercelli, der – neben der traditionellen Auskunft des Ambrosiaster – das 15. Kapitel des ersten Korintherbriefes vor allem an solche gerichtet sieht, die wohl an die Auferstehung des Christus glauben, die allgemeine Auferstehung aber bezweifeln[5]. Überraschend selbständig und neu erklärt Bruno der Karthäuser: Die Korinther glaubten wohl an die Auferstehung des Christus; sie erwarteten auch für jene eine Auferstehung oder Wiederbelebung, welche bei der Parusie sterben. Wessen Leib jedoch bei der Wiederkunft des Christus in Staub verfallen sei, für den gebe es, nach Meinung der Korinther, keinerlei Auferstehung[6].

Eine eigene Lösung bietet auch Thomas von Aquin. Er setzt ausdrücklich die Leugnung der Auferstehung in 1 Kor 15 inhaltlich gleich mit der Behauptung von Hymenaeus und Philetus (vgl. 2 Tim 2, 17f.), welche sagten, die Auferstehung sei schon geschehen. »Quidam vero, hoc perverse intellegentes, resurrectionem corporum futuram non credunt: sed quod de resurrectione legitur in scripturis, ad spiritualem resurrectionem referre conantur, secundum quod aliqui a morte peccati resurgunt per gratiam. Hic autem error ab ipso Apostolo reprobatur. Dicat enim 2 Tim 2, 16–18: quod non poterat intelligi nisi de resurrectione spirituali«[7].

Trotz des Verzichtes auf eine geschichtliche Fragestellung sind damit im wesentlichen schon im Altertum und im Mittelalter jene Antworten auf die Frage nach der Auferstehungsleugnung in Korinth gegeben, die in der wissenschaftlichen Exegese der folgenden Jahrhunderte wieder begegnen:

---

[1] Vgl. S. 2 Anm. 7.

[2] Petrus Lombardus, Commentaria in Epistolas D. Pauli; MPL 191, 1676f.

[3] Walafriedus Strabo, Glossa ordinaria; Epistola prima ad Corinthios; MPL 114, 546.

[4] Haymo von Halberstadt, Enarratio in D. Pauli Epistolas; MPL 117, 593.

[5] Atto von Vercelli, Expositio in Epistolas S. Pauli; MPL 134, 396.

[6] Bruno der Karthäuser, Expositio in Epistolas Pauli; MPL 153, 204f.

[7] Thomas von Aquin, Contra gentiles IV.79, Opera omnia 13, Editio Leonina, Rom 1930.

die Leugner werden beurteilt als radikale Bestreiter eines Weiterlebens über den Tod hinaus[1], als Vertreter eines Dualismus, der nur eine Fortexistenz der Seele erwartet[2], und als Christen, welche die Botschaft der Auferstehung spiritualisierten[3]. Der Versuch, diese Antworten mit dem Text von 1 Kor 15 zu konfrontieren und sie durchgehend an Hand dessen oder der gesamten Korintherkorrespondenz zu verifizieren, fehlt völlig.

III. Die wissenschaftliche Exegese der Neuzeit

Die Zeit der Reformation und auch die nächsten Jahrhunderte brachten noch kein Interesse auf für die geschichtliche Fragestellung nach den Auferstehungsleugnern von 1 Kor 15[4].

Erst als gegen Ende des 18. Jahrhunderts für die wissenschaftliche Exegese die Aufgabe in den Vordergrund trat, daß die Schriften des Neuen Testaments wie ein uns vorliegendes Dokument in ihrer historischen Umwelt verstanden werden müssen, erlangten die korinthischen Auferstehungsleugner Bedeutung für die Exegese des 15. Kapitels und der ganzen Korintherkorrespondenz.

Leopold Immanuel Rückert schrieb: »Jetzt aber scheint zur richtigen Würdigung seiner« – des Paulus – »Widerlegung«... »unentbehrlich zu wissen, erstlich, wer die Leugnenden gewesen, und zweitens, was sie eigentlich geleugnet? Ließe sich von beiden Stücken wenigstens das eine zur Gewißheit bringen, so würde sich aus diesem auf das andere ein ziemlich sicherer Schluß machen lassen«[5].

Für die Bestimmung der Position der Leugner wird nicht mehr die Tradition befragt, sondern die Argumentation des Paulus selbst, die nun allgemein als polemisch verstanden wird. Mehr Gewicht bei der Beurteilung der Situation in Korinth haben allerdings immer noch die »dogmatischen« Voraussetzungen, mit denen beurteilt wird, was z.B. in einer Christengemeinde, speziell in einer paulinischen, möglich oder nicht möglich gewesen sein kann[6].

---

[1] So Didymus von Alexandrien; vgl. oben S. 2.

[2] Origenes, Severian von Gabala, Johannes Chrysostomus, Theodoret von Cyrus; vgl. oben.

[3] Vgl. oben Thomas von Aquin.

[4] J. Calvin, Der erste Brief an die Korinther, z.St. Text in: Auslegung der Heiligen Schrift, Neue Reihe 16, hrsg. v. O. Weber, Neukirchen 1960, 448. Über die reformatorische Exegese zu 1 Kor 15 bei E. Ellwein, 1. Korinther in der reformatorischen Auslegung, in: Theol. Existenz Heute 114, München 1964, 29–61.

[5] L.I. Rückert (1797–1871; prot; Prof. in Jena ab 1844), Der erste Brief Pauli an die Korinther, Leipzig 1836, 394.

[6] L.I. Rückert, a.a.O. 395.

1. Die Auferstehungsleugnung und die Parteien in Korinth

Erst im 18. Jahrhundert begann der Versuch, die Auferstehungsleugnung in einen Gesamtentwurf über die Situation der korinthischen Gemeinde einzuordnen. Veranlaßt wurde dieses Bemühen durch das starke Interesse an den – aus 1 Kor 1,11f. erschlossenen – Parteiungen in Korinth. Es galt nun, alle in den beiden Korintherbriefen angesprochenen Themen, also auch die Auferstehungsleugnung, um die drei oder vier in der Gemeinde vermuteten Parteiungen zu gruppieren[1]. Bald war allen Parteien die Leugnung der Auferstehung angelastet worden: den Paulinern[2], den Petrinern[3], den Christinern[4] und vor allem den Apollonianern[5].

F. Christian Baur hatte noch darauf verzichtet, die Leugner der Auferstehung einer Parteiung zuzuschreiben, da die Informationen darüber zu gering seien[6], doch setzte sich dann die Auffassung weitgehend durch, es sei

---

[1] Eine Übersicht über die Exegese zu dieser Frage vor 1850 bietet J.F. Räbiger, Krit. Untersuchungen üb. den Inhalt der beiden Briefe des Ap. Paulus an die Korinthische Gemeinde mit Rücksicht auf die in ihr herrschenden Streitigkeiten, Breslau 1847.

[2] Vgl. J.F. Räbiger a.a.O. 151. F. Chr. Baur (Die Christuspartei in der korinthischen Gemeinde, der Gegensatz des petrinischen und paulinischen Christenthums in der ältesten Kirche, der Apostel Petrus in Rom, in: Tübinger Zeitschrift für Theol. 1831, Heft 4, 61–206) zählt die Leugner zu den Heidenchristen, läßt jedoch offen, ob sie zu den Paulinern oder den Apollanhängern zu rechnen seien (a.a.O. 79f.).

[3] J.F. Räbiger: die Petriner leugnen wohl nicht die Auferstehung, durch ihre grobsinnliche Auferstehungslehre veranlaßten jedoch auch sie die Abfassung von 1 Kor 15.

[4] Vgl. J.F. Räbiger a.a.O. 152; A. Bisping (1811–1884; kath; Prof. i. Münster), Erklärung des ersten Briefes an die Korinther, Münster ³1883, 6; M. Seisenberger (kath; Prof. i. Freising), Die Lehre von der Auferstehung des Fleisches nach dem 15. Kap. des 1. Korintherbriefes, Eine exeget.-dogmatische Abhandlung, Regensburg–New York 1867, 11–17; W. Lütgert, Freiheitspredigt und Schwarmgeister in Korinth, Ein Beitrag zur Charakteristik der Christuspartei (BFTh 12,3), Gütersloh 1908, 128f; Th. Boman, Die religiösen Parteien in Korinth, in: Die Jesusüberlieferung im Lichte der neueren Volkskunde, Göttingen 1967, 189f. (Th. Boman nennt die »Christuspartei« auch »Stephanusanhänger«).

[5] Vgl. J.F. Räbiger, a.a.O. 152; A. Maier (1811–1896; kath; Prof. i. Freiburg/Br.) Commentar über den ersten Brief Pauli an die Korinther, Freiburg/Br, 1857, 333; A. Schäfer, Die Briefe an die Korinther, Münster 1903.

[6] F.Chr. Baur, Paulus der Apostel Jesu Christi 2, Leipzig (1845) ²1866/67, 331. – Ablehnend gegen eine Rückbeziehung der Streitigkeiten auf Parteien äußert sich J.Chr.K. von Hofmann (1810–1877; prot; Prof. bes. i. Erlangen), der erste Brief Pauli an die Korinther, Die Heilige Schrift Neuen Testaments zusammenhängend untersucht, II,2, Nördlingen ²1874, 13–17; speziell die Auferstehungsleugnung auf eine »Partei« zurückzuführen, hielten z.B. auch nicht für berechtigt: G. Schnedermann, Der erste Brief an die Corinther, Kurzgefaßter Kommentar zu den

notwendig, »das korinthische Parteiwesen mit jedem einzelnen Gegenstande, den die Korintherbriefe berühren, in Verbindung zu bringen«[1], andernfalls müsse nachgewiesen werden, daß ein berührtes Faktum mit keiner der Tendenzen einer der (drei) Parteien zu vereinbaren sei[2].

J.F. Räbiger unternahm in großem Umfang den Versuch, 1 Kor 15 und die Auferstehungsleugnung aus dem Zusammenhang des gesamten ersten Korintherbriefes zu beleuchten[3]. Vor allem auf Grund »des verwandtschaftlichen Verhältnisses zwischen Kap. 1, 17–2, 16 und Kap. 15, 1–34«[4] bestimmt er die Auferstehungsleugner als Apollonianer. J.F. Räbiger charakterisiert sie als reiche, gebildete Heidenchristen, die durch ihre Weisheit gehindert wurden, die Botschaft vom Kreuz anzunehmen[5]:

1. Die gleichen, die nach 1 Kor 1, 17–2, 16 den Kreuzestod unter Mißachtung der apostolischen Verkündigung nicht als Mitte des Christentums anerkennen, leugnen – wiederum unter ausdrücklicher Mißachtung der apostolischen Lehrverkündigung (1 Kor 15, 1–11) – einen Zusammenhang zwischen der Auferstehung Christi und der Auferstehung der Toten[6].

2. Die Leugner beanspruchen für sich γνῶσις und eine σοφία θεοῦ. Wenn Paulus 1 Kor 15, 34 ihnen vorwirft, daß sie ἀγνωσίαν θεοῦ ἔχουσιν, so ist das eine Wiederholung der Anklage von 1 Kor 8, 1 und Hinweis auf 1, 17–2, 16[7].

3. Den Leugnern der Auferstehung steht ein ethischer Libertinismus: da sie sich nicht durch die Erwartung einer Fortdauer nach dem Tode stören lassen, verfallen sie der Unzucht (vgl. 1 Kor 6, 12–17)[8].

Die nämlichen Bezugspunkte veranlaßten später Wilhelm Lütgert dazu, die Leugnung der Auferstehung auf das Konto einer Christuspartei zu setzen, der im wesentlichen alle Polemik des ersten Korintherbriefes gelte[9]: ein schwärmerischer Enthusiasmus, der eine aus (persönlicher) Offenbarung abgeleitete Erkenntnis über den Glauben stelle und dabei die Natur und den Leib abwerte zugunsten einer einseitigen Überbewertung des Pneumas und

---

Schriften des Alten und Neuen Testaments und den Apokryphen, hrsg. von H. Strack, und O. Zöckler, B (NT), 2, München [2]1895, 14; C.H. Weizsäcker (1822–1899), Das Apostolische Zeitalter der christlichen Kirche, Tübingen–Leipzig (1886) [3]1902, 284f.

[1] J.F. Räbiger, a.a.O. Seite V (gegen de Wette, Kurze Erklärung der Briefe an die Corinther, Leipzig 1845, 6 Anm.).

[2] A.a.O.

[3] A.a.O.

[4] A.a.O. 153.

[5] A.a.O. 153.

[6] A.a.O. 153–156.

[7] A.a.O. 155.

[8] A.a.O. 156.

[9] W. Lütgert, Freiheitspredigt und Schwarmgeisterei in Korinth. Ein Beitrag zur Charakteristik der Christuspartei (BFTh 12), Gütersloh 1908.

seiner (vermeintlichen) Äußerungen[1]. Nach W. Lütgert stellen vor allem die Verse 1 Kor 15,33f. die korinthischen Auferstehungsleugner in die Reihen dieser schwärmerischen »Christusleute«, denn Paulus brandmarkt den Verzicht auf die Auferstehungserwartung als Mangel an Nüchternheit; dieser scheint mithin schwärmerischen Ursprungs zu sein. Seine Begründung findet er in der Verachtung des Leibes und der Natur[2].

Die Diskussion der Folgezeit erwies jedoch, daß aus Kapitel 15 keine stichhaltigen Gründe ableitbar sind, welche direkt auf eine an der Auferstehungsleugnung schuldige »Partei« verweisen. Nicht aus einer eindeutig gesicherten Zugehörigkeit zu einer der »Parteien« kann man detaillierte Angaben über die Leugner machen, sondern umgekehrt: je nachdem, wie man die Leugner qualifiziert – als Juden- oder Heidenchristen, als philosophisch gebildet oder nicht – werden sie einer passenden »Partei« zugeordnet. So mehrten sich die Stimmen jener Exegeten, die warnten und die sich selbst weigerten, die korinthische Auferstehungsleugnung mit einer der Parteiungen in Verbindung zu bringen[3].

Doch die Verbindungslinien zwischen 1 Korinther 15 und dem übrigen ersten Korintherbrief, wie sie J.F. Räbiger und W. Lütgert aufgezeigt haben, fanden in der späteren Diskussion immer wieder Beachtung: die Ablehnung apostolischer (bzw. paulinischer) Lehrverkündigung, die Gewißheit, im Besitz von Gnosis und »Weisheit« zu sein und der Anspruch auf Libertinismus.

2. Die Auferstehungsleugnung als Verneinung jeglicher Weiterexistenz nach dem Tod

Beim Bemühen um eine *inhaltliche* Bestimmung der korinthischen Auferstehungsleugnung umschreibt schon am frühen Beginn der wissenschaftlichen Arbeit am Neuen Testament Johann Jakob Wettstein die von Paulus in 1 Kor 15 bekämpfte Position als den Verzicht auf jedes Weiterleben nach dem Tode: »si post hanc vitam nihil est exspectandum, si mortui ita mortui

---

[1] Vgl. a.a.O. 128f.134f.

[2] A.a.O. 128–130. Vgl. unten S. 12f.

[3] W.M.L. de Wette (1780–1849), Kurze Erklärung der Briefe an die Korinther, Leipzig ²1845, 7 (De Wettes Kommentare sind typisch für die Epoche vor F.Chr. Baur; 1. Aufl. 1841); F.Chr. Baur, Paulus, der Apostel Jesu Christi 2, Leipzig (¹1845) ²1866/67, 331; H. Ewald (1803–1875; Prof. in Göttingen), Die Sendschreiben des Apostels Paulus, Göttingen 1857, 207; C.F.G. Heinrici, Der erste Brief an die Korinther (MeyerK), Göttingen ⁶1881 (erste von C.F.G. Heinrici besorgte Auflage), 393; F. Godet (1812–1900; ref; Neuchâtel), Kommentar über den ersten Brief an die Korinther, dt. Bearbeitung v. K. Wunderlich, Hannover 1888 (frz. Ausgabe: ¹1886, Neuchâtel).

sunt, ut in aeternum mortui maneant, cuius rei gratia Baptismus apud vos et administratur et suscipitur«, schreibt er zu 1 Kor 15,29[1].

Ausführlich stellt de Wette heraus, die V. 30–34 hätten nur dann einen Wert in der Argumentation, wenn sie gegen die Bestreitung jeder Weiterexistenz gesprochen sind, nicht aber, wenn sie nur ein leibliches Fortleben verteidigen sollen gegen eine Auffassung, die nur ein Leben des Geistes über den Tod hinaus behauptet[2]. Die geistige Heimat der Leugner vermutet de Wette im Epikureismus, vor allem auf Grund von V. 32[3].

Einen deutlichen Fortschritt in der Beurteilung der geschichtlichen Situation von 1 Kor 15 markiert der Korintherkommentar von Gustav Billroth[4]. Bei der Beurteilung der Argumente des Paulus sei zu berücksichtigen, daß Paulus mit den Gemeinden die Wiederkunft des Christus als unmittelbar bevorstehend sehnsüchtig erwartete: »denn der eigentliche Zweck aller Christen war ja nicht das Leben *vor*, sondern nach der Rückkehr. Wer erreichte nun diesen Zweck? Natürlich zunächst diejenigen, die jene sichtbare Rückkehr *erlebten*«...»Wie war es aber mit denen, die vorher starben?«[5]. Wie in Thessalonich war es also das Schicksal der schon Verstorbenen und derer, die bis zur Parusie sterben würden, das die Überlegungen auf die Möglichkeit einer Auferstehung lenkte. In Korinth leugnete man diese Möglichkeit: nur die noch Lebenden würden eingehen in das Reich[6]. Diese Haltung führt G. Billroth jedoch nicht auf Einflüsse des Sadduzäismus oder des Epikureismus zurück, denn in solchem Falle hätte Paulus »die Korinther viel stärker gezüchtigt«[7]. Vielmehr konnten sich die Auferstehungsleugner einfach nicht vorstellen, »wie der verwesende Leib wieder belebt werden könne«[8]. Da man aber als Christ die Auferstehung, die Christus selbst »als Glaubensartikel voraussetzte«[9], nicht einfach streichen konnte, hält G. Billroth es für nicht unwahrscheinlich, daß schon die Korinther sagten: die Auferstehung

---

[1] J. J. Wettstein (1693–1754, hauptsächlich in Basel), Novum Testamentum Graecum 2, Amsterdam 1752, 168.

[2] M. W. L. de Wette, Kurze Erklärung der Briefe an die Korinther, Leipzig ²1845, 129.140.

[3] A. a. O. 129.

[4] G. Billroth (1808–1836; prot; Prof. f. Philos. in Leipzig u. Halle), Commentar zu den Briefen des Paulus an die Corinther, Leipzig 1833 (G. Billroth verteidigt gegen die vorbehaltslose hist.-philol. Kritik, wie sie etwa L. I. Rückert übte, die Notwendigkeit einer dogmatischen Auslegung, die deswegen nicht allegorisch zu sein brauche, aber doch den zugrunde liegenden Geist der Schriften offenbaren müsse).

[5] A. a. O. 209 f.

[6] A. a. O. 209 f.

[7] A. a. O. 208.

[8] A. a. O. 210.

[9] A. a. O. 211.

ist schon geschehen (vgl. 2 Tim 2,17f.). Man bezeichnete eben die Wiedergeburt zum geistigen Leben (bei der Taufe) als »Auferstehung«.

Zum gleichen Ergebnis, wenn auch mit einer anderen Begründung als G. Billroth sie gab, kommen später Albert Schweitzer und Adolf Schlatter: die Korinther erwarteten für sich die baldige Parusie, ihre Toten aber gaben sie verloren. A. Schweitzer hält die korinthischen Auferstehungsleugner für »Ultrakonservative«. Im Gegensatz zur eschatologischen Erwartung einer Auferstehung, wie sie Jesus und Paulus verkündigten, griffen sie auf die alte prophetische Tradition zurück: wer die Ankunft des messianischen Reiches erlebt, der allein wird auch daran teilhaben. Eine Auferstehung Toter, auch der verstorbenen Gerechten, gebe es nicht. Christus hatten die Korinther von diesem Gesetz ausgenommen, und von der bejahten Auferstehung des Christus her sucht Paulus die Korinther zu überzeugen[1].

Für Adolf Schlatter kommen die Bestreiter der Auferstehung aus dem Judentum. Es sind die gleichen Leute, die Freiheit im Genuß der Speisen fordern, Verzicht auf die Schleier der Frauen, Forderung nach Zungenreden erheben, gegen die Zulassung der Ehe in verbotenen Graden nichts einzuwenden haben. Die Haltung, die hinter all dem stehe, sei das Bestreben nach der »Überbietung der Schrift«[2]. Diese »Überbietung der Schrift« kommt auch in der Bestreitung der Totenauferstehung zur Geltung: »während die Schrift die alte Gemeinde erst zur Hoffnung anleitete und ihr erst nach dem Tode das Leben verhieß, sind die, die des Christus sind, schon die ›Lebenden‹«[3]. Auferstehung ist also »deshalb unnötig, weil schon die Gegenwart das Vollkommene schafft«[4]. Die Toten sind allerdings verloren. Auch für das kommende Reich des Messias[5].

3. Verneinung leiblicher Auferstehung

A) Philosophisches Denken

Von der ersten erhaltenen Erklärung zu unserem Text an[6] bis in die jüngste Zeit[7] neigt die Mehrzahl der Exegeten dazu, in der korinthischen Aufer-

---

[1] A. Schweitzer, Die Mystik des Apostels Paulus, Tübingen [1]1930, 94 ([2]1954).

[2] A. Schlatter, Die korinthische Theologie (BFTh 18,2), Gütersloh 1914, 28.62–66.

[3] A.a.O. 28.

[4] A.a.O. 28.

[5] A.a.O. 64f: Zwar seien die Verstorbenen nicht der Vernichtung übergeben, aber sie seien doch für immer von den Lebenden getrennt und der Christus komme nur der (noch lebenden) Gemeinde wegen. Vgl. A. Schlatter, Paulus der Bote Jesu, Stuttgart 1934, 392–394.

[6] Die Homilien des Origenes zum ersten Korintherbrief; vgl. S. 1 Anm. 1.

[7] P. Hoffmann, Die Toten in Christus, Münster 1966, 240–248.

stehungsleugnung eine Bestreitung der *leiblichen* Fortexistenz über den Tod hinaus zu sehen, nicht aber den totalen Verzicht auf jedes Weiterleben nach dem Tod. Teils wird diese Haltung zurückgeführt auf platonisch-philosophische Aufklärung, teils einfach auf den Widerspruch der Vernunft gegen eine Wiederbelebung des zerfallenden Leichnams, teils aber auch auf eine als »gnostisch« bezeichnete Grundhaltung eines Teils der Korinthergemeinde.

Leopold Immanuel Rückert stellte in seinem, auf dem Boden bedingungsloser kritischer Exegese stehenden Kommentar zum ersten Korintherbrief schon im wesentlichen jene Gründe zusammen, die immer wieder angeführt werden, um verständlich zu machen, daß die Korinther mit ihrer Aussage »Auferstehung Toter gibt es nicht« (V. 12) die Fortdauer menschlichen Lebens über den Tod hinaus in irgendeiner Form nicht radikal verneinten[1]:

1. Die Korinther glaubten an die Auferstehung des Christus. Das zeige die Argumentation des Paulus in 1 Kor 15. Somit konnten sie gar nicht die Möglichkeit eines Weiterlebens radikal bestreiten.

2. Die in V. 32 genannte Lebensweise – »Laßt uns essen und trinken, denn morgen sterben wir« – wurde nicht praktiziert. Paulus weist die Korinther erst darauf hin, daß dies eigentlich die Konsequenz aus ihrer Einstellung sein müßte.

3. Auch wenn die Fragen von V. 35 (πῶς ἐγείρονται οἱ νεκροί; ποίῳ δὲ σώματι ἔρχονται;) in der uns vorliegenden Gestalt von Paulus formuliert sind, so zeigen sie doch, welche Schwierigkeiten den Korinthern die Auferstehungsverkündigung bereitete. Sei es, daß die Leugner, beeinflußt von der platonischen Philosophie, den Leib als den Kerker des Geistes für das Leben nach dem Tode zurückweisen, sei es, daß sie einfach angesichts des Zerfalls der toten Leiber eine Wiederbelebung für unmöglich halten: ihr Problem ist auf jeden Fall: wie soll diese von Paulus verkündete Auferstehung vonstatten gehen? Die Korinther haben somit »nur die Form bestritten, in welche die Hoffnung der Christen sich im Schoße des Judentums notwendig von ihrem Entstehen an gekleidet hatte, den Glauben an eine Auferstehung des Leibes nach der Auflösung des Todes«[2].

4. Entscheidender Einwand für L. I. Rückert und die Folgezeit ist aber: Die Leugner der Auferstehung sind unter der Gemeinde der an Christus Glaubenden zu suchen; daß aber Bekenner des Christentums »ein ewiges Leben überhaupt geleugnet, ist durchaus nicht denkbar«[3].

Adalbert Maier[4] gesteht zu, daß die V. 19.29–34 Leugner jeder Unsterblichkeitserwartung vorauszusetzen scheinen. Doch meint er, für Paulus sei

---

[1] L. I. Rückert, Der erste Brief Pauli an die Korinther, Leipzig 1836, 394–396.
[2] A. a. O. 396.
[3] A. a. O. 395. Vgl. H. Lietzmann 1 Kor 79.
[4] A. Maier, Commentar über den ersten Brief Pauli an die Korinther, Freiburg/Br. 1857, 359.

die Vorstellung eines nur geistigen Fortlebens so ungenügend, daß er diese – unausgesprochen – dem radikalen Verzicht auf ewiges Leben gleichsetzt. Paulus kenne sehr wohl einen Unterschied[1], doch seiner Argumentation liege der Gedanke zugrunde, »daß ohne die Auferstehung eine Seligkeit nicht mehr zu erwarten stünde, welche für die Mühsale und Leiden, denen sich die Apostel in ihrem Berufe unterziehen, ein genügender oder sie überbietender Ersatz wäre; es würde nämlich jener selige Zustand des vollendeten messianischen Reiches wegfallen, zu dem die Auferstehung und leibliche Verklärung den Übergang macht, und welcher davon bedingt ist«[2].

Carl Holsten bezeichnet den korinthischen Widerspruch gegen eine Auferstehung eindeutig als einen Unsterblichkeitsglauben auf dem Grund platonischer Weltanschauung[3]. Seinem Konzept von der beginnenden Hellenisierung des Christentums durch den Paulinismus verpflichtet[4], sieht er in 1 Kor 15 Paulus als den Vermittler zwischen jüdischem Glauben an eine Auferstehung des Fleisches und der hellenistischen Ablehnung der Beteiligung des Leibes an einem Leben nach dem Tode. Gleichsam als Kompromißlösung biete Paulus die von ihm entwickelte Lehre von einem σῶμα πνευματικόν an[5].

Auf der gleichen Linie steht C. F. Georg Heinrici[6]. Er versucht sogar, den Beweis dafür anzustreben, daß die Leugner unter philosophisch gebildeten

---

[1] Vgl. A. Bisping, Erklärung des ersten Briefes an die Korinther, Münster [3]1883, 275 f: »Daß diese Leugner der leiblichen Auferstehung auch die Fortdauer des Geistes nach dem Tode leugneten, ist nicht wahrscheinlich. Für Paulus ist aber beides unzertrennlich verbunden; wer die Wiederherstellung des Leibes in Abrede stellt, der negiert ihm eben damit auch das wahre Leben der Seele nach dem Tode«. – Ähnlich: F. Godet, Kommentar zu dem ersten Briefe an die Korinther, Hannover 1888, II, 219 f.; P. Hoffmann, Die Toten in Christus 245 f.

[2] A. Maier, a.a.O. 359. Vgl. auch C.F.G. Heinrici, 1 Kor 394 f: Stellen wie V. 19.29–34 zeigen nur, »daß Paulus auf das Fortleben der Seelen im Hades, an sich betrachtet und unbeendigt durch die Auferstehung, keinen Wert legt«. Das wäre ihm eine vita non vitalis!

[3] C. Holsten (1827-1897; bes. in Heidelberg), Das Evangelium des Paulus, Berlin 1880, 410.

[4] Vgl. A. Schweitzer, Geschichte der Paulinischen Forschung, Tübingen 1911, 50.

[5] E. Teichmann, Die paulinischen Vorstellungen von Auferstehung und Gericht und ihre Beziehung zur jüdischen Apokalyptik, Freiburg/Br. und Leipzig 1896, hat diese These vom Zweifrontenkrieg, den Paulus in Korinth zu führen hatte, ausgebaut. J.C.K. Freeborn, The Eschatology of I Corinthians 15, in: TU 87, Berlin 1964, 557 vermutet zu Unrecht, erst E. Teichmann habe diese These aufgestellt. – Vgl. auch J. Weiß, 1 Kor, Göttingen 1910, 345: Paulus habe in Korinth gekämpft »gegen die rein spiritualistische Lehre von der körperlosen Fortexistenz der Seele, aber auch gegen die materialistische der Auferstehung der begrabenen Körper«.

[6] C.F.G. Heinrici, Das erste Sendschreiben des Apostels Paulus an die Korinthier, Berlin 1880.

Christen zu suchen seien. Nur so sei es nämlich verständlich, daß sich ihr Einfluß in der Gemeinde beunruhigend auswirkte. Auch weise die »antimaterialistische« Erklärung des Auferstehungsgeschehens in V. 35–50 darauf hin, daß die Leugnung auf eine aus der platonischen Philosophie herkommenden Spiritualisierung des Weiterlebens zurückzuführen sei[1]. Schließlich meint C.F.G. Heinrici, wäre die Unsterblichkeit an sich der Gegenstand der Leugnung gewesen, »so wäre das Eingehen auf Fragen allgemeiner Art, die sich auf die Möglichkeit einer Fortdauer über den Tod hinaus beziehen, unumgänglich gewesen«[2].

Mit Frédéric Godet[3], Wilhelm Bousset[4] und vielen anderen sieht auch Philipp Bachmann[5] in den Leugnern der Auferstehung Verfechter einer Unsterblichkeit des Geistes: natürliche Erfahrung und Vernunft widersprächen der Vorstellung einer Neubelebung des Leibes.

Ph. Bachmann stellt sich jedoch abschließend selbst die Frage: »Warum ist Paulus jener Möglichkeit, in welche die Skeptiker in Korinth flüchteten, nicht näher und mit direkter Polemik nachgegangen? Darin liegt die innerste Schwierigkeit dieses 15. Kapitels unter dem geschichtlichen Standpunkt«[6].

B) Geistenthusiasmus, Gnosis

Ausdrücklich bringt schon Johann Lorenz Mosheim die korinthische Auferstehungsleugnung in Zusammenhang mit »Gnosis«: wie die »sogenannten gnostischen Ketzer der ersten Zeit«[7] glaubten sie, der Fürst der

---

[1] A.a.O. 393.

[2] A.a.O. 470.

[3] F. Godet, 1 Kor 180.

[4] W. Bousset, Der erste Brief an die Korinther (SNT), Göttingen 1907 (³1917), 155.

[5] Ph. Bachmann, Der erste Brief des Paulus an die Korinther, Komm.z.NT, hrsg. v. Th. Zahn, Leipzig ²1910.

[6] A.a.O. 462. – Ein Großteil der neueren Kommentare neigt dazu, 1 Kor 15 so zu verstehen, als hätte man an der Existenz des menschlichen Geistes nach dem Tode festgehalten und nur die allg. Totenauferstehung verneint: E.-B. Allo, Première Epître aux Corinthiens, Paris 1934, 399 (²1956); F.W. Grosheide, Commentary on the First Epistle to the Corinthians (NIC), Grand Rapids/Michigan 1953, 356 (ders. in der holländischen Ausgabe: Amsterdam 1932, 501); J. Héring, La première Epître de S. Paul aux Corinthiens, Neuchâtel und Paris 1949, 137; O. Kuss, Die Briefe an die Römer, Korinther und Galater (RNT), Regensburg 1940, 187; H. Lietzmann, An die Korinther (HNT), Tübingen ⁴1949, 79; A. Robertson – A. Plummer, A critical and exegetical Commentary on the first Epistle of the St. Paul to the Corinthians (ICC), Edinburgh (¹1911) ²1929, 346f; P.W. Schmiedel, Korintherbriefe (HCNT) ¹1891, 153 (²1893).

[7] J.L. Mosheim, Erklärung des Ersten Briefes des heiligen Apostels Pauli an die Gemeinde zu Corinthus, Altona und Flensburg 1741 (²1762), 910f. Die korinthischen Auferstehungsleugner bezeichnet J.L. Mosheim als »Essener und morgenländische Weltweise«.

Finsternis habe die Seelen eingekerkert in den Leib. Die Gnosis verheißt Befreiung aus den Fesseln des Leibes. »Allem Anschein nach erklärten sie demnach das, was unser Jesus von der Auferstehung gelehrt hatte, ebenso, wie es nachmals die Gnostiker erklärten, geistlicherweise nämlich. Die Welt, Böse und Gute werden auferstehen hieße bei den Gnostikern soviel, als dieses: Die Menschen werden durch die Lehre des Evangelii ein neues geistliches Leben bekommen und aus dem Tode der Sünde erweckt werden«[1].

Von Wilhelm Lütgert stammt der erste Versuch, die in den beiden Korintherbriefen beanstandeten Mängel in der Gemeinde einheitlich zu verstehen als Lebensäußerungen einer frühen, enthusiastischen Gnosis: »Ich fasse das Ergebnis zusammen: Wir haben mit der korinthischen Gemeinde zum erstenmal Gnostizismus in dem Sinne, daß eine den Glauben überbietende Gnosis, die auf Offenbarung beruht und deren Besitz die christliche Vollkommenheit ausmacht, als das Wesen des Christentums gilt«[2].

Die Auferstehungsleugnung hänge – zwar nicht sicher, aber doch wahrscheinlich – mit dem Charakter des gnostischen Christenglaubens zusammen: »Das Natürliche scheint der Erhaltung nicht wert. Diese Unterschätzung der Natur läßt sich nun wieder nicht allein aus hellenischen religiösen Stimmungen erklären«...»Die Verachtung der Natur und des Leibes, die sich im Unglauben an die Auferstehung ausspricht, hat ihren positiven Grund wiederum in einer solchen Schätzung des Geistes, wie wir sie bisher in der korinthischen Gemeinde beobachtet haben«...»Der Geist allein scheint als göttlich, und die Natur als vergänglich«[3].

Zur Bestimmung der korinthischen Theologie als Gnosis führt W. Lütgert vor allem an: die Korinther verherrlichen die Weltweisheit (1 Kor 1,18–23 f.); sie halten sich schon für vollkommen und für verwandelt (1 Kor 4,8); sie huldigen dem Libertinismus einerseits (1 Kor 8,1; 10,1–22; 2 Kor 6,14–7,1) und der Askese andererseits (1 Kor 7). Auch die Emanzipationsbestrebungen (1 Kor 11,2–16; 7,33–36), die Vorliebe für Glossolalie (1 Kor 14) und die Verachtung des Sakramentes (1 Kor 11,17–34) weisen nach Meinung W. Lütgerts auf Gnosis[4].

Heinrich Weinel versuchte unter dem Einfluß der religionsgeschichtlichen Forschungen Richard Reitzensteins[5] und Wilhelm Boussets[6] die Echt-

---

[1] A.a.O. 911f.

[2] W. Lütgert, Freiheitspredigt und Schwarmgeister in Korinth, Ein Beitrag zur Charakteristik der Christuspartei, Gütersloh 1908 (BFTh 12,3), 134.

[3] A.a.O. 128f.

[4] A.a.O. 104–133.

[5] R. Reitzenstein, Die Formel »Glaube, Liebe, Hoffnung« bei Paulus, in: NGG, Phil.–Hist. Klasse, Göttingen 1916, 367–416 und Göttingen 1917, 130–151.

[6] W. Bousset, Die Hauptprobleme der Gnosis, FRLANT 10, Göttingen 1907; ders., Die Himmelsreise der Seele, in: ARW, Freiburg/Br., 1901 (Neudruck 1960);

heit des ersten Korintherbriefes dadurch nachzuweisen, daß er ihn als ein Dokument des einsetzenden Kampfes gegen eine erstarkende Gnosis aus- weist[1]. H. Weinel hält es für sehr wahrscheinlich, daß Paulus in der Aufer- stehungsfrage in einen Kampf mit Gnostikern verwickelt ist. Den Beweis liefern für ihn V. 34 (gegen gnostischen Libertinismus), V. 23–28 (Paulus entrollt ein antignostisches Zukunftsbild) und V. 29 (die von den Gnosti- kern geübte Totentaufe verrät ein magisches Sakramentsverständnis)[2].

Julius Schniewind leistete die exegetische Kleinarbeit, die Feststellungen W. Lütgerts und H. Weinels, daß es sich um gnostische Auferstehungsleug- nung handle, am Text von 1 Kor 15 zu verifizieren[3]. Seine Ergebnisse be- einflußten die Beurteilung der korinthischen Auferstehungsleugnung in der Folgezeit sehr nachhaltig. J. Schniewind suchte vor allem nachzuweisen, daß das ganze 15. Kapitel keine zwingenden Hinweise enthält, die eine po- pular-platonische Unsterblichkeitshoffnung in Korinth vermuten lassen[4]. Er selbst setzt die Verneinung der Auferstehung (1 Kor 15,12) gleich der Be- hauptung »Die Auferstehung ist schon geschehen« (vgl. 2 Tim 2,17f.). Da- für stützt er sich vorzüglich auf die V. 20–28: die Korinther glaubten, sie seien (auch) schon auferstanden. Paulus antwortet dagegen: Bisher ist nur Christus auferstanden, die Auferstehung der Christusgläubigen wird erst fol- gen. Eindrucksvoll weiß J. Schniewind auch V. 46 für seine These auszu- beuten[5]. Aus den V. 1–19; 29–44; 48–58 allerdings kann J. Schniewind wenig beibringen, was positiv für seine These verwertbar ist.

Auch für Walter Schmithals, der in Korinth eine einheitliche gnostische Front gegen Paulus am Werke sieht[6], stehen hinter der Auferstehungsleug- nung Gnostiker, nur mißversteht Paulus sie als radikale Jenseitsleugner und behandelt sie auch so[7]. Daß hinter der Leugnung der Auferstehung sich in

---

ders., Die Religion des Judentums im späthellenistischen Zeitalter, HNT 21, Tübingen [3]1926 (hrsg. v. H. Greßmann).

[1] H. Weinel, Die Echtheit der paulinischen Hauptbriefe im Lichte des anti- gnostischen Kampfes, in: Festschrift für J. Kaftan, Tübingen 1920, 376–393.

[2] A.a.O. 383f. – Im Gegensatz zu W. Lütgert hält H. Weinel das magische Sakramentsverständnis und die Überschätzung des Sakraments für Zeichen vor- handener Gnosis. W. Lütgert verstand die Mißachtung des Sakraments als typisch gnostische Lebensäußerung. – Im Anschluß an W. Lütgert, W. Bousset und H. Weinel sieht auch F. Guntermann hinter der korinthischen Auferstehungs- leugnung gnostische Motive (F. Guntermann, Die Eschatologie des Hl. Paulus, NtAbh 13,4.5, Münster 1932, bes. S. 146–151).

[3] J. Schniewind, Die Leugner der Auferstehung in Korinth, in: Nachgelassene Schriften und Aufsätze, hrsg. v. E. Kähler, Berlin 1952, 110–139.

[4] A.a.O. 110–112.

[5] A.a.O. 134–136.

[6] W. Schmithals, Die Gnosis in Korinth, Eine Untersuchung zu den Korinther- briefen, FRLANT 66, Göttingen [2]1965.

[7] A.a.O. 147. Vgl. dazu unten S. 18f.

Wirklichkeit doch Gnosis verbirgt, glaubt W. Schmithals daraus ablesen zu können, daß die in 1 Kor 15,29 erwähnte Totentaufe auf gnostische Bräuche verweise[1]. Auch V.46 deute in diese Richtung[2], vor allem aber nötige die quer durch 1 Kor feststellbare gnostische Einheitsfront dazu, auch die Auferstehungsleugnung auf dieses Konto zu buchen. V.35–58 schließt W. Schmithals als Beweismittel für oder gegen eine antignostische Position aus; seiner Meinung nach geben sie keinen Aufschluß über die Situation in Korinth, sondern reflektieren nur die Gedanken des Paulus zu diesem Thema[3].

Paul Hoffmann möchte bei den Auferstehungsleugnern in Korinth eine Anschauung voraussetzen, wie sie Justin, Dial 80 kennzeichnet. οἱ λέγουσι μὴ εἶναι νεκρῶν ἀνάστασιν ἀλλ' ἅμα τῷ ἀποθνήσκειν τὰς ψυχὰς αὐτῶν ἀναλαμβάνεσθαι εἰς τὸν οὐρανόν[4]. Diese Anschauung, so meint P. Hoffmann, lasse sich mit dem gnostischen Vollendungsbewußtsein und dem gnostischen Protest gegen eine Totenerweckung vereinbaren[5].

Spätestens hier muß die Frage auftauchen: Welcher Art sind die Unterschiede zwischen einer Jenseitserwartung, welche Ausprägung eines gnostischen Dualismus ist, und einer Jenseitserwartung, welche beeinflußt ist von der Abwertung des Leiblichen auf Grund platonisch-philosophischer Anthropologie. In der Auswirkung für eine Lebenserwartung über den Tod hinaus gleichen sie sich in den Hauptaussagen: völlige Abwertung des Leiblichen und Beschränkung der Erlösung auf die Seele oder das Geistpneuma. J. Schniewind wollte den Beweis antreten, daß die korinthische These »Auferstehung Toter gibt es nicht« ihren Ursprung nicht in platonisierender Unsterblichkeitslehre gehabt haben kann: »Es ergibt sich also, daß die korinthische These nicht gewesen ist: Unsterblichkeit der Seele statt Auferstehung des Leibes; Unvergänglichkeit, Ewigkeit statt Auferstehung«[6]. War das aber nicht auch – im Ergebnis – die Erwartung der Gnosis?

Diese Schwierigkeit wird verdeckt, aber nicht aufgehoben, nimmt man an, die Korinther hätten, mit späteren Gnostikern, die Auferstehungslehre spiritualisiert, und gelehrt: die Auferstehung ist schon geschehen[7]. Das Problem

---

[1] A.a.O. 147.
[2] A.a.O. 146.
[3] A.a.O. 147.
[4] Bei E. J. Goodspeed, Die ältesten Apologeten, Göttingen 1914, 192.
[5] P. Hoffmann, Die Toten in Christus 243. – Auch G. Brakemeier sieht in der korinthischen Auferstehungsleugnung eigentlich eine Spiritualisierung der Auferstehung. »Auferstehung« sei nichts anderes als ein Ausdruck dafür, daß man sich schon im Vollbesitz der Heilsgüter befinde. Diese Spiritualisierung sei jedoch eindeutig nicht durch Gnosis verursacht (G. Brakemeier, Die Auseinandersetzung des Paulus mit den Leugnern der Auferstehung, Diss. Göttingen 1968, 17f).
[6] J. Schniewind, a.a.O. 113.
[7] Dazu unten S. 171-181.

wird hier nur etwas verschoben: gerade die schon geschehene »Auferstehung« verheißt den Gnostikern Befreiung vom Kerker des Leibes und Aufstieg des Geistpneumas von Sphäre zu Sphäre. Vermißt man mit J. Schniewind bei Paulus in 1 Kor 15 jede Argumentation: Unsterblichkeit genügt nicht, es muß Auferstehung sein[1], dann weckt diese Beobachtung Zweifel sowohl an einer Exegese, die hinter den Leugnern der Auferstehung eine platonisierende Auferstehungslehre erkennen möchte, wie auch an einer Auslegung von 1 Kor 15, welche die Leugnung der Auferstehung auf gnostischen Dualismus zurückführen will.

C) »Die Auferstehung ist schon geschehen«

Vielfach wird die korinthische Auferstehungsleugnung in Verbindung gebracht mit der Nachricht über Hymenaeus und Philetus in 2 Tim 2,17f.: οἵτινες περὶ τὴν ἀλήθειαν ἠστόχησαν, λέγοντες ἀνάστασιν ἤδη γεγονέναι. Meist wird dann das ἀνάστασις νεκρῶν οὐκ ἔστιν von 1 Kor 15,12 so interpretiert, daß die Korinther die Meinung vertraten, die Auferstehung brauche nicht erst in der Zukunft zu geschehen, sondern sie sei bei den Christen schon jetzt Wirklichkeit geworden. »Auferstehung« werde vollzogen in der Taufe, in der Bekehrung, ereigne sich in der Annahme der Gnosis. Letztlich sei die korinthische Bestreitung einer Auferstehung der Widerspruch gegen eine von Paulus verkündete eschatologische Vorläufigkeit, zugunsten einer gegenwärtigen Erfüllungsgewißheit[2].

Als ältester Zeuge für dieses Verständnis von 1 Kor 15 wird Johannes Chrysostomus aufgeführt[3]. Richtig ist zwar, daß er in seinen Homilien zum ersten Korintherbrief auf 2 Tim 2,17f. verweist[4] und diese Stelle mit der korinthischen Auferstehungsleugnung in Zusammenhang bringt, doch setzt Johannes das »Auferstehung Toter gibt es nicht« von 1 Kor 15,12 nicht einfach dem »die Auferstehung ist schon geschehen« von 2 Tim 2,17f. gleich. Vielmehr führt er letzteres an als eine *andere* Form des Widerspruchs gegen die apostolische Auferstehungslehre[5]. Der Satz: ποτὲ μὲν οὖν

---

[1] A.a.O. 111.

[2] Vgl. J. Schniewind, Die Leugner der Auferstehung 114; W.G. Kümmel 1 Kor 192f.

[3] C.F.G. Heinrici, 1 Kor 394; J. Schniewind, a.a.O. 114; J.H. Wilson, The Corinthians who say there is no resurrection of the dead, in: ZNW 59, 95 Anm.23.

[4] Joh. Chrysostomus, In Ep. prima ad Corinthios, Hom. XXXVIII, 1. Text: MPG 61.

[5] περὶ γὰρ τὴν ἀνάστασιν αὐτὴν ἐστασίαζον. Ἐπειδὴ γὰρ ἡ πᾶσα ἡμῶν ἐλπὶς αὕτη, πρὸς τοῦτο σφοδρῶς ἵστατο ὁ διάβολος, καὶ ποτὲ μὲν ἀνῄρει καθάπαξ αὐτήν, ποτὲ δὲ ἔλεγεν ἤδη γεγονέναι· ὃ καὶ Τιμοθέῳ γράφων ὁ Παῦλος γάγγραιναν ἐκάλει τὸ πονηρὸν τοῦτο δόγμα, καὶ τοὺς εἰσάγοντας αὐτὸ ἐστίζε λέγων· Ὧν ἐστιν Ὑμέναιος καὶ Φιλητός, οἵτινες περὶ τὴν ἀλήθειαν ἠστόχησαν, λέγοντες τὴν ἀνάστασιν ἤδη γεγονέναι, καὶ ἀνατρέπουσι τὴν τινων πίστιν. Ποτὲ μὲν οὖν τοῦτο ἔλεγον, ποτὲ δὲ ὅτι τὸ σῶμα οὐκ ἀνίσταται, ἀλλὰ τῆς ψυχῆς ὁ καθαρμός ἐστιν ἡ ἀνάστασις.

τοῦτο ἔλεγον [ἀνάστασιν ἤδη γεγονέναι], ποτὲ δὲ ὅτι τὸ σῶμα οὐκ ἀνίσταται, ἀλλὰ τῆς ψυχῆς ὁ καθαρμός ἐστιν ἡ ἀνάστασις[1] läßt es zwar zu, die Korinther als diejenigen zu verstehen, welche auch sagten »Auferstehung ist schon geschehen«, wahrscheinlicher ist es jedoch, daß Johannes von allen jenen redet, die eine falsche Lehre von der Auferstehung vortragen. Die weiteren Ausführungen zu 1 Kor 15 zeigen, daß er die Korinther als Vertreter jener Auferstehungsleugnung darstellen will, welche eine Auferstehung des Leibes, und zwar des Leibes, den der Mensch in diesem Leben getragen hat, bestreiten[2].

Deutlich setzt Thomas von Aquin die Leugnung der Auferstehung in 1 Kor 15,12 gleich der Bestreitung einer künftigen Auferstehung in 2 Tim 2,17f.[3]. Das gleiche Verständnis von 1 Kor 15,12 zeigen später H. Grotius, F. Godet, G. Billroth, L. Usteri, H. Olshausen u. v. a.[4]. In der neueren Zeit versuchte J. Schniewind den ausführlichen Beweis für diese These zu liefern[5]. Fast gleichzeitig vertrat W. G. Kümmel die nämliche Auffassung zu 1 Kor 15,12[6].

Jedoch, – wenn die Korinther sagten: die Auferstehung ist schon geschehen, welche Vorstellungen verbanden sie dann inhaltlich mit dieser Rede? Wollten sie damit zum Ausdruck bringen, jede andere Erwartung für ein etwaiges Weiterleben fällt damit? Oder, wenn die Aussage, die Auferstehung ist schon geschehen, bedeutet, die wahrhafte Umwandlung des Menschen ist schon geschehen, alles was sich beim Tode des Menschen ereignet, berührt nicht den innersten Kern des Christen, so ist doch weiterzufragen: wie dachten sich die Korinther dieses »nach dem Tode«? G. Billroth hält die Leugner von Korinth für radikale Verneiner jedes Weiterlebens: »Aber einige zweifelten an der Auferstehung überhaupt und somit an der Sicherheit der Teilnahme am zukünftigen Reiche«[7]. Wenn diese Korinther dann sagten: die Auferstehung ist schon geschehen, dann rechtfertigten sie damit ihre Auferstehungsleugnung[8].

F. Godet dagegen verbindet den Satz »die Auferstehung ist schon geschehen« mit der Erwartung eines Weiterlebens der Seele nach dem Tode.

---

[1] A.a.O.

[2] Vgl. Hom. XXXIX,2: καὶ Κορίνθιοι δὲ οὐ περὶ ἀφέσεως ἁμαρτημάτων ἀμφέσταλλον, ἀλλὰ περὶ σωμάτων ἀναστάσεως und Hom. LXI,2: ἀλλ' οἱ αἱρετικοὶ ... λέγουσιν, ὅτι ἕτερον σῶμα πίπτει καὶ ἕτερον σῶμα ἀνίσταται.

[3] Vgl. S. 3.

[4] H. Grotius, Annotationes in Nov. Testamentum, Editio Nova, hrsg. v. Chr. E. von Windheim, Tom. II,1, Erlangen u. Leipzig 1756, 464 ([1]1641–1646 Paris); F. Godet, 1 Kor 180; G. Billroth 1 Kor 210; L. Usteri, Entwicklung des pln. Lehrbegriffes, Zürich 1824, 167 Anm; H. Olshausen, Biblischer Commentar über sämtliche Schriften des Neuen Testaments III, Königsberg [2]1840, 736.

[5] J. Schniewind, Die Leugner der Auferstehung.

[6] W. G. Kümmel, in: H. Lietzmann – W. G. Kümmel, 1 Kor (HNT), 192f.

[7] G. Billroth, a.a.O. 210f.

[8] A.a.O. 211.

»Offenbar dachten sich diese Lehrer unter der Auferstehung nichts weiter als die geistige Wiedergeburt; die Erneuerung des Leibes verwiesen sie in das Gebiet der Fabel«[1]; daß die Korinther allerdings auch die Unsterblichkeit der Seele und das Gericht leugneten, hält F. Godet für ausgeschlossen[2].

Es wird zu fragen sein: wenn die Korinther meinten, die Auferstehung sei schon geschehen, ist dann die Formulierung ἀνάστασις νεκρῶν οὐκ ἔστιν (15,12) das Werk des Paulus, oder eine andere Ausdrucksmöglichkeit der Korinther für den nämlichen Sachverhalt. Weiter wird zu untersuchen sein, ob es denkbar ist, daß die Korinther ἀνάστασις sagen konnten und damit etwas anderes meinten als eine ἀνάστασις νεκρῶν. Und wenn die Korinther dies taten, konnte dann Paulus diesen Begriff so stehen lassen, ohne festzustellen: ich verstehe unter ἀνάστασις etwas anderes! Ferner ist zu prüfen, ob 1 Kor 15 gegen ein sattes »Wir sind schon vollendet« gerichtet ist, also gegen ein falsches Verständnis der jetzigen Existenz[3], oder ob es doch in erster Linie darum geht: welches Schicksal trifft den Menschen nach dem Tode? Oder aber hat Paulus den Widerspruch der Korinther gegen seine Verkündigung der Auferstehung falsch interpretiert? War er falsch oder mangelhaft unterrichtet über die Anschauungen der Korinther?

D) Die Auferstehungsleugnung als paulinisches Mißverständnis

Gelegentlich begegnen in der Geschichte der Auslegung von 1 Kor 15 die Vermutung und der Verdacht, Paulus werde in diesem Kapitel dem eigentlichen Anliegen der Korinther nicht gerecht. Es wird die Möglichkeit erwogen, der Apostel sei über die Leugnung der Auferstehung in seiner Gemeinde falsch oder zumindest mangelhaft unterrichtet gewesen, und daraus resultiere eine unrichtige Einschätzung der dortigen Situation. Es wird aber auch daran gedacht, daß Paulus zwar über die Auffassung der Korinther hinsichtlich der Auferstehung richtig informiert gewesen, daß diese aber seinem Denken zu fremd gewesen sei, als daß er sie richtig hätte beurteilen und beantworten können.

Nachdem schon Johann August Wilhelm Neander den Verdacht geäußert hatte, Paulus behandle die Korinther zu Unrecht als Verneiner jeglicher Jenseitshoffnung[4], schrieb auch Leopold Immanuel Rückert, daß

---

[1] Fr. Godet, a.a.O. 180.

[2] A.a.O. 180f.

[3] Vgl. 1 Kor 4,8. – Ausdrücklich gegen eine Gleichsetzung der korinthischen Auferstehungsleugnung mit der Irrlehre von 2 Tim 2,17f. wenden sich u.a.: W.M.L. de Wette, Kurze Erklärung der Briefe an die Corinther, Leipzig ²1845, 129; C.F.G. Heinrici, 1 Kor 394; A. Robertson–A. Plummer, 1 Kor 347; W. Schmithals, Die Gnosis in Korinth 148; P. Hoffmann, Die Toten in Christus 242. – Dazu s.u. 182-185.

[4] J.A.W. Neander (1789–1850; bes. in Berlin tätig), Geschichte der Pflanzung und Leitung der Kirche durch die Apostel I, Hamburg (¹1832) ³1841,344f.

»Paulus, ohne vielleicht recht zu wissen, was man in Korinth behauptete und
was man leugnete, und die ganze Sache von seinem Standpunkt aus be-
trachtend, die Gegner der Auferstehungslehre sofort als Gegner des Glaubens an ein ewiges Leben behandeln zu dürfen glaubte«[1]. Anlaß zu dieser
Bemerkung gab L. I. Rückert die Beobachtung, Paulus spreche in 1 Kor 15
zuweilen so, »als habe er es mit Gegnern der Unsterblichkeit zu tun (z. B.
V. 19.29 ff.)«[2], eine Annahme, die für L. I. Rückert unannehmbar erscheint, da
die Korinther – seiner Meinung nach – ja die Auferstehung des Christus glaubt-
en, und da es überhaupt undenkbar sei, daß Christen ewiges Leben leugnen[3].

Auch P. Hoffmann vertritt die Ansicht, Paulus treffe mit seinen Argumenten weitgehend nicht die eigentliche Lehre der korinthischen Leugner;
zwar nicht deswegen, weil er die Korinther fälschlich als Bestreiter jedes
Lebens über den Tod hinaus einschätzte, vielmehr erkenne der Apostel bei
den Gegnern eine gewisse Jenseitshoffnung. Doch Paulus selbst könne sich
einen leiblosen Zustand der Vollendung nicht vorstellen, jedenfalls nicht als
einen erstrebenswerten Heilszustand[4].

Nach R. Bultmann dagegen hat Paulus die Lage in Korinth nicht richtig
verstanden und daher seine Gegner mißverstanden. Das werde daran sichtbar, daß seine Argumentation eindeutig gegen eine radikale Leugnung jedes
Weiterlebens über den Tod hinaus gerichtet ist. Das könne jedoch unmöglich die geistige Position der Korinther gewesen sein, wie schon der bei
ihnen geübte Brauch der Vikariatstaufe beweise[5]. W. Schmithals hat diese
These weiter ausgebaut und eine Exegese von 1 Kor 15 vorgelegt, welche
ganz auf diese Voraussetzung aufbaut[6]. Paulus habe hinter der korinthischen
Bestreitung der Auferstehung einen radikal epikureischen Standpunkt vermutet und dagegen polemisiert, in Wirklichkeit jedoch »müssen die Widersacher des Paulus eine spiritualistische Jenseitserwartung vertreten haben«[7].

Es wird im folgenden zu prüfen sein, ob genügend Anzeichen vorliegen,
welche die Annahme einer Fehlbeurteilung der korinthischen Leugnung in
1 Kor 15 rechtfertigen und es somit erlauben, die Schwierigkeiten, welche
der Exegese von 1 Kor 15 aus der uneinheitlichen Argumentation des Paulus
erwachsen, auf solche Weise zu begründen.

---

[1] L. I. Rückert, 1 Kor 395 f.
[2] A. a. O.
[3] A. a. O.
[4] P. Hoffmann, Die Toten in Christus 245 f. Ähnlich F. Godet, 1 Kor II, 219 f.
[5] R. Bultmann, Theologie des NT, Tübingen [4]1961, 172.
[6] W. Schmithals, Die Gnosis in Korinth 85.146–150.
[7] A. a. O. 147. Zustimmend: K. Wegenast, Das Verständnis der Tradition bei
Paulus (WMANT 8), Neukirchen 1962, 61 f; U. Wilckens, Weisheit und Torheit
(BHTh 26), Tübingen 1959, 212 Anm. 1; H. Conzelmann, 1 Kor (Meyer K),
Göttingen 1969, 310: »Ohne die Annahme eines gewissen Mißverständnisses seitens
des Paulus kommt man kaum aus«.

Zweites Kapitel

LITERARKRITISCHE UNTERSUCHUNGEN

I. Die Abgrenzung von 1 Kor 15

Das 15. Kapitel des ersten Korintherbriefes bildet eine in sich geschlossene Einheit: mit 1 Kor 15,1 beginnt als neuer Themenkreis die Behandlung der Auferstehungsfrage. Eine direkte Bezugnahme auf die vorhergehenden Stellen ist nicht auszumachen[1].

Verfehlt ist es, 1 Kor 15,1–11 als einen aus Vollmacht gesprochenen Abschluß zu den Kap. 13.14 zu verstehen[2]:

1. Es ist nicht richtig, daß in den parallelen Stellen der paulinischen Hauptbriefe γνωρίζω eine explizierende Feststellung in Anlehnung an Vorhandenes eröffnet oder gar eröffnen muß[3]. So führt in 2 Kor 8,1 γνωρίζομεν δὲ ὑμῖν ... ein neues Anliegen, die Kollekte, ein[4]. Es wird also nicht auf schon Vorhandenes zurückgegriffen, sondern γνωρίζω markiert einen neuen Einsatz[5].

2. Der Hinweis: »Das Zitat einer korinthischen Ansicht ist typischer Einsatz eines neuen Themas: 1 Kor 7,1; 8,1«[6] kann nicht die Behauptung stützen, Paulus wende sich somit eigentlich erst mit 15,12 dem neuen Thema der Auferstehung zu. Als Gegenbeispiele lassen sich aus dem ersten Korintherbrief anführen: 12,1 (erst in 12,3 erscheint eine »korinthische Ansicht«); 1,10 (erst 1,12 zitiert einen Ausspruch aus Korinth); vgl. auch 11,17–34; 5,9f.

3. Offenbar sollen die Verse 1 Kor 14,39.40 die in den Kapiteln 13 und 14 behandelten Themen abschließen: ὥστε ἀδελφοί μου mit folgendem Imperativ ist eine typisch paulinische Schlußwendung: vgl. 11,33; 15,58; Phil 4,1; ferner 1 Kor 3,21; 4,5; 10,12; 1 Thess 4,18[7].

---

[1] Vgl. J. Weiß, 1 Kor 343 f; H. Lietzmann, 1 Kor 76; Ph. Bachmann, 1 Kor 423.

[2] So E. Bammel, Herkunft und Funktion der Traditionselemente in 1 Kor 15, 1–11, ThZ 11, 401–419.

[3] Gegen E. Bammel, a.a.O. 408 Anm. 36.

[4] Ähnlich verhält es sich 1 Kor 12,3. Zwar steht γνωρίζω nicht im ersten Satz, der dem neuen Themenkreis gewidmet ist, doch eröffnet es nach der Bezugnahme auf die korinthische Anfrage dessen Behandlung.

[5] Vgl. etwa H. Lietzmann, 1 Kor 133.

[6] E. Bammel, a.a.O. 409 Anm. 38.

[7] Eine Ausnahme scheint Phil 2,12 vorzuliegen. – Natürlich kann der Hinweis auf das abschließende ὥστε mit Imperativ nicht die Beweislast dafür tragen, daß

4. Richtig ist, daß 15, 11 den Gedankenfortschritt der V. 1–11 zusammenfaßt: εἴτε οὖν ἐγὼ εἴτε ἐκεῖνοι, οὕτως κηρύσσομεν[1]. Ziel dieser dargelegten Übereinstimmung kann es jedoch nicht sein, nur eine Übereinstimmung als solche zu demonstrieren, sondern eine Übereinstimmung über das in V. 3–5 vorgelegte Evangelium[2], vor allem in Hinsicht darauf: Von Christus wird verkündet, er ist aufgerichtet aus Toten. Nur unter dieser Voraussetzung kann V. 12 – das Ergebnis der V. 1–11 zusammenfassend – folgerichtig weiterfahren: εἰ δὲ Χριστὸς κηρύσσεται ὅτι ἐκ νεκρῶν ἐγήγερται[3].

5. Eine Beziehung von εὐαγγέλιον in 15, 1 auf die Kap. 13.14, so als würden die dort getroffenen disziplinären Anordnungen als Inhalt des Evangeliums (oder als dessen Interpretation) deklariert[4], ist nicht möglich. Vielmehr wird εὐαγγέλιον inhaltlich expliziert durch die V. 3–5; V. 2 zeigt seine Bedeutung für die Korinther[5].

6. Zwar waren die in den V. 3–5 angeführten Ereignisse publik[6]. Das bedeutet jedoch nicht, daß somit die Reihe der Gewährsmänner für dieses Ereignis keinen Bezug zum *Inhalt* der V. 3–5 haben könne, daß vielmehr ihre Erwähnung sozusagen nur als Dokumentation der Einhelligkeit überhaupt erfolge. Es wird noch zu untersuchen sein, ob nicht die Auferstehung Christi in Korinth zwar publik, aber doch nicht unbestritten war[7]. Vor allem aber zeigen die V. 11.12 das Interesse des Paulus, darin eine Übereinstimmung zwischen sich und den anderen zu erweisen, daß Χριστὸς κηρύσσεται ὅτι ἐκ νεκρῶν ἐγήγερται.

Somit muß 1 Kor 15, 1 als ein völliger Neueinsatz bewertet werden. Das hier angeschlagene und 15, 58 abgeschlossene Thema der Auferstehung steht in keiner unmittelbaren stofflichen Beziehung zu den vorausgehenden oder folgenden Kapiteln.

---

damit tatsächlich die Themen von Kap. 13.14 abgeschlossen sind und Paulus nicht noch einmal hätte neu ansetzen können.

[1] E. Bammel, a.a.O. 409.

[2] Es steht hier nicht zur Frage, wie weit die Inhaltsangabe dessen, was zum Evangelium gehört, an dieser Stelle vollständig ist. Vgl. dazu G. Friedrich, Artikel εὐαγγέλιον, ThWNT 2, 727.

[3] Was wäre für Paulus oder die Korinther auch gewonnen, wenn zwar hinsichtlich des Inhalts der V. 3–5 Einmütigkeit besteht zwischen Paulus und der Verkündigung anderer Apostel? Was die in den Kap. 13.14 besprochenen Fragen angeht, könnte Paulus dann doch andere Wege gegangen sein, und die Korinther könnten sich auf andere Autoritäten berufen (gegen E. Bammel, a.a.O. 409).

[4] E. Bammel, a.a.O. 408 Anm. 36.

[5] Vgl. G. Friedrich, a.a.O. 727; W. Kramer, Christos, Kyrios, Gottessohn, Zürich 1963, 47.

[6] E. Bammel, a.a.O. 411.

[7] Dazu unten S. 55-63.

II. Der ursprüngliche Standort von 1 Kor 15 in der Korrespondenz zwischen Paulus und Korinth

Die Erkenntnis der Abgeschlossenheit von 1 Kor 15 und die Feststellung, daß – im Blick auf den ganzen ersten Korintherbrief – sein Fehlen nicht stören würde[1], begünstigte die Neigung, dieses Kapitel immer wieder in verschiedenartigste Teilungshypothesen einzubeziehen. Sprechen überzeugende oder wenigstens beunruhigende Argumente dafür, daß Kap. 15 aus seinem jetzigen Zusammenhang in 1 Kor herausgelöst werden müßte? Wenn ja, wo könnte dann der ursprüngliche Ort dafür sein?

Die folgende Zusammenstellung gibt eine Übersicht über Teilungshypothesen zu 1 Kor, die auch 1 Kor 15 in die Umgruppierung des Textes miteinbeziehen. Dabei steht das Siglum A für jenen ersten Brief an die Gemeinde in Korinth, auf den 1 Kor 5,9 zu beziehen ist[2].

Verfasser	Brief	ursprüngl. Standort von 1 Kor 15
H. Hagge, Jahrb. prot. Theol., 1876	B	Zwischen 2 Kor 11,4 und 11,5; Brief A sei im wesentlichen 1 Kor.
D. Voelter, Th. Tijdschrift, 1889	A	15,29–49.56 späte Interpolationen; Brief A im wesentlichen 1 Kor.
C. Clemen, Die Einheitlichkeit, 1894	A	Kap. 15 stand, nach Einleitung, am Anfang von A.
C. Clemen, Paulus, 1904	B	Verteidigt volle Integrität von 1 Kor = Brief B.
J. Weiß, Urchristentum, 1917	B	Kap. 15 im jetzigen Zusammenhang.
A. Loisy, Les Livres, 1922	C	Brief C umfaßt 1 Kor 1,1–4,21 und 15,1–16,24.
P.-L. Couchoud, Rev. de l'Hist. 1923	F	Kap. 15 bildet eigenen Brief.
M. Goguel, Introd. N. T., 1926	B	Kap. 15 im jetzigen Zusammenhang.
J. Héring, Première Epître, 1949	B	Nach Kap. 14; doch gehören 16,1–4.10–14 zu Brief A.
E. Dinkler, RGG, ³1960	B	1 Kor 12–14 gehören zu A.
P. Cleary, CBQ, 1950	A	Zwischen 1 Kor 4,18–21 und 9,24–27.
W. Schmithals, Gnosis, ²1965	A	Wohl zwischen 1 Kor 11,2–34 und 16,13–24.

H. Hagge[3] findet den Grund für die Ausscheidung von Kap. 15 aus seinem jetzigen Zusammenhang in dem fehlenden περὶ δέ, mit dem Paulus durchgehend seine Antworten auf die Anfragen aus Korinth eingeleitet habe. Diese Antworten verlegt Hagge in Brief A. Kap. 15 gehöre dagegen in Brief B und zwar zwischen die V. 4 und 5 von 2 Kor 11: Paulus erinnere die Korinther, sein Evangelium sei kein anderes als dasjenige, welches auch der ἐρχόμενος (vgl. 2 Kor 11,4) vertreten werde.

Für D. Voelter[4] gehört Kap. 15 zu unserem jetzigen ersten Korintherbrief, den er als Brief A einordnet. Als späte Interpolationen möchte er die V. 29–49.56 ausscheiden. Später[5] nimmt D. Voelter diese Verse (ausgenommen V. 56) wieder in den ursprünglichen Text auf, schlägt jedoch vor, die V. 7.23–28.32b.45.51f.56 als Zusätze auszuscheiden.

C. Clemen[6] bietet zur Stützung seiner Hypothese drei Gründe auf:

1. Christologische Differenzen in den Aussagen 1 Kor 11,3 einerseits und 1 Kor 15,45–47 andererseits: die Aussage über Christus ὅτι παντὸς ἀνδρὸς ἡ κεφαλή impliziere wohl eine menschliche Präexistenz Christi und somit auch einen Widerspruch zu 15,45–47[7].

2. Nach 1 Kor 3,2 könne Paulus den Korinthern noch keine »festen Speisen« vorsetzen; genau dies geschehe aber 15,50–53.

3. Kap. 16 schließe sich besser als Kap. 15 an Kap. 14 an, da beide praktische Erörterungen zum Inhalt hätten; die »theoretische Abhandlung« von Kap. 15 wirke hier störend[8]. Zehn Jahre später sprach C. Clemen selbst diesen Einwänden jedes Gewicht ab[9] und verteidigte die uns vorliegende Einordnung von Kap. 15 in Brief B, den er im wesentlichen mit unserem jetzigen ersten Korintherbrief gleichsetzen möchte[10].

---

[1] Vgl. etwa C. Clemen, Paulus, sein Leben und Wirken I, Gießen 1904, 73.

[2] Der uns vorliegende erste Korintherbrief kann in seiner jetzigen Form nicht einfach mit dem in 1 Kor 5,9 erwähnten Brief identisch sein. Vgl. J. Weiß, 1 Kor 138; H. Lietzmann, 1 Kor 25 (dort auch der Hinweis auf die gegenteilige Auffassung bei den Vätern).

[3] H. Hagge, Die beiden überlieferten Sendschreiben des Apostels Paulus an die Gemeinde zu Korinth, in: Jahrbücher für protestantische Theologie 2, Leipzig 1876, 481–531.

[4] D. Voelter, Ein Votum zur Frage nach der Echtheit, Integrität und Composition der vier paulinischen Hauptbriefe, in: Theologisch Tijdschrift 23, Leiden 1889, 265–325.

[5] D. Voelter, Paulus und seine Briefe, Straßburg 1905, 58–73.

[6] C. Clemen, Die Einheitlichkeit der paulinischen Briefe an der Hand der bisher mit Bezug auf sie aufgestellten Interpolations- und Compilationshypothesen, Göttingen 1894, 51–57.66f.

[7] C. Clemen, a.a.O. 56.

[8] C. Clemen, a.a.O. 56.

[9] C. Clemen, Paulus, sein Leben und Wirken I, Gießen 1904, 72–75.

[10] A.a.O. 75.

A. Loisy[1], M. Goguel[2], J. Héring[3] und E. Dinkler[4] führen für ihre Hypothesen, soweit auch Kap. 15 von ihnen betroffen wird, keine näheren Begründungen an. P.-L. Couchoud[5] übernimmt im großen und ganzen die Theorie von A. Loisy, löst jedoch aus dessen Brief C Kap. 15 als einen gesonderten Brief (F) heraus, der auf jene späte korinthische Anfrage über Auferstehungsfragen zurückgehe, von welcher auch die Paulusakten noch wüßten[6]. P. Cleary[7] folgert aus der Einsicht, daß Papyrusbriefe in Unordnung geraten können, das Recht, Abschnitte, Verse und Versteile so umzugruppieren, bis sich eine ihm angemessen erscheinende logische Anordnung des paulinischen Gedankengutes ergibt[8]. P. Cleary sieht sowohl in Brief A wie auch in Brief B Antwortschreiben des Paulus auf schriftliche Anfragen aus Korinth. Die wichtigeren und drängenderen Fragen der Korinther seien in Brief A beantwortet (darunter falle auch das Problem der Auferstehung); die Stellungnahme zu weniger bedeutsamen Anfragen aus Korinth fänden sich in Brief B[9].

In neuerer Zeit hat vor allem W. Schmithals eine Teilungshypothese vorgetragen, welche auch 1 Kor 15 berührt[10]. Für die Ausklammerung dieses Kapitels aus dem jetzigen Zusammenhang und seine Verlegung in Brief A führt W. Schmithals begründend an[11]:

1. Die mit περὶ δέ eingeleiteten Abschnitte des ersten Korintherbriefs gehören dem Paulusbrief an, welcher den Brief der Korinthergemeinde beantwortet, – nach der Konstruktion von W. Schmithals Brief B[12]. Paulus hatte jedoch die Absicht, diese Beantwortung ohne größere Umschweife durch-

---

[1] A. Loisy, Les Livres du N. T., Paris 1922, 43–47.
[2] M. Goguel, Introduction au Nouveau Testament IV. Paris 1926, 77.86.
[3] J. Héring, La première Epître de S. Paul aux Corinthiens, Neuchâtel und Paris 1949, 10–12.
[4] E. Dinkler, Artikel Korintherbriefe in: RGG IV, [3]1960, 17–24.
[5] P.-L. Couchoud, Reconstitution et Classement des Lettres de Saint Paul, in: Revue de l'Histoire des Religions 87, Paris 1923, 8–31.
[6] P.-L. Couchoud, a. a. O. 29; vgl. Hennecke-Schneemelcher, Neutestamentliche Apokryphen II, 257 f.
[7] P. Cleary, The Epistles to the Corinthians, in: CBQ 12, 11–33.
[8] Für Kap. 15 sieht P. Cleary diese Ordnung vor: 15, 1–19.29–34.20–28.35–58.
[9] P. Cleary, a. a. O. 24 f.
[10] W. Schmithals, Die Gnosis in Korinth.
[11] Kritische Stellungnahmen zu den Teilungshypothesen von W. Schmithals generell, bei: W. Michaelis, Teilungshypothesen bei Paulusbriefen, ThZ 14, 320–326; Ders., Einleitung in das NT, Erg.-Heft z. 3. Aufl., Bern 1961, 25; W. G. Kümmel, in: Feine-Behm-Kümmel, Einleitung in das NT, Heidelberg [14]1965, 205; G. Bornkamm, Die Vorgeschichte des sog. zweiten Korintherbriefes, SAH, Heidelberg 1961, 34 Anm. 131; W. Marxsen, Einleitung in das NT, Gütersloh [3]1964, 72; G. Friedrich, Christus, Einheit und Norm der Christen, in: KuD 1963/64, 235.
[12] W. Schmithals, Die Gnosis in Korinth 85.

zuführen. »Daß er das im Sinne hatte, geht aus dem περὶ δὲ ὧν ἐγράψατε (7,1) hervor, das nicht nur die bis 7,24 folgenden Ausführungen überschreibt, sondern anders als die späteren Überschriften περὶ δέ ... auf sämtliche Anfragen des Gemeindebriefes blickt«[1]. Kap. 15, das diese Ausführungen unterbricht, muß daher aus B ausgeschieden werden.

2. 1 Kor 15,9 kann nicht neben 1 Kor 9,1 ff. in ein und demselben Brief stehen: in 15,9 kann sich Paulus noch harmlos als ἐλάχιστος τῶν ἀποστόλων bezeichnen, kann sagen, er sei nicht ἱκανὸς καλεῖσθαι ἀπόστολος, in 9,1 ff. dagegen muß er sein Apostolat sogar unter Zuhilfenahme von Selbstempfehlungen verteidigen[2].

3. Paulus mißversteht die korinthische Auferstehungsleugnung und begegnet ihr nicht sachgerecht[3]. Das erklärt sich, wenn er zum Zeitpunkt der Abfassung von Kap. 15 mangelhaft über die Vorgänge in Korinth unterrichtet war, also noch nicht den Gemeindebrief und eine offizielle Abordnung der Gemeinde empfangen hatte[4].

4. Kap. 15 schließt sich gut an die Ausführungen von 11,2–34 an: über die Abendmahlsordnung will Paulus erst bei seinem Besuch in Korinth näheres verfügen (11,34), die Heilsbotschaft der Auferstehung dagegen schon jetzt ins Gedächtnis rufen (15,1)[5].

Zu 1) Aus dem in der Einleitung zu Kap. 15 fehlenden περὶ δέ eine Ausscheidung dieses Abschnittes aus seinem jetzigen Zusammenhang rechtfertigen zu wollen, bedeutet eine Mißachtung der speziellen literarischen Art des ersten Korintherbriefes, der als Antwort auf Anfragen verschieden-

---

[1] A.a.O. 85.
[2] A.a.O. 86.
[3] A.a.O. 146–150. – In enger Anlehnung an W. Schmithals hat neuerdings W. Schenk die Ansicht vertreten, 1 Kor 15 habe seinen ursprünglichen Platz zwischen 1 Kor 11,34 und 16,13 im sog. Brief A gehabt (W. Schenk geht vor allem insofern über W. Schmithals hinaus, da er aus dem Korpus von 1 Kor vier ursprünglich selbständige Schreiben des Paulus erheben möchte). Die Gründe für die Umgruppierung von 1 Kor 15 sind die gleichen, die W. Schmithals anführt. Zusätzlich erwähnt W. Schenk noch die Vermutung – allerdings ohne Angabe einer näheren Begründung –, 1 Kor 16,13f. gehöre noch zur Sachparänese von 1 Kor 15 (W. Schenk, Der 1. Korintherbrief als Briefsammlung, in: ZNW 60, 219–243). – Das immer wieder angeführte Argument, der in 1 Kor 5,9 erwähnte Apostelbrief müsse im Korpus der zwei erhaltenen Kor.-Briefe erhalten sein, da sonst dieser Vorbrief der einzige Paulusbrief wäre, den man der Vergessenheit preisgegeben hätte, lebt wohl z.gr.T. von der unbewußt gemachten Gleichsetzung des späteren Paulus mit dem Paulus, der eben erst angefangen hatte – neben Apoll und anderen Missionaren – Gemeinden zu gründen, und der dabei offenbar nicht so sehr imponierte, daß von Anfang an kein Zweifel bestand, daß seine Schreiben gesammelt werden müßten.
[4] Vgl. oben S. 18f.
[5] W. Schmithals, a.a.O. 85.

ster Art, die aus verschiedenen Quellen zu Paulus gelangten[1], nicht nach den Maßstäben einer systematischen Abhandlung beurteilt werden darf. Auch wenn Paulus die Mehrzahl der Antworten auf den Gemeindebrief mit περὶ δέ einleitete, *mußte* er natürlich nicht alle Abschnitte, die sich auf den Brief der Gemeinde bezogen, gleichermaßen eröffnen. Und selbst wenn aus 7, 1 die Absicht, ohne Umschweife den ganzen Brief zu beantworten, herausgelesen werden könnte, ist das keine Garantie, daß dies Paulus tatsächlich gelang.

Zu 2) Da ἔκτρωμα (V. 8) aller Wahrscheinlichkeit nach ein Schimpfwort wiedergibt, mit dem Paulus in Korinth belegt wurde, und dieses Wort im Zusammenhang steht mit dem von Paulus erhobenen Anspruch auf das Apostolat[2], so ist es nicht ersichtlich, wieso 15, 8–11 ein früheres Stadium der Beziehungen zwischen Paulus und den korinthischen Gegnern spiegeln soll: auch in 15, 8–10 weiß Paulus – wie in 9, 1 f. – von Angriffen auf seinen Apostelanspruch und auch 15, 8–10 weist er diese Vorwürfe zurück, nachdem er 15, 9 das Feld abgegrenzt hat, in dem sie eine gewisse Berechtigung haben[3].

Zu 3) Nicht dafür geeignet, eine Ausscheidung von Kap. 15 aus dem jetzigen Zusammenhang zu stützen, ist der Hinweis auf eine Fehlbeurteilung der korinthischen Auferstehungsleugnung in Kap. 15. Selbst wenn sich ein derartiger Sachverhalt beweisen ließe, müßte immer auch damit gerechnet werden, daß die falsche oder ungenaue Information, die Paulus zur Fehlbeurteilung veranlaßte, auf eine ungenaue Notiz des Gemeindebriefes oder der Überbringer dieses Briefes zurückgeht[4].

Der entscheidende Grund, der W. Schmithals zur Umgruppierung von Kap. 15 bewegt, dürfte wohl seine These sein, alles, was Paulus in seinem Antwortschreiben (also Brief B) berührt, sei gegen eine einheitliche gno-

---

[1] Vgl. unten S. 27-29.

[2] Vgl. z. B. J. Weiß, 1 Kor 352; J. Schneider, ThWNT 2, 464; E. Güttgemanns, Der leidende Apostel und sein Herr, Göttingen 1966, 88–90. – Unklar ist allerdings, warum E. Güttgemanns aus diesem Schimpfwort und seiner Zurückweisung folgert, die Korinther hätten das Apostolat des Paulus bestritten wegen seiner »Außenseiterstellung« in der Verkündigung einer »christologischen Distanz« hinsichtlich der Auferstehungslehre.

[3] J. Weiß, 1 Kor 352 vermutet auch hinter dem ἱκανός (V. 9) ein Stichwort der Gegner in Korinth. Jedenfalls mißachtet W. Schmithals den polemischen Charakter der V. 15, 8–10, wenn er a. a. O. 86 meint, Paulus bezeichne sich hier noch »ganz harmlos« als letzten der Apostel.

[4] Andererseits gesteht auch W. Schmithals, Stephanas, der von der Auferstehungsleugnung berichtet, sei über andere Vorkommnisse in der Gemeinde gut orientiert (vgl. a. a. O. 95), und Paulus selbst wisse von den Auferstehungsleugnern, daß sie die Totentaufe praktizieren (a. a. O. 147), daß sie meinen, Gnosis zu besitzen (a. a. O. 148), ja, die V. 45–47 lassen eine solch genaue Kenntnis der korinthischen Position erkennen, daß W. Schmithals sie als Glosse ausscheiden möchte (a. a. O. 160 f. Anmerkung 2).

stische Frontstellung in der Gemeinde von Korinth gerichtet[1]. Kap. 15
wendet sich jedoch nach Schmithals' Urteil gegen Leugner jeglicher Jenseitshoffnung[2], also nicht gegen eine gnostische Position, und stört somit das
Bild, welches Schmithals entwerfen möchte.

III. DIE QUELLE DER INFORMATION ÜBER DIE AUFERSTEHUNGSLEUGNUNG IN KORINTH

Es wird heute fast einhellig bejaht, daß die Formulierungen πῶς λέγουσιν
ἐν ὑμῖν τινες ὅτι ἀνάστασις νεκρῶν οὐκ ἔστιν; (1 Kor 15,12), bzw. ὅτι νεκροὶ οὐκ
ἐγείρονται; (1 Kor 15,15.16.29.32) auf eine Information aus Korinth zurückgehen. Auch die beiden Fragen in 1 Kor 15,35 πῶς ἐγείρονται οἱ νεκροί; ποίῳ δὲ
σώματι ἔρχονται; weisen auf eine Nachricht aus Korinth[3]. J. Weiß hat auf die
formale Ähnlichkeit des 1 Kor 15,35 einleitenden ἀλλὰ ἐρεῖ τις mit einer
Floskel der Diatribe hingewiesen[4]. Da derartige Einwände allenthalben der
orthodox-jüdischen und auch der christlichen Verkündigung der Auferstehung entgegengehalten worden sein dürften[5], läßt sich nicht mit Sicherheit behaupten, die beiden Fragen seien tatsächlich in dieser Gestalt dem
Paulus als Einwände aus Korinth übermittelt worden. Ebensogut kann
Paulus diese Fragen selbst formuliert, sie sich selbst als Einwand gestellt
haben, allerdings als Einwand, den er mit Sicherheit auch als ernsthafte
Schwierigkeit der Korinther erwarten durfte. Die Ausführlichkeit der
Widerlegung dieser Einwände (V. 36–49) dürfte andernfalls schwerlich er-
klärbar sein[6]. Weitere Hinweise auf eine Nachricht aus Korinth vermutet
man vielfach auch hinter 1 Kor 15,32.46f.[7].

---

[1] A.a.O. 107.116f. 271–277.

[2] A.a.O. 147. – S.S. Smalley sieht darin ein Argument für die literarische Ein-
heit von 1 Kor 12–16, daß, entsprechend der Aufzählung von 1 Kor 12,29f., die
darauf folgenden Kapitel geordnet sind:
Kap. 13: ἀπόστολοι – ἀγάπη;
Kap. 14: προφῆται – πίστις;
Kap. 15: διδάσκαλοι – ἐλπίς.
Doch handelt es sich hier wohl eher um ein Spielen mit dem Text (S.S. Smalley,
Spiritual Gifts in 1 Kor 12–16, in: JBL 87, 427–433).

[3] J. Weiß, 1 Kor 345; H. Lietzmann, 1 Kor 83; F. Guntermann, Die Eschatologie des Hl. Paulus, Münster 1932, 163.

[4] J. Weiß, 1 Kor 367 Anm. 4; vgl. auch R. Bultmann, Der Stil der paulinischen
Predigt und die kynisch-stoische Diatribe, Göttingen 1910, 66.

[5] Vgl. W. Schmithals, Die Gnosis in Korinth 147; E. Brandenburger, Adam
und Christus, Neukirchen 1962, 73.

[6] W. Schmithals, a.a.O. 147 unterstellt: »V. 35 f. sagen also nichts über die Zustände in Kor. aus, sondern reflektieren lediglich die Anschauungen des Paulus
darüber«.

[7] J. Schniewind, Die Leugner der Auferstehung 128; W. Schmithals a.a.O. 159.

Aus welcher Quelle bezog nun Paulus seine Informationen über die Leugnung der Auferstehung in Korinth? Es kommen in Frage:

1. als schriftliche Quelle der Brief der Gemeinde an Paulus;
2. mündliche Quellen:
   a) Stephanas, Fortunatus und Achaicus, b) Leute der Chloe;
3. andere, uns unbekannte mündliche oder schriftliche Verbindungen zwischen Paulus und der Gemeinde.

Das Fehlen eines περὶ δέ in der Einleitung von Kap. 15 kann – wie oben dargelegt – nicht die Beweislast dafür tragen, daß dieser Abschnitt nicht als Antwort auf eine schriftliche Anfrage entstanden ist. Ebensowenig ist eine Argumentation überzeugend, die in Kap. 15 deswegen eine Antwort auf den Gemeindebrief erkennen will, weil es in der Reihe solcher Abschnitte stehe, die eindeutig als Stellungnahme zu einer schriftlichen Anfrage der Korinther erkennbar sind[1].

J. Weiß hat versucht, mit Hilfe stilistischer Merkmale eine Scheidung der einzelnen Teile des ersten Korintherbriefes vorzunehmen[2]. Die rigorosen und rigoros vorgetragenen Forderungen hinsichtlich des Götzendienstes, der Unzucht, der Entschleierung der Frau und der Gemeindemahlzeiten (1 Kor 6,12–20; 10,1–23; 11,2–34) möchte er Brief A zuschreiben. Für jene Teile des ersten Korintherbriefes, die als Antwort auf die schriftliche Anfrage der Gemeinde entstanden, glaubt J. Weiß eine Reihe von Merkmalen herausarbeiten zu können:

1. es handle sich um ethische und religiöse Probleme, praktische oder lehrhafte Fragen;
2. sie sind im wesentlichen in ruhigem Ton behandelt;
3. sie tragen geradezu den Charakter wohlüberlegter, systematischer Abhandlungen[3].

J. C. Hurd[4] findet darüber hinaus noch folgende Kriterien, die typisch seien für Antworten auf den Gemeindebrief:

4. die betreffenden Abschnitte beginnen abrupt, eingeführt höchstens durch περὶ δέ.
5. Die Antworten blicken in die Zukunft, tadeln nicht das bisherige Verhalten der Korinther;
6. Paulus versucht zu überzeugen, indem er sich auf Autoritäten (Jesus, Schrift) beruft und sich auf allgemeine Anschauungen und Bräuche und schließlich sein Apostolat stützt;
7. Paulus zitiert öfters aus dem Brief der Gemeinde;
8. er mahnt zur Rücksichtnahme auf die »Schwachen«.

---

[1] So W. Bousset, 1 Kor 76; Ph. Bachmann, 1 Kor 477.
[2] J. Weiß, Das Urchristentum, Göttingen 1917, 258.
[3] J. Weiß, a. a. O. 253.
[4] J. C. Hurd, The Origin of I Corinthians, London 1965, 65–74.

Sowohl J. Weiß wie auch J. C. Hurd neigen dazu, Kap. 15 als eine Antwort auf eine entsprechende schriftliche Anfrage aus Korinth einzuordnen, da es ebenfalls die oben aufgestellten Kriterien aufweise[1].

Gegen diese Aufstellungen läßt sich manches einwenden:

Zu 1) zweifellos behandeln auch die Abschnitte, welche J. Weiß Brief A zuteilen möchte (siehe oben), Probleme ethischer und religiöser Natur, lehrhafte oder praktische Fragen;

Zu 4) Kap. 15 beginnt nicht abrupt, sondern spricht erst V. 12 das eigentliche Thema klar aus;

Zu 5) Auch 15, 29.32f. konfrontieren die Korinther mit ihrer gegenwärtigen oder vergangenen Haltung;

Zu 8) Es fehlt in Kap. 15 eine Mahnung zugunsten der »Schwachen«.

Alle bisher angeführten Kriterien reichen nicht aus, die Quelle, aus der Paulus von der Auferstehungsleugnung informiert wurde, zu bestimmen. Vielmehr muß es offen bleiben, ob Paulus durch schriftliche (Gemeindebrief) oder mündliche Quellen zur Abfassung von Kap. 15 veranlaßt worden ist. Für die Qualität oder die Quantität der Benachrichtigung ist jedoch daraus ohnehin kein Schluß zu ziehen. Nichts spricht dafür, daß nur der Gemeindebrief eine zuverlässige und verläßliche Quelle gewesen sein könnte, während eine mündliche Quelle – sei es Stephanas oder sonst jemand – spärlicher oder ungenauer unterrichtet hätte[2]. Wenn auch nicht positiv auszuschließen ist, daß Paulus ungenau oder ungenügend unterrichtet war – und das läßt sich sowohl bei der Annahme einer mündlichen wie auch einer schriftlichen Quelle denken –, so ist doch zu berücksichtigen, daß bei der Abfassung von Kap. 15 Paulus sowohl der Gemeindebrief vorlag, und daß auch Stephanas und seine Begleitung wie auch die Leute der Chloe für eine nähere Aufklärung Paulus zur Verfügung standen. Für die totale Fehlbeurteilung der Situation scheinen somit keine Argumente zu sprechen[3].

---

[1] J. C. Hurd, a. a. O. 91.

[2] Die Konstruktion Schmithals' a. a. O. 75, Stephanas sei nicht Mitglied der korinthischen Gemeinde gewesen, sondern habe nur anläßlich eines Besuches Mißstände in Korinth vorgefunden, die er nicht genügend durchschaute und somit auch nicht treffend Paulus wiedergeben konnte, ist eine Annahme, die in allen Punkten auf bloßen Vermutungen gründet. Vgl. oben Anm. 4 S. 26.

[3] Einer These, die ihren einzigen Zeugen über einen Sachverhalt als falsch informiert abtut und dennoch allein aus dessen falscher Reaktion die richtige Situation erschließen zu können glaubt, kann schwerlich mehr Gewicht denn einer gewagten Hypothese zugestanden werden.

IV. Einheitliche Frontstellung in Korinth?

Schon mehrfach wurde der Versuch unternommen, alle Themen, die der erste Korintherbrief berührt, auf eine einzige, gemeinsame Gegenposition in Korinth zurückzuführen[1]. Doch angesichts der Vielfalt der angesprochenen Themen, angesichts der vermutlich bunten Zusammensetzung der korinthischen Gemeinde spricht die Wahrscheinlichkeit auch für eine Vielfalt von Anliegen, die nicht notwendig alle aus einer einheitlichen Frontstellung innerhalb dieser Gemeinde abzuleiten sind. »Auf dem Felde des zeitgenössischen und urchristlichen Synkretismus, mit dessen Erscheinungen Paulus sich auseinanderzusetzen hatte, wird man gegen das Postulat eines Uniformismus von vornherein mißtrauisch sein müssen«[2]. Dieser Standpunkt, den G. Bornkamm gegen die Annahme einer einzigen Frontstellung durch alle paulinischen Hauptbriefe hindurch betont, muß auch für die Rekonstruktion der historischen Gegebenheiten eines einzelnen Briefes Ausgangspunkt sein. Gerade die isolierte Stellung von Kap. 15 im Ganzen des ersten Korintherbriefes und die Unsicherheit über die Quelle, aus der Paulus seine Information über die Leugnung der Auferstehung bezog, mahnen zur Vorsicht.

Selbstverständlich muß bei der Beurteilung von Kap. 15 und seiner einzelnen Verse die aus dem übrigen Brief gewonnene Erkenntnis über die Gesamtsituation der Gemeinde im Auge behalten werden, und es wäre Willkür, von vornherein bestimmte Teile des Briefes von einer Untersuchung auf eine gemeinsame – etwa antignostische – Tendenz auszuschließen[3]. Willkür würde jedoch erst recht dort walten, wo die historische Frage nach den Auferstehungsleugnern sich nicht vorrangig an den Text von Kap. 15 richten würde, da es sich vielleicht in das Bild einer Einheitsfront nicht reibungslos einpassen ließe. Mit Skepsis ist daher einer Diagnose der Auferstehungsleugnung zu begegnen, die aus Indizien gewonnen wird, die außerhalb von Kap. 15 gefunden werden und dem Textbefund von Kap. 15 widersprechen.

---

[1] Siehe oben S. 12-16.

[2] G. Bornkamm, Die Vorgeschichte des sogenannten Zweiten Korintherbriefes 16f. Anm. 66.

[3] So mit Recht W. Schmithals, Die Gnosis in Korinth 116f.

Drittes Kapitel

DIE BEDEUTUNG VON 'ΑΝΑΣΤΑΣΙΣ UND 'ΕΓΕΙΡΩ

I. 'ΑΝΑΣΤΑΣΙΣ

Für eine nähere Bestimmung der korinthischen Auferstehungsleugnung ist es erforderlich, die Bedeutung der Worte abzugrenzen, mit denen Paulus in 1 Kor 15 das wiedergibt, was wir als »Auferstehung« oder als »Auferwecktwerden« bezeichnen.

In der Form eines Substantivs begegnet in 1 Kor 15 die Auferstehungsaussage nur selten: lediglich viermal verwendet Paulus das Verbalabstraktum ἀνάστασις[1]. In den übrigen unbezweifelt echten Paulusbriefen findet es sich noch dreimal[2], in den restlichen neutestamentlichen Schriften außerdem 34 mal[3]. Nichts spricht dafür, daß Paulus in 1 Kor 15 mit ἀνάστασις nicht seine eigene Terminologie, sondern die seiner Widersacher verwendet hat[4]. Zwar ist im ganzen Kapitel ἐγείρω die dominierende Vokabel zur Beschreibung des Auferstehungsgeschehens, doch für eine substantivische Fassung dieses Ereignisses steht Paulus nur ἀνάστασις zur Verfügung. ἔγερσις verwendet Paulus nicht[5]. Wenn auch die Formulierung in 1 Kor 15,12: ἀνάστασις νεκρῶν οὐκ ἔστιν durch den Einwand der Korinther bedingt sein mag[6], so läßt sich doch die Wiederkehr von ἀνάστασις in 1 Kor 15,21.42 kaum noch als von 1 Kor 15,12f. abhängig bewerten. Jedenfalls aber, und das ist für diesen Zusammenhang von Bedeutung, ist ἀνάστασις nicht eine exklusive Ausdrucksweise der korinthischen Leugner für das Geschehen der Auferstehung oder für das, was sie unter »Auferstehung« verstanden haben mögen; dagegen spricht die breite Verwendung des Wortes durch die neu-

---

[1] 1 Kor 15,12.13.21.42.

[2] Röm 1,4; 6,5; Phil 3,10. Dazu einmal (Phil 3,11) ἐξανάστασις.

[3] Zur Wortstatistik vgl. E. Fascher, Anastasis-Resurrectio-Auferstehung, in: ZNW 40, 166–229.

[4] Das vermutet H. Schwantes, Schöpfung der Endzeit, Arbeiten z. Theol., Reihe 1,12, Stuttgart 1963, 60.

[5] ἔγερσις im NT nur Mt 27,53 und zwar im Zusammenhang mit der Auferstehung Jesu. E. Lohmeyer, Matthäusevangelium (MeyerK), Göttingen 1956, 396f. und E. Klostermann, Matthäusevangelium (HNT), Tübingen ¹1927, 225 beurteilen die Stelle als späte Korrektur entsprechend 1 Kor 15,20.

[6] Oben S. 27.

testamentlichen Schriften hindurch, auch in möglicherweise schon vor-paulinischen Formulierungen[1].

Weder im profanen griechischen Schrifttum noch in der Septuaginta ist ἀνάστασις ein geläufiger Terminus für das Geschehen der Neubelebung eines Verstorbenen. Zwar findet sich ἀνάστασις in solchem Zusammenhang bei Aischylos: ἀνδρὸς δ᾽ ἐπειδὰν αἷμ᾽ ἀνασπάσῃ κόνις ἅπαξ θανόντος, οὔτις ἐστ᾽ ἀνάστασις«[2], doch ist hier ἀνάστασις ganz im neutralen Wortsinn von »auf-stehen«, »aufrichten« gefaßt. Bis ins zweite nachchristliche Jahrhundert lassen sich keine Spuren nachweisen, daß im profan-griechischen Schrifttum ἀνάστασις als terminus technicus für das Geschehen eines Auferstehens von Toten geläufig gewesen wäre[3]. Am Rande der Septuaginta allerdings läßt sich die Verwendung von ἀνάστασις im Sinne einer Auferstehung von Toten bereits nachweisen: 2 Makk 7,14 und 2 Makk 12,43. Interesse verdient da-bei vor allem letztere Stelle, da hier ἀνάστασις schon ohne jeden verdeut-lichenden Zusatz in Gebrauch ist und bei den Lesern in diesem Sinne als be-kannt vorausgesetzt werden muß[4]. Philo und Josephus verwenden ἀνάστασις dagegen nicht im hier zur Debatte stehenden Sinn[5].

Andererseits: während ἀνάστασις im profanen griechischen Schrifttum und in der Septuaginta in mancherlei Zusammenhängen und mit vielen, von der Grundbedeutung abgeleiteten Bedeutungsnuancen auftritt, steht es im Neuen Testament nur einmal *nicht* in der speziellen Bedeutung »Aufer-stehung Toter«[6]. Diese Tatsache erweckt den Eindruck, daß ἀνάστασις im Bereich der neutestamentlichen Literatur sich schon als Auferstehungs-vokabel durchgesetzt hatte und für diesen Bedeutungszusammenhang re-

---

[1] Für die Annahme der Verwendung vorpaulinischen Materials für die Formu-lierungen von Röm 1,2–4 sprechen sich aus: W.G. Kümmel, Kirchenbegriff und Geschichtsbewußtsein in der Urgemeinde und bei Jesus, in: Symbolae Biblicae Upsaliensis I, 1943, Anm. 38; O. Michel, Römerbrief, Göttingen [10]1955, 30f.; O. Kuss, Römerbrief, Regensburg 1957, 4.

[2] Aischylos, Eumenides 647f. (Scriptorum Classicorum Bibliotheca Oxonien-sis, Aischylos Trag. III, Oxford [2]1960, 351).

[3] Vgl. dann allerdings Lukian, De Saltatione 45: τὴν Τυνδάρεω ἀνάστασιν καὶ τὴν Διὸς ἐπὶ τούτῳ κατ᾽ Ἀσκληπιοῦ ὀργήν (Luciani Samosatensis Opera, hrsg. v. C. Jacobitz, Band 2, 159, Leipzig 1877).

[4] Zur Verwendung von ἀνάστασις in der Überschrift von Ps 66 (M 65) vgl. A. Rahlfs, Ausgabe der Septuaginta, Stuttgart [7]1962, II, 66. In alttestamentlichen Apokryphen findet ἀνάστασις keine Verwendung (vgl. auch E. Fascher, a.a.O. 172).

[5] Nach dem Index zu Philos Schriften von H. Leisegang, Berlin 1926 verwen-det Philo ἀνάστασις überhaupt nicht.

[6] Zur mannigfaltigen Verwendung von ἀνάστασις im nicht-ntl. griechischen Schrifttum vgl. Lidell-Scott, Greek-Englisch Lexikon, Oxford [3]1951, I, 121f.; W. Pape, Griechisch-Deutsches Wörterbuch, Graz [3]1954, I, 702. – Im NT hat ἀνάστασις nur bei Lk 2,34 nicht die Bedeutung »Auferstehung«. Vgl. dazu die Verwendung von ἀνάστασις bei Dan 11,10 (LXX, G).

serviert war. Doch ist es auch denkbar, daß weder für Paulus noch für seine Leser in Korinth das Wort ἀνάστασις schon so eindeutig und exklusiv mit dem Sinn von Auferstehung von Toten befrachtet war, daß es keiner näheren Bestimmung mehr bedurft hätte. Tatsächlich ergänzt Paulus in 1 Kor 15 ἀνάστασις jeweils mit dem Zusatz ἐκ (τῶν) νεκρῶν[1].

Zu beachten ist, daß sowohl bei Paulus, wie auch durch alle Schriften des Neuen Testaments hindurch, die Formulierung ἀνάστασις νεκρῶν ausschließlich für die Aussage der allgemeinen Totenauferstehung Verwendung findet, nicht aber für die Aussage der Auferstehung des Christus. Röm 1, 3 f. bildet von dieser Regel eine nur scheinbare Ausnahme, wenn mit H. Lietzmann und O. Kuss ἐξ ἀναστάσεως νεκρῶν als eine zusammenziehende Verkürzung für ἐκ τῆς ἀναστάσεως αὐτοῦ τῆς ἐκ νεκρῶν steht[2]. Für die Auferstehung Jesu dagegen scheint sich – neben dem einfachen ἀνάστασις – die Formulierung ἀνάστασις ἐκ (τῶν) νεκρῶν durchgesetzt zu haben, die wiederum an keiner neutestamentlichen Stelle im Zusammenhang mit der Aussage der allgemeinen Totenauferstehung steht, sondern nur für partielle Auferstehung in Gebrauch ist[3]. Dem widersprechen nicht die Stellen Apg 4, 2 und Lk 20, 35: auch letztgenannte Stelle spricht nicht von der allgemeinen Totenauferstehung, sondern von einer partiellen Auferstehung aus dem Bereich oder der Reihe der Toten, deren eben nicht alle gewürdigt werden[4], und in Apg 4, 2 ist τὴν ἀνάστασιν τὴν ἐκ νεκρῶν auf das der Betonung wegen vorangestellte ἐν τῷ Ἰησοῦ zu beziehen[5].

---

[1] Der fehlende Artikel verursacht keine Bedeutungsnuancen: Bl–Debr § 252.254,2.

[2] H. Lietzmann, Römerbrief 25; O. Michel, Römerbrief 32; O. Kuss, Römerbrief 6. Anders G. Kegel, Die Auferstehung Jesu 31: »Man sollte diesen Ausdruck in seinem jetzigen Wortlaut auszulegen versuchen, dann fällt auf, daß gar nicht von der Auferstehung Jesu die Rede ist, sondern von der Auferstehung der Toten.«

[3] Über die vermutliche Herkunft der Formulierung ἐκ νεκρῶν: P. Hoffmann, Die Toten in Christus 180–185. Die von W. Diezinger (»Unter Toten freigeworden«, in: NovT 5, 268–298) versuchte Ableitung aus Ps 87,5 (LXX) ist nicht haltbar. – Daß Paulus die Auferstehung Jesu als ἀνάστασις ἐκ τῶν νεκρῶν bezeichnet, die allgemeine Totenauferstehung dagegen als ἀνάστασις (τῶν) νεκρῶν, ist nicht auf stilistische Gründe zurückzuführen (gegen P. Hoffmann, a.a.O. 184).

[4] Vgl. E. Klostermann, Das Evangelium nach Lukas (HNT 5), Tübingen ²1929, 195; W. Bousset, Die Religion des Judentums im späthellenistischen Zeitalter (HNT 21, hrsg. v. H. Gressmann) Tübingen ³1926, 272.

[5] Vgl. H. Conzelmann, Apostelgeschichte (HNT 7), Tübingen 1963, 35; E. Haenchen, Apostelgeschichte (Meyer K), Göttingen 1965, 173 f. Ihre eigene Bedeutungsnuance hat die Stelle Phil 3, 11 ἡ ἐξανάστασις ἡ ἐκ νεκρῶν. Auch sie zielt nicht auf die allgemeine, sondern auf eine partielle Auferstehung. Vgl. P. Joüon, in: Recherches de Science Religieuse 28, 306f. (vgl. bes. 306, Anm. 3; ἐξανάστασις bezeichne »une résurrection sélectionnée«). – Über die Verhaftung der Wendung ἀνάστασις ἐκ νεκρῶν auf christologische Auferstehungsaussagen vgl. W. Kramer, Christos, Kyrios, Gottessohn 16–22.

Die Verwendung von ἀνάστασις bei den griechischen christlichen Schriftstellern bis in die zweite Hälfte des zweiten Jahrhunderts hinein, entspricht dem Gebrauch des Wortes in den neutestamentlichen Schriften. Weiterhin wird für die Bezeichnung des Auferstehungsgeschehens die Verwendung von Verbalformen bevorzugt. ἀνάστασις steht verhältnismäßig selten: nur je einmal findet ἀνάστασις Verwendung in der Didache, im Barnabasbrief, im zweiten Klemensbrief, in Polykarps Martyrium, Polykarps Philipperbrief, in der Apologie des Aristides und der Oratio ad Graecos Tatians; zwei Stellen mit ἀνάστασις weist die Supplicatio des Athenagoras auf; öfters vertreten ist ἀνάστασις dann im ersten Klemensbrief (fünfmal), in Justins Dialog mit Tryphon (achtmal) und in den Schriften des Ignatius (zwölfmal)[1]. Dabei kann festgestellt werden, daß – wie schon in den neutestamentlichen Schriften – die Wendung ἀνάστασις (τῶν) νεκρῶν nur für die Aussage der allgemeinen Totenauferstehung, nicht aber für die Auferstehung des Christus Verwendung findet. Ferner gibt es keine einzige Stelle, welche ἀνάστασις nicht in der speziellen Bedeutung der Auferstehung aus dem Zustand des Totseins zu neuem Leben gebraucht. Die Formulierung ἀνάστασις ἐκ νεκρῶν für die Auferstehung des Christus oder eine partielle Auferstehung fehlt, dafür tritt einmal die Wendung ἀνάστασις ἀπὸ τῶν νεκρῶν[2]. Neu sind die Ausdrücke σαρκὸς ἀνάστασις und σωμάτων ἀνάστασις; beide sind im Neuen Testament nicht vertreten[3].

So läßt sich zeigen, daß sich ἀνάστασις in der christlichen Literatur als eine Art Kultwort durchgesetzt hat[4], welches eindeutig und ausschließlich die Auferstehung Toter bezeichnet. Demgegenüber versuchte E. Güttgemanns zu zeigen, daß schon in der korinthischen Gemeinde des Apostels Paulus die Auferstehungsleugner den Aufstieg des Erlösten in seiner Identität mit dem Erlöser als ἀνάστασις bezeichnen konnten und bezeichneten[5]. Nach seinem Verständnis von 1 Kor 15 leugneten die Korinther zwar eine ἀνάστασις νεκρῶν, nicht aber eine ἀνάστασις überhaupt. Im Gegenteil, eine universale, schon geschehene ἀνάστασις Lebender sei in Korinth behauptet

---

[1] Auch die Schrift Περὶ ἀναστάσεως, die Athenagoras zugeschrieben wird, folgt durchgehend dem angegebenen Sprachgebrauch. ἀνάστασις bezeichnet in jedem Falle die Auferstehung des Leibes, nie eine »Erhöhung«, bezieht sich nie auf ein geistiges (seelisches) Weiterleben. (Text in: TU 4,2, Leipzig 1891, hrsg. v. E. Schwartz). Die Entstehung der Schrift wird in das Ende des zweiten Jahrhunderts datiert.

[2] Justin, Dialogus cum Tryphone 82,1.

[3] σωμάτων ἀνάστασις bei Tatian, Oratio ad Graecos 6,1; σαρκὸς ἀνάστασις bei Justin, Dialogus cum Tryphone 80,5. Vorbereitet war letztere Wendung wohl durch Formulierungen wie ἀνάστασις ἐν σαρκί (Ignatius, Sm 3,1) und ἀνάστασις σαρκική (Ignatius, Sm 12,2).

[4] Vgl. E. Fascher, a.a.O. 201.

[5] E. Güttgemanns, Der leidende Apostel und sein Herr 67–70.

worden[1], ἀνάστασις aber eben im Sinne einer gnostischen Erlösungs- und Auffahrtslehre. Nun ist es zwar unbestritten, daß spätere Gnosis in diesem angeführten Sinn ἀνάστασις verwendet hat[2], doch die von E. Güttgemanns angeführten Belege für eine derartige Umdeutung des Wortes reichen bestenfalls bis in die Zeit einhundert Jahre nach der Abfassung von 1 Kor 15: die älteste von E. Güttgemanns angeführte Stelle in den Johannesakten[3] wird übereinstimmend in die zweite Hälfte des zweiten oder in den Anfang des dritten Jahrhunderts datiert[4]. Noch schlechter bestellt ist es um Zeugnisse für die Verwendung von ἀνάστασις in hellenistischen Mysterienkulten. Auch hier liegen bis zum Ende des zweiten Jahrhunderts keine Belege dafür vor, daß den Kultgottheiten eine ἀνάστασις oder auch ἔγερσις im übertragenen Sinn zugesprochen worden wäre[5]. Vielmehr muß nach den uns bisher vorliegenden Zeugnissen damit gerechnet werden, daß im Bereich der an Jesus Christus glaubenden Gemeinden – auch wenn sie in ihrem Glaubensverständnis schon gnostisch geprägt gewesen sein sollten – das Wort ἀνάστασις ein fester Terminus war, der das Verlassen des Totenreiches und das sich Erheben aus dem Zustand des Todes bezeichnet. Für eine Umdeutung des Wortes im Dienste einer irgendwie gearteten Erhöhungs- oder Auffahrtsvorstellung fehlen bis in die letzten Jahrzehnte des zweiten Jahrhunderts Belegstellen. So muß angenommen werden, daß die Korinther – nach dem Verständnis des Paulus – eben diesen Inhalt von ἀνάστασις (das Aufstehen eines Verstorbenen zu einem neuen Leben) – und damit eine ἀνάστασις überhaupt – ablehnten.

[1] A.a.O. 65 Anm. 67.
[2] Vgl. J.M. Robinson, Kerygma und Geschichte im Neuen Testament, in: ZThK 62, bes. 302–316.
[3] Act. Joh. 19.98. Vgl. E. Güttgemanns, a.a.O. 68f.
[4] So R.A. Lipsius, Die apokryphen Apostelgeschichten und Apostellegenden I, Braunschweig 1883, 515; W.C. van Unnik, RGG [3]III, 821f.; K. Schäferdieck, in: Hennecke-Schneemelcher II, Tübingen 1964, 143. – Als weitere Belege führt E. Güttgemanns an: Act. Thom. 80 und Od. Sal. 5,13; 8,3; 42,6. Die Abfassung der Thomasakten dürfte in die erste Hälfte des dritten Jahrhunderts anzusetzen sein (vgl. G. Bornkamm, in: Hennecke-Schneemelcher II, 30; R.A. Lipsius, Die apokryphen Apostelgeschichten und Apostellegenden I, Braunschweig 1883, 515). – Für die ältesten Teile der Oden Salomons vermutet W. Bauer das zweite Jahrhundert als Abfassungszeit (in: Hennecke-Schneemelcher II, 57). Doch lassen sich aus dem uns vorliegenden syrischen Text keine verbindlichen Schlüsse ziehen auf die Verwendung des Terminus ἀνάστασις im vermuteten, ursprünglich griechischen Text.
[5] E. Güttgemanns verweist a.a.O. 68 Anm. 80 in diesem Zusammenhang auf H. Braun, ZThK 54, 355 Anm. 2. In den dort beigebrachten Stellen findet sich ἀνάστασις lediglich bei Hipp. Elenchos V.8.24. Dessen Abfassungszeit liegt um 220 (vgl. O. Bardenhewer, Geschichte der altkirchlichen Literatur II, Freiburg [2]1914, 565).

II. ᾿ΕΓΕΙΡΩ

Während sich zur Darstellung des Auferstehungsgedankens in der Form eines Substantivs eindeutig ἀνάστασις durchgesetzt hat, wurde ἐγείρω das beherrschende Verbum in diesem Sinnzusammenhang[1]. ἀνίστημι bzw. ἀνίσταμαι findet sich in den unbestritten echten Paulinen nur 1 Thess 4, 14.16 im Zusammenhang mit der Auferstehungsaussage[2], ἐγείρω dagegen 30 mal, davon allein 19 mal in 1 Kor 15. Jedoch zeigt sich bei der Verwendung von ἐγείρω – anders als bei ἀνάστασις – keine Einengung oder Beschränkung zugunsten der speziellen Aussage der Auferweckung. Vielmehr ist ἐγείρω in der profanen Bedeutung »aufstehen«, »aufrichten« recht häufig[3].

In 1 Kor 15 wird das Geschehen der Auferstehung, bzw. Auferweckung mit Hilfe von ἐγείρω neunmal von Christus ausgesagt[4], sechsmal von den Toten (οἱ νεκροί) und einmal vom Leibe (τὸ σῶμα). Dazu kommen die Stellen ἐγείρεται ἐν ἀφθαρσίᾳ (V.42), ἐγείρεται ἐν δόξῃ (V.43a), ἐγείρεται ἐν δυνάμει (V.43b). Die Auferweckungsaussage mit Hilfe von ἐγείρω kann näher bestimmt sein durch die Beifügung ἐκ νεκρῶν. Analog zur Verwendung der Formulierung ἀνάστασις ἐκ νεκρῶν[5] wird diese Wendung im gesamten Neuen Testament nur zur Aussage einer partiellen Auferstehung oder Auferweckung verwendet: neben der Auferweckung des Christus[6] auch von der des Johannes[7], des Lazarus[8]. Nirgends im Neuen Testament aber umschreibt die Wendung ἐγείρειν ἐκ νεκρῶν das Geschehen der allgemeinen Totenauferstehung[9]. Ein damit übereinstimmender Sprachgebrauch läßt sich auch feststellen bei der Verwendung von ἀνίσταμαι bzw. ἀνίστημι zur Aussage des Auferstehungsgeschehens[10].

Von Bedeutung für die nähere inhaltliche Bestimmung von ἀνάστασις und ἐγείρω ist es schließlich, daß nach dem Verständnis des Paulus die Behaup-

---

[1] Zur Wortstatistik vgl. E. Fascher a.a.O. 168f.; ferner den Artikel ἐγείρω in ThWNT II, 332–336 von A. Oepke.

[2] B. Rigaux, Les Epîtres aux Thessaloniciens, Paris–Gembloux 1956, 534 schreibt zur singulären Verwendung von ἀνέστη in 1 Thess 4,14.16: »ἀνέστη (V.14) pourrait avoir été imposé à Paul par réminiscence d'une formule de foi courante dans l'église«. V.16 stehe noch unter dem Einfluß von V.14.

[3] In den echten Paulinen allerdings nur zweimal: Röm 13,11 und Phil 1,17. Dazu kommt die zweimalige Verwendung von ἐξεγείρω in Röm 9,17 und 1 Kor 6,14 (letztere jedoch im Sinne der Auferstehung vom Tode).

[4] In 1 Kor 15 ist die Aussage der Auferweckung an keiner Stelle auf ᾿Ιησοῦς bezogen, wohl aber Röm 4,24.25; 8.11 u.a.

[5] Vgl. oben S. 33.

[6] In 1 Kor 15 nur V.12.20.

[7] Mk 6,14 und Parallelen.

[8] Vgl. Joh 12, 1.9.17.

[9] Auch nicht Eph 5,14.

[10] Gegen P. Hoffmann, Die Toten in Christus 182.

tung ἀνάστασις νεκρῶν οὐκ ἔστιν nicht zu vereinbaren ist mit dem Bekenntnis ὅτι Χριστὸς ἐκ νεκρῶν ἐγήγερται (vgl. 1 Kor 15,12). Vor allem die Argumentation in 1 Kor 15,16-18.29.32 zeigt, daß für Paulus die Leugnung ἀνάστασις νεκρῶν οὐκ ἔστιν sachlich das nämliche bestreitet wie die Aussage νεκροὶ οὐκ ἐγείρονται, mit welcher er sich im Verlauf von 1 Kor 15 eigentlich auseinandersetzt, während die in 1 Kor 15,12 eingeführte Form der Leugnung ἀνάστασις νεκρῶν οὐκ ἔστιν im Verlauf der Antwort des Paulus völlig zurücktritt. Dies wird häufig übersehen, wenn die Leugnung der korinthischen Widersacher des Apostels einseitig bestimmt wird als eine Umdeutung oder ein Mißverstehen der Wendung ἀνάστασις νεκρῶν von Seiten der Leugner in Korinth[1].

---

[1] Zum Gebrauch von ἐγείρω und ἀνίστημι im ganzen Neuen Testament vgl. M.E. Dahl, The Resurrection of the Body, Studies in Biblical Theology 36, London 1962, 98–100.

Viertes Kapitel

DIE EXEGESE VON 1 KOR 15

I. Der Abschnitt 1 Kor 15, 1-11

Die erste deutliche Zäsur innerhalb von 1 Kor 15 findet sich nach V. 11. Diese ersten elf Verse gehören zweifellos eng zusammen und es darf ihnen daher auch eine gewisse isolierte Betrachtung zugestanden werden. Ihnen galt in den vergangenen Jahrzehnten größtes Interesse der Exegese: einmal stellen sie das älteste erhaltene literarische Zeugnis der Auferstehungsverkündigung dar und damit den wichtigsten Ansatzpunkt einer traditionsgeschichtlichen Erforschung der ursprünglichen Gestalt und des ursprünglichen Gehalts der Verkündigung der Auferstehung des Christus sowie der Bedeutung der Erscheinungen für die Entstehung einer ersten christlichen Gemeinde und ihrer Führung nach Ostern, zum andern enthalten diese Verse ältestes geprägtes Traditionsgut, das Rückschlüsse erlaubt auf zusammenfassende Glaubensformeln oder Bekenntnisformeln hellenistischer und wohl auch palästinensischer Gemeinden frühester Zeit[1]. Das Interesse konzentriert sich dabei vor allem auf die Verse 1 Kor 15, 3-7, die inhaltlich Grundüberzeugungen über das Heilswirken Jesu zusammenfassen und sich dabei formal in einem Gewande zeigen, das nicht einfachhin Paulus zugeschrieben werden kann. Die Indizien dafür wurden vielfach dargelegt und haben fast allgemeine Zustimmung gefunden[2]. Weitgehende Übereinstimmung besteht auch darüber, daß sich aus diesem Traditionsgut der V. 3-7 wiederum einige Sätze durch ihre Prägung abheben, die den Charakter

---

[1] Über die einleitenden Verse (1 Kor 15, 1–3) vgl. die Kommentare, bes. H. Lietzmann – W.G. Kümmel, 1 Kor, z.St. und E.-B. Allo, Première Epître aux Corinthiens, z.St; ferner K. Wegenast, Das Verständnis der Tradition bei Paulus 51–59.

[2] Für die heutige Beurteilung dieser Verse wurden grundlegend die Untersuchungen von A. Seeberg, Der Katechismus der Urchristenheit, Leipzig 1903 (Neudruck München 1966), 45–85; A. von Harnack, Die Verklärungsgeschichte Jesu, Der Bericht des Paulus (1 Kor 15, 3 ff.) und die beiden Christusvisionen des Petrus (SAB), Berlin 1922, 62–80; W.G. Kümmel, Kirchenbegriff und Geschichtsbewußtsein in der Urgemeinde und bei Jesus, in: Symbolae Biblicae Upsaliensis, Hafniae 1943. Vgl. auch die neueren Darlegungen zu 1 Kor 15, 3–7 bei H. Grass, Ostergeschehen und Osterberichte, Göttingen ³1964, 94–106; K. Wegenast, Das Verständnis der Tradition bei Paulus 32–70; J.P. Charlot, The Construction of the Formula in 1 Corinthians 15, 3–5, Dissertation München 1968.

einer Formel zeigen; die Abgrenzung dieser Formel allerdings ist umstritten[1].

In der folgenden Untersuchung interessiert nicht die Herkunft dieser Formel und des übrigen Traditionsgutes, auch nicht ihr Sitz im Leben[2], sondern einzig die Rolle, welche diese Texte spielen in der Argumentation des Paulus gegen die Leugner der Auferstehung in Korinth, und somit ihre Bedeutung für die Näherbestimmung dieser Bestreitung der Auferstehung. So soll zuerst versucht werden, die Formel abzuheben von ergänzenden Zutaten des Paulus, um dann danach zu fragen, ob sich aus der Art der Zusätze die gegnerische Position näher bestimmen läßt, gegen die von Paulus die Formel und die Ergänzungen zu ihr ins Feld geführt werden.

1. Die Abgrenzung der Formel

A) Der Beginn der Formel

Der Einsatz des formelhaft geprägten Traditionsgutes ist mit V. 3 b deutlich markiert: »ὅτι Χριστὸς ἀπέθανεν«. Doch ist es berechtigt zu fragen: zitiert Paulus von hier ab einen Ausschnitt aus einem ursprünglich längeren Traditionsstück, das er übernommen hatte? Greift Paulus also diese Sätze aus einer längeren ihm bekannten Formel heraus, etwa weil sie für das anstehende Thema besonders aussageträchtig sind? Oder aber begann auch die ihm überlieferte Formel mit der Aussage über das Sterben des Christus? Alfred Seeberg sah in 1 Kor 15,3 b-5 den »mittleren Teil« einer älteren Glaubens-

---

[1] Wenn hier von »Formel« gesprochen wird, dann geschieht dies mit der zugrunde gelegten Bedeutung: formelhaft geprägtes Traditionsgut. Nicht soll damit behauptet werden, Paulus zitiere hier streng wort-wörtlich einen Text, der nicht nur inhaltlich, sondern auch formal für ihn unantastbar gewesen wäre.

[2] Siehe dazu neben der unter Anm. 2, S. 38 genannten Literatur noch U. Wilkkens, Der Ursprung der Überlieferung der Erscheinungen des Auferstandenen, Zur traditionsgeschichtlichen Analyse von 1 Kor 15,1–11, in: Dogma und Denkstrukturen, hrsg. v. W. Joest u. W. Pannenberg, Göttingen 1963, 56–95; K. Holl, Der Kirchenbegriff des Paulus in seinem Verhältnis zu dem der Urgemeinde, in: Ges. Aufsätze zur Kirchengeschichte II, Tübingen 1928, 44–67; E. Bammel, Herkunft und Traditionselemente von 1 Kor 15,1–11, in: ThZ 11, 401–419; E. Lichtenstein, Die älteste christliche Glaubensformel, in: ZKG 63, 1–74; H. W. Bartsch, Die Argumentation des Paulus in 1 Kor 15,3–11; in: ZNW 55, 261–274; K. Lehmann, Auferweckt am dritten Tag nach der Schrift (Quaestiones Disputatae 38), Freiburg–Basel–Wien 1968, 17–154. – Der erste, der ausdrücklich auf das Vorhandensein einer geprägten Tradition in 1 Kor 15,3–8 hinwies, dürfte J. W. Straatman gewesen sein. Allerdings wertete er diese Beobachtung als Hinweis dafür, daß dieser Abschnitt nicht-paulinisch und eine spätere Zutat sein müsse (in: De realiteit van's Heeren opstanding uit de dooden, Groningen 1862). – Zur Vorgeschichte der Formel: J. P. Charlot, The Construction of the Formula in 1 Corinthians 15,3–5, Diss. München 1968; G. Kegel, Auferstehung Jesu 25 f.

formel[1]. Nach seiner Meinung sprach die Formel *vor* der Aussage über den Tod des Christus von Gott, dem Schöpfer des Alls, und von der Abstammung des Christus aus dem Samen Davids[2]. Der einzige Anhaltspunkt innerhalb von 1 Kor 15 selbst, den A. Seeberg für seine These anführen kann, ist das die Formel einleitende artikellose Χριστός. Hier sieht A. Seeberg die Hand des Apostels am Werk, der an dieser Stelle ein ὅτι Χριστός setzen muß, um die Formel einführen zu können, während in der – von A. Seeberg rekonstruierten – vollständigen Form der Formel die Aussage über den Tod des Christus für unsere Sünden mit »ὃς ἀπέθανεν« an die vorhergehenden Teile angeschlossen gewesen sei[3]. A. Seeberg führte zur Begründung dieser These an:

1. Das Empfinden sträubt sich dagegen, daß in einer längeren Aussagereihe über den Christus, dieser einfach nur mit Χριστός benannt sein sollte.

2. Nach seiner Meinung »stellt die Bezeichnung des Christus durch Χριστός im Sinne eines nomen proprium eine Eigentümlichkeit der paulinischen Ausdrucksweise dar, die, wenn sie nicht erst durch Paulus aufgebracht wurde, naturgemäß in judenchristlichen Kreisen, aus denen der Apostel die Formel übernommen haben muß, keine sehr lange Vergangenheit gehabt haben kann«[4].

Nun ist zuzugeben, daß eine Einleitung der Formel etwa durch Χριστὸς Ἰησοῦς als problemloser und geläufiger empfunden würde. Recht dürfte A. Seeberg auch mit der Bemerkung haben, daß Χριστός hier im Sinne eines nomen proprium verwendet wird[5]. Doch ist dieser Sprachgebrauch des Χριστός – gegen A. Seeberg – nicht als ausschließliche Eigentümlichkeit paulinischer Ausdrucksweise zu erklären. K. H. Rengstorf[6] und J. Jeremias[7]

---

[1] A. Seeberg, Der Katechismus der Urchristenheit 85.

[2] A. a. O. 58–70.

[3] A. a. O. 58f. – Der vollständige Text der von A. Seeberg rekonstruierten und seiner Meinung nach in 1 Kor 15,3–5 vorausgesetzten Formel lautet (a.a.O.85): Ὁ θεὸς ὁ ζῶν, ὁ κτίσας τὰ πάντα, ἀπέστειλε τὸν υἱὸν αὐτοῦ Ἰησοῦν Χριστόν, τὸν γενόμενον ἐκ σπέρματος Δαυείδ, ὃς ἀπέθανεν ὑπὲρ τῶν ἁμαρτιῶν ἡμῶν κατὰ τὰς γραφὰς καὶ ἐτάφη, ὃς ἠγέρθη τῇ ἡμέρᾳ τῇ τρίτῃ κατὰ τὰς γραφὰς καὶ ὤφθη Κηφᾷ καὶ τοῖς δώδεκα, ὃς ἐκάθισεν ἐν δεξιᾷ τοῦ θεοῦ ἐν τοῖς οὐρανοῖς ὑποταγεισῶν αὐτῷ πασῶν τῶν ἀρχῶν καὶ ἐξουσιῶν καὶ δυνάμεων, καὶ ἔρχεται ἐπὶ τῶν νεφελῶν τοῦ οὐρανοῦ μετὰ δυνάμεως καὶ δόξης πολλῆς.

[4] A. Seeberg, a. a. O. 57.

[5] J. Weiß, 1 Kor 347. – Vgl. H. Conzelmann, Zur Analyse der Bekenntnisformel 1 Kor 15,3–5, in: EvTh 25,1–11, bes. Anm. 41; Ph. Vielhauer, Ein Weg zur neutestamentlichen Christologie?, in: EvTh 25, 56–59; W. Kramer, Christos, Kyrios, Gottessohn, 38f. Anders F. Hahn, Christologische Hoheitstitel, Göttingen 1963, 208f.

[6] K. H. Rengstorf, Die Auferstehung Jesu, Form, Art und Sinn der urchristlichen Osterbotschaft, Witten (¹1952) ⁵1967.

[7] J. Jeremias, Artikelloses Χριστός, Zur Ursprache von 1 Kor 15,3b–5, in: ZNW 57, 211–215.

haben für den palästinensischen Bereich Entsprechungen zum artikellosen Gebrauch von Χριστός nachgewiesen. Andererseits hat W. Kramer herausgearbeitet, daß griechisch-sprechende Judenchristen – und zwar schon vor Paulus – die Aussage über den Sühnetod des Christus mit Χριστός verbanden[1]. Möglicherweise hatte Χριστός noch seinen titularen Sinn, als es erstmals mit den Sterbeaussagen verbunden wurde. Doch für die Ohren der Heidenchristen war Χριστός bald nicht mehr Titel, sondern Name des Trägers des Heilswerkes[2].

Als Ergebnis ist festzuhalten: das die Formel einleitende artikellose Χριστός muß durchaus nicht auf eine Veränderung am ursprünglichen Text der Formel durch Paulus zurückgehen. Vielmehr zeigen sich Spuren eines solchen Sprachgebrauchs schon im vorpaulinischen Traditionsgut. Sogar eine Rückführung des artikellosen Χριστός auf ein entsprechendes undeterminiertes משיח der palästinensischen Urgemeinde läßt sich nicht ausschließen[3]. Der Text von 1 Kor 15, 3 erlaubt also nicht den Verdacht, Paulus zitiere von dieser Stelle an nur einen Ausschnitt aus einer ihm bekannten umfangreicheren Formel. Vielmehr steht die Vermutung dafür, daß der Apostel von 15,3 b ab eine ihm bekannte Formel von Anfang an referiert, und zwar ohne Rücksicht darauf, daß vielleicht der Beginn der Formel oder einer ihrer Teile nichts beitragen für die Gedankenführung, die er im Auge hat[4].

---

[1] W. Kramer, Christos, Kyrios, Gottessohn 34–39.

[2] A.a.O. 39. 212f. – So auch Ph. Vielhauer, a.a.O. 58f.

[3] Neuerdings hat E. Güttgemanns wieder bestritten, daß das von J. Jeremias und K.H. Rengstorf beigebrachte Material genüge, »um eine allgemein übliche Sitte der Artikellosigkeit von משיח – also abgesehen von den linguistischen Strukturen – zu belegen« (E. Güttgemanns, Χριστός in 1 Kor 15,3 b – Titel oder Eigenname?, in: EvTh 28, 533–554). Doch trotz aller angebrachten Einschränkungen reicht das obengenannte Material dazu, E. Güttgemanns Behauptung als sehr kühn erscheinen zu lassen, wenn er schreibt: »Das Χριστός entspricht paulinischem Sprachgebrauch und ist jedenfalls völlig unaramäisch« (E. Güttgemanns, Der leidende Apostel und sein Herr, Göttingen 1966, 66 Anm. 70). – Auf keinen Fall kann die Verwendung von Χριστός in 1 Kor 15,12 einen Hinweis dafür erbringen, Paulus müsse das Χριστός in 1 Kor 15,3 b unbedingt als Eigennamen verstanden haben (so E. Güttgemanns, in: Χριστός in 1 Kor 15,3 b – Titel oder Eigenname 554). Einen solchen Hinweis könnte man nur erkennen, wollte man mit E. Güttgemanns 1 Kor 15,12 umschreiben: »Wenn aber der *gestorbene Jesus allein* als bereits Auferstandener verkündet wird, wie können die einige von euch sagen, es gibt keine zukünftige Auferstehung Toter mehr, weil *alle* Auferstehung schon universal geschehen ist, und zwar an den Lebenden«. Hier ist fast alles von E. Güttgemanns, kaum noch etwas von Paulus. Vgl. dazu S. 63f. Anm. 3 – Hinweise für eine semitische Vorlage zu 1 Kor 15,3–5 auch bei B. Klappert, Zur Frage des semitischen oder griechischen Urtextes von 1 Kor 15,3–5, in: NTS 13, 168–173; Fortsetzung der Diskussion durch J. Plein und E. Güttgemanns in: EvTh 29, 222f., bzw. 675f.

[4] Auch A. Seeberg erkannte, innerhalb des Traditionsgutes seien Elemente, die durch den unmittelbaren Zusammenhang der Argumentation nicht veranlaßt sind

B) Der Umfang des geprägten Traditionsgutes

Schwierig gestaltet sich die Frage nach dem Umfang des festgeprägten Traditionsgutes. Wie viele Verse umfaßt es? An welcher Stelle setzt Paulus wieder mit eigenen Worten und eigenen Formulierungen ein?

1. Sicher ist, daß V.8 nicht mehr zu dem Text gehört haben kann, der dem Paulus überliefert worden war. Hier spricht der Apostel wieder mit eigenen Worten von einer Erscheinung, die ihm selbst zuteil geworden war[1]. Gerhardsson Birger hält es allerdings für denkbar, daß auch V.8 zu einer schon dem Paulus tradierten Formel gehört haben könnte. Er weist hin auf Gal 2,7ff.: Die Jerusalemer Führer hätten Paulus selbst als Apostel und damit als von Christus selbst gesandt anerkannt[2]. Jedoch kann V.8 auf keinen Fall mehr zum formelhaften Traditionsgut gehört haben:

a) Selbst wenn irgendwo und irgendwann eine Erscheinung des Auferweckten vor Paulus Bestandteil einer Formel geworden wäre, so würde das nichts daran ändern, daß Paulus hier vor κἀμοί aufgehört haben muß zu zitieren: er fügt mit eigenen Worten seine eigene Erscheinung an.

b) Zwar könnte eine Anerkennung des Paulus als Apostel durch die Führer der Jerusalemer Gemeinde verknüpft gewesen sein mit dem Nachweis einer Erscheinung des Auferweckten vor Paulus[3]. Dann wäre allerdings die Erscheinung des Paulus doch wohl in der Erscheinungsaussage »ὤφθη τοῖς ἀποστόλοις πᾶσιν« inbegriffen gewesen[4]. Eine Sonderstellung des Paulus – wie sie durch die Nennung des Namens und durch das ἔσχατον zweifellos gegeben ist –, vergleichbar mit der Stellung des Petrus und des Jakobus, ist in einer wirklich alten, möglicherweise auf die Jerusalemer Urgemeinde zurückgehenden Formel nicht gut denkbar.

---

und an dieser Stelle eigentlich ohne Zusammenhang auftauchen. Diese Beobachtung bildet auch für ihn einen entscheidenden Hinweis auf das Vorliegen einer Formel in 1 Kor 15,3–5.

[1] Vgl. H. von Campenhausen, Der Ablauf der Osterereignisse und das leere Grab, Heidelberg ³1965, 10; H. Grass, Ostergeschehen und Osterberichte, Göttingen ³1964, 94; K. Wegenast, Das Verständnis der Tradition bei Paulus 55.

[2] G. Birger, Memory and Manuscript, Acta Seminarii Neotestamentici Upsaliensis 22, Uppsala 1961, 299, bes. Anm. 3.

[3] Es ist durchaus möglich, daß der Nachweis einer Erscheinung des Auferweckten zur Legitimation der Führer innerhalb der christlichen Gemeinde gefordert war. Nicht wahrscheinlich dürfte es jedoch sein, in V.5 die »älteste Legitimationsformel aus den Anfängen der Geschichte der Urgemeinde« suchen zu wollen (so U. Wilckens, Der Ursprung der Überlieferung 81). Es läßt sich schwer denken, daß eine solch kurze, isolierte Formel lebensfähig gewesen sein kann.

[4] Mit Recht weist W. Schmithals, Das kirchliche Apostelamt (FRLANT 79), Göttingen 1961, 67 darauf hin, daß die Erscheinung vor »den Aposteln allen« keineswegs als ἐφάπαξ geschehen zu denken ist. Auch eine verspätete Erscheinung des Auferstandenen vor Paulus hätte darin noch einbezogen werden können.

2. Auch V. 6b macht nicht den Eindruck, Bestandteil einer Formel zu sein. Die Feststellung ἐξ ὧν οἱ πλείονες μένουσιν ἕως ἄρτι erscheint als ein Element, das nicht gut in einer Traditionsformel über Jahrzehnte hin seinen Platz haben kann[1]. Alle Wahrscheinlichkeit spricht dafür, Paulus selbst formuliert so und zwar im Blick auf den Zeitpunkt, zu dem er den Brief schreibt bzw. die Korinther ihn lesen werden. V. 6b kann in dieser Form keiner festgefügten Formel entstammen[2].

Mit der Möglichkeit, V. 6b könne doch zur Formel gehört haben, rechnet E. Bammel[3]. Er weist darauf hin, daß sich in V. 6 – wie schon in den V. 3-5 – vorpaulinisches Sprachgut aufspüren lasse. Im einzelnen führt er an[4]:

a) Statt ἐκοιμήθησαν verwendet Paulus sonst stets das Partizip, das den Nebensinn des »Auf den Herrn Harrens« habe; dieser Nebensinn sei beim Verbum selbst nicht gegeben, würde aber hier gut passen.

b) Μένειν ohne Ergänzung statt ζῆν ist singulär bei Paulus. Er verwende μένειν nicht profan, sondern im Sinne einer Beziehung zu Gott.

c) Das an sich unpaulinische ὤφθη hätte, zumal die Satzkonstruktion sich ab V. 6 ändert, nicht wiederholt zu werden brauchen.

Dagegen ist jedoch festzustellen:

a) Κοιμᾶσθαι in der Bedeutung »sterben« ist bei Paulus häufiger als im gesamten übrigen Neuen Testament (bei Paulus neunmal, im gesamten Neuen Testament sonst nur noch sechsmal). In 1 Thess 4, 14.15 und 1 Kor 15, 18 verwendet Paulus das Partizip Passiv von κοιμᾶσθαι: die Entschlafenen; an diesen Stellen handelt er von den Toten[5]. 1 Kor 15,6 jedoch geht es um die Tatsache des Sterbens, nicht um die Verstorbenen. G. Klein bemerkt überdies zu Recht, Paulus hätte überall, wo er das Partizip verwendet, eine umständliche Relativkonstruktion verwenden müssen, während 1 Kor 11,30 zeige, daß er ebensogut auch das verbum finitum gebrauchen konnte[6].

---

[1] Vgl. A. Seeberg, Der Katechismus 50; A. v. Harnack, Die Verklärungsgeschichte 63; W. G. Kümmel, Kirchenbegriff 4; C. H. Dodd, The Appearances of the Risen Lord, in: Studies in the Gospel, In Memory of R. H. Lightfoot, Oxford 1955, 28.

[2] Vgl. H. Grass, Ostergeschehen 94. – Seine Bemerkung, der Zusatz »von denen die Mehrzahl jetzt noch lebt ...« mache auch zweifelhaft, ob die Erwähnung der Fünfhundert (also V. 6a) noch zur Formel gehört, hat allerdings kaum Überzeugungskraft.

[3] E. Bammel, Herkunft u. Trad. Elemente 401 f. Ferner Ph. Seidensticker, Das Antiochenische Glaubensbekenntnis 1 Kor 15, 3–7 im Lichte seiner Traditionsgeschichte, in: ThGl 57, 310–313. – Ähnlich H. W. Bartsch, Das Auferstehungszeugnis, Sein historisches und theologisches Problem, Theol. Forschung 41, Hamburg-Bergstedt 1965, 7 f.; K. Holl, Der Kirchenbegriff des Paulus 46 f.

[4] E. Bammel, a. a. O. 402 Anm. 5.

[5] Vgl. P. Hoffmann, Die Toten in Christus 204.

[6] G. Klein, Die Zwölf Apostel (FRLANT 77), Göttingen 1961, 39 f. Anm. 160.

b) Der Gebrauch von μένειν, wie er in V.6 vorliegt, ist für Paulus nicht singulär. Auch Phil 1,25 steht μένειν ohne Bestimmungszusatz in der »profanen Bedeutung« von »am Leben bleiben« wie 1 Kor 15,6b[1].

c) Das Wiederaufgreifen des an sich bei Paulus nicht üblichen ὤφθη in V.6a ist durch die Anreihung an V.5 mit dem dortigen ὤφθη genügend motiviert.

So dürfte also V.6b in seiner uns vorliegenden Form als von Paulus gestaltet zu beurteilen sein. Hier läßt Paulus nicht mehr eine Formel sprechen, sondern er formuliert eigene Beiträge zur Formel, speziell ausgerichtet auf sein angestrebtes Ziel hin[2]. Wie ist es aber um die V.6b umgebenden V.6a und 7 bestellt?

3. Gewichtige Gründe sprechen dafür, daß Paulus schon nach V.5 (εἶτα τοῖς δώδεκα) das Referat des formelhaften Traditionsgutes abschließt und von da an weitere ihm bekannte Erscheinungsberichte anfügt. Diese gehören sicher ebenfalls alten, überkommenen Traditionen an, dürften aber nicht Bestandteil der ab V.3 referierten Traditionsformel gewesen sein. Diese Beurteilung der V.6f. findet heute bei einem Großteil der Exegeten - wenn auch z.T. vorsichtige – Zustimmung[3]. Vor allem A. v. Harnack[4] hat dieser Exegese zum Durchbruch verholfen, doch sprachen sich schon vor ihm B. Weiss[5], C.F.G. Heinrici[6], A. Seeberg[7], J.Chr.K. v. Hofmann[8] und F. Kattenbusch[9] in diesem Sinne aus.

---

[1] G. Klein, a.a.O.

[2] Die Deutung, mit der O. Glombitza κοιμᾶσθαι von V.6 wiedergibt, ist völlig unhaltbar. Er umschreibt die Stelle so: »Von denen die meisten noch jetzt ausharren, etliche aber sind eingeschlafen«, und er deutet »eingeschlafen« so: »daß aber etliche der Übermacht der Welt erlegen sind« und nicht mehr als Zeugen ausharren (O. Glombitza, Gnade, – das entscheidende Wort, in: NovT 2, 285 f.). Für eine derartige Deutung von κοιμᾶσθαι fehlt m.W. jeder Beleg auch über das Neue Testament hinaus. – H.W. Bartsch, Die Argumentation des Paulus 272 vermutet, in Korinth sei behauptet worden, wer den (auferstandenen) Herrn gesehen habe, der werde nicht sterben; dagegen wende sich Paulus mit 1 Kor 15,6b.

[3] Vgl. E. Norden, Agnostos Theos, Leipzig–Berlin ([1]1913) [2]1923, 270 f.; E. Meyer, Ursprung und Anfänge des Christentums 3, Stuttgart–Berlin 1923, 209 f.; M. Goguel, La foi à la résurrection de Jésus dans le Christianisme primitif, Paris 1933, 247 f.; W.G. Kümmel, Kirchenbegriff 3 f.; C.H. Dodd, The Appearances 28; H. Grass, Ostergeschehen 94; J. Jeremias, Die Abendmahlsworte Jesu, Göttingen [3]1960, 95; G. Klein, Die Zwölf Apostel 39 f.; W. Schmithals, Das kirchliche Apostelamt 65; E. Güttgemanns, Der leidende Apostel und sein Herr 91; J. Finegan, Die Überlieferung der Leidens- und Auferstehungsgeschichte Jesu, in: BZNW 15, Berlin 1934, 109; E. Schweizer, Two New Testament Creeds Compared, in: Neotestamentica, dt. u. engl. Aufsätze 1951–1963, Zürich–Stuttgart 1963, 122 f.; ders., Erniedrigung und Erhöhung bei Jesus und seinen Nachfolgern (AbThANT 28) [2]1962, 89.

[4] A. v. Harnack, Die Verklärungsgeschichte 63–65.

[5] B. Weiss, Die paulinischen Briefe und der Hebräerbrief, Leipzig 1896 ([2]1902), 216 f.

Als Gründe für diese Beurteilung werden angeführt:

a) Nach den Worten εἶτα τοῖς δώδεκα setzt eine andere Satzkonstruktion ein, »es wird nun direkt berichtet: ἔπειτα ὤφθη, während bisher in abhängigen Nebensätzen referiert wurde: ὅτι...καὶ ὅτι...καὶ ὅτι...«[1]. Man hat gegen dieses Argument allerdings vorgebracht, möglicherweise habe die von Paulus angeführte Formel ursprünglich aus koordinierten Hauptsätzen bestanden und die in 1 Kor 15, 3-5 auftretenden Nebensätze seien durch das einleitende παρέδωκα γάρ (V. 3a) bedingt und Paulus gehe überhaupt erst mit V.6 auf die ursprüngliche Konstruktion der Formel ein[2]. Andererseits hätte natürlich Paulus schon vorher – ab ὤφθη Κηφᾷ – zur eigentlichen Konstruktion der Formel übergehen können, wenn ihn nur das einleitende παρέδωκα daran gehindert hätte. Man könnte auch darauf hinweisen, daß Paulus alte Tradition auch durchgehend abhängig erzählen kann[3].

b) Da V. 8 und V. 6b als paulinische Ergänzungen zur Formel ausgewiesen sind, ist das Schema ἔπειτα... ἔπειτα... εἶτα... ἔσχατον nicht auf eine formelhafte Prägung zurückzuführen, sondern zumindest das ἔσχατον ist paulinischer Zusatz. Vergleichbare Konstruktionen sind durchaus dem paulinischen Stil entsprechend[4]. Der Schluß A. v. Harnacks, wenn schon das letzte Glied der Periode paulinische Zufügung ist, dann sei es doch einfacher gleich

---

[6] C.F.G. Heinrici, Das erste Sendschreiben des Apostels Paulus an die Korinthier, Berlin 1880, 477f.

[7] A. Seeberg, Katechismus 50.

[8] J. Chr. K. von Hofmann, 1 Kor 336.

[9] F. Kattenbusch, Die Vorzugsstellung des Petrus und der Charakter der Urgemeinde zu Jerusalem, in: Festgabe für K. Müller, Tübingen 1922, 330.

[1] Dieses Argument betonen neben A. v. Harnack (Verklärungsgeschichte 63) vor allem W.G. Kümmel, Kirchenbegriff 3f.; E. Schweizer, Two New Testament Creeds Compared 122f; E. Lichtenstein, Die älteste christliche Glaubensformel, in: ZKG 63, 6.

[2] So z.B. H.W. Bartsch, Das Auferstehungszeugnis 7f.: »Die Überlieferung hat auf jeden Fall in Hauptsätzen bestanden. Es ist darum durchaus möglich, daß Paulus mit V.6 zu dem ursprünglichen Wortlaut der Überlieferung übergeht und die Abhängigkeit der Sätze von dem Hautpsatz in V.3 aufgibt«. – O. Glombitza, Gnade, das entscheidende Wort 284, meint, Paulus würde es sicherlich sagen, wenn er die Konstruktion verließe und zu eigenen Worten überginge. – Doch Paulus tut das ja nach V.7 nicht, sondern schließt seine eigene Erscheinung mit ἔσχατον... κἀμοὶ recht nahtlos an die übrigen Berichte an. Und: was Paulus in V.6f. bringt, ist ja ebenfalls Tradition – nur nicht Bestandteil der Formel –, so daß hier nicht ein Übergang von verbindlicher Glaubensverkündigung zu eigenen Anschauungen vorliegt.

[3] W. Michaelis erinnert in diesem Zusammenhang an 1 Kor 11,23ff. (W. Michaelis, Die Erscheinungen des Auferstandenen, Basel 1944, 12).

[4] A. v. Harnack, Verklärungsgeschichte 63. – Vgl. dazu R. Bultmann, Der Stil der paulinischen Predigt und die kynisch-stoische Diatribe, Göttingen 1910; H. Böhlig, Die Geisteskultur von Tarsos im augustinischen Zeitalter mit Berücksichtigung der paulinischen Briefe, Göttingen 1913.

anzunehmen, die Periode als ganze sei dessen Werk, ist allerdings nicht überzeugend[1].

c) Ebenfalls nur als »negativer Beweis« ist zu werten, daß von V.6 an nicht mehr unpaulinisches Wortgut nachgewiesen werden kann[2].

d) A. v. Harnack führt als gewichtigstes Argument die Beobachtung an, daß die Formel einen streng parallelen Aufbau zeigt. Sie besteht aus zwei Hauptsätzen mit je einem, diese sicherstellenden, Begleitsatz.

Christus starb für unsere Sünden nach der Schrift
  und wurde begraben,
Christus ist erweckt nach der Schrift
  und wurde geschaut von Kephas, dann von den Zwölfen.

Allerdings hat A. v. Harnack selbst festgestellt, daß genaugenommen schon die Nennung des Kephas und der Zwölf die strenge Parallelität der beiden Glieder stört[3] und man könnte gegen ihn einwenden: wenn schon die älteste Formel dem strengen Aufbau zuwider gestaltet wurde, dann lassen sich auch weitere Ergänzungen nicht einfach mit dem Hinweis auf den parallelen Aufbau ausschließen[4].

e) Entscheidend scheint hier folgende Beobachtung zu sein: angenommen, die Erscheinungen vor den fünfhundert Brüdern, die Erscheinung vor Jakobus und die vor allen Aposteln würden zur ursprünglichen Formel gehören, so erhielte innerhalb dieser Formel die Erwähnung der Erscheinungen eindeutig ein Übergewicht gegenüber den in V.3f. angeführten Heilstatsachen des Todes und der Auferweckung des Christus. Dann müßte man sich die Frage stellen: wozu sollte diese Formel jemals gedient haben? Was war ihr Sinn? Sollte sie etwa als eine Liste der Erscheinungsträger entstanden sein? Dann wären jedoch die detaillierten Angaben über den Tod und

---

[1] A. v. Harnack, Verklärungsgeschichte 63f. – J. Kremer, Das älteste Zeugnis der Auferstehung Christi, Stuttgart 1966, 85 hält die Verse 3–7 mit Ausnahme von V.6b für eine vorpaulinische Formel.

[2] Gegen die Behauptung von E. Bammel, in 1 Kor 15,6 sei unpaulinisches Wortgut noch stärker nachweisbar, vgl. oben S. 43f.

[3] A. v. Harnack, Verklärungsgeschichte 63f.

[4] Im übrigen ist die Forderung nach einem streng gegliederten Aufbau für eine Pistisformel sicher nicht als zwingend zu erweisen, und Schlüsse aus einem nicht exakt gegliederten Aufbau der Formel daher auch nicht überzeugend. Wieweit solches Pochen auf eine einwandfreie symmetrische Gliederung führen kann, zeigt P. Winter: um zwei dreigliedrige Listen von Erscheinungsträgern zu erhalten, fügt er in V.7 – als Parallele zur Massenerscheinung vor den Fünfhundert – nach εἶτα τοῖς ἀποστόλοις ein: εἶτα πᾶσιν τοῖς ἀδελφοῖς. So erhält er zwei Parallelformeln mit je einer Einzel-, einer Gruppen- und einer Massenerscheinung: »Cephas – the Twelve – 500 Brethren« einerseits und »James – the Apostles – all the Brethren« andererseits (P. Winter, I. Corinthians XV 3b–7, in: NovT 2, 142–150).

die Auferweckung nicht begreiflich zu machen (H. Conzelmann[1] und
E. Schweizer[2] betonen, daß die V. 3–5 eigentlich das Hauptgewicht auf den
Tod des Christus legen). In dieser Hinsicht hat die Beobachtung A. v. Harnacks zweifellos ihre Richtigkeit: die Formel referiert in den beiden Hauptaussagen die zwei entscheidenden Tatsachen des Wirkens Jesu, seinen Tod
und seine Auferweckung. Und diese Hauptaussagen sind durch Begleitsätze
sichergestellt: einerseits durch das ἐτάφη und andererseits durch ὤφθη. Eine
Ausweitung des zweiten Begleitsatzes (zu ἐγήγερται), der nur dienendes Gewicht im Gesamtzusammenhang der ursprünglichen Formel hat, durch die
Anreihung einer ganzen Anzahl von Erscheinungszeugen, würde das Gewicht der ganzen Formel ungebührlich auf diese Zeugenreihe verschieben.
Ein Sitz im Leben für eine derartige Formel ist nicht auszumachen[3].

Alle diese oben aufgeführten Hinweise zusammengenommen lassen es als
in hohem Maße wahrscheinlich erscheinen, daß mit dem Beginn von V.6
(nach εἶτα τοῖς δώδεκα) das Referat der Formel beendet ist. Ab V.6 führt
Paulus weitere Erscheinungen an, die ihm bekannt waren. Woher er diese
Kenntnis hatte, läßt sich wohl schwer ausmachen und ist für unseren Zusammenhang ohne Belang[4].

4. Auch eine noch weitergehende Verkürzung des Formeltextes wird gelegentlich in Erwägung gezogen.

a) Demnach würde das geprägte Traditionsgut bereits in V.5 nach ὤφθη
enden, die Nennung des Kephas und der Zwölf wäre also schon Zufügung
des Paulus. A. v. Harnack hat diese Möglichkeit ernsthaft erwogen, schließlich aber doch abgelehnt[5]. Allerdings stand er bei dieser Entscheidung wohl

---

[1] H. Conzelmann, Zur Analyse der Bekenntnisformel 1 Kor 15,3–5, in: EvTh
25, 4 Anm. 19.

[2] E. Schweizer, Erniedrigung und Erhöhung 90.

[3] Gegen eine einheitliche Abkunft der Verse 3–7 aus *einer* Formel scheint auch
zu sprechen die enorme Schwierigkeit bei der Erklärung und Abgrenzung von
δώδεκα in seinem Verhältnis zu ἀπόστολοι πάντες und des Verhältnisses von ἀποστόλοις
πᾶσιν zu ἐπάνω πεντακοσίοις ἀδελφοῖς, vor allem, wenn eine streng chronologische
Reihenfolge der Erscheinungsberichte – unnötigerweise, wie es scheint – forciert
betont wird und wenn noch dazu kein Glied der einen Gruppe bei einer anderen
Gruppe von Erscheinungsträgern mitgenannt sein soll. Muß es als ausgeschlossen
gelten, daß keiner der 500 später zum Kreis der Apostel gezählt wurde? Ist es
sicher, daß keiner der Zwölf zum Kreis der Apostel stieß? – Vgl. zur Diskussion
um diese Frage bes. W. G. Kümmel, Kirchenbegriff 3 ff.; K. Holl, Kirchenbegriff
46 f.; W. Schmithals, Das kirchliche Apostelamt 38–43; G. Klein, Die Zwölf Apostel
64–72.

[4] H. v. Campenhausen weist in diesem Zusammenhang hin auf den Besuch des
Paulus in Jerusalem, wo im Gespräch mit Jakobus derartige Fragen sicher nicht
ausgeklammert worden seien (H. v. Campenhausen, Der Ablauf der Osterereignisse und das leere Grab 10, bes. Anm. 12). Doch sind dies nur Vermutungen.

[5] A. v. Harnack, Verklärungsgeschichte 64, bes. Anm. 4.

stark unter dem Eindruck seiner eben ausgeführten These, die Verse 5 einerseits und 7 andererseits hätten den Charakter zweier rivalisierender Formeln: an die Stelle des älteren ὤφθη Κηφᾷ εἶτα τοῖς δώδεκα sei später ὤφθη Ἰακώβῳ εἶτα τοῖς ἀποστόλοις πᾶσιν getreten[1]. Diese These setzt natürlich voraus, daß Κηφᾷ εἶτα τοῖς δώδεκα Bestandteil der ersten Formel gewesen ist. Abgesehen davon gesteht A. v. Harnack allerdings ein, daß die von ihm herausgearbeitete Grundform der Formel es näher legen würde, diese schon nach ὤφθη (in V. 5) als beendigt anzusehen, wenngleich er einschränkend wieder meint, daß ein ὤφθη ohne Personenangabe unwahrscheinlich sei in einer Formel der Glaubensverkündigung[2]. Demgegenüber vertritt J. Munck die Ansicht, in alten »Credos« hätten Namen keinen Platz gehabt. Erst Paulus, im Bestreben, befragbare, namentlich bekannte Zeugen anzugeben, habe die Zeugen der Auferstehung angeführt und an die Formel angefügt[3]. Im gleichen Sinne meint E. Bammel, ὤφθη Κηφᾷ εἶτα τοῖς δώδεκα würde weder der Struktur noch der theologischen Intention solcher formelhafter Traditionsstücke entsprechen, wie sie uns in 1 Kor 15,3–5 vorliegen[4].

b) Eigenwillig ist ein Vorschlag von Ph. Seidensticker[5]. In der von ihm rekonstruierten Gestalt lautete die Glaubensformel in ihrem zweiten Teil:

---

[1] A.a.O. 65–68.

[2] A.a.O. 64; Anm. 4. – Vgl. auch H. Grass, Ostergeschehen 298; W. Michaelis, Die Erscheinungen des Auferstandenen 11 f., griff diese Überlegungen wieder auf und zwar mit Hinweis auf die sonst unvollständige Parallelität der Formel. Das Argument, das E. Lichtenstein (Die älteste christl. Glaubensformel 47, Anm. 124a) dagegen vorbringt, ist nicht stichhaltig: er hat wohl recht, wenn er meint, die Parallelgruppen von Erscheinungszeugen in V. 5 und V. 7 müßten schon von Paulus vorgefunden worden sein; vorgefunden wurde die Tradition von Paulus wohl, nicht aber in *einer* Glaubensformel (was E. Lichtenstein ja selbst ausschließt, wenn er zumindest V. 7 als paulinische Erweiterung erachtet).

[3] J. Munck, Paul, The Apostles and the Twelve, in: Studia Theologica 3, 1, Lund 1950. – Mit dieser genannten Möglichkeit rechnet auch H. W. Bartsch, Die Argumentation des Paulus 265.

[4] E. Bammel, Herkunft u. Trad. Elemente 403. – Was E. Bammel als einen Korrekturnachtrag von A. v. Harnack wertet (E. Bammel, a.a.O. 403, Anm. 7 kann er allerdings nur dann für seine eigene Deutung der Stelle buchen, wenn der Text Harnacks mit Auslassungen gedruckt wird (wie eben bei E. Bammel). Der volle Text bei A. v. Harnack lautet: »In die späteren Glaubensregeln und Symbole ist die Schauung bzw. conversatio cum discipulis post resurrectionem nicht so häufig aufgenommen worden, als man erwartet«. Diese Beobachtung A. v. Harnacks betrifft die Nennung von Erscheinungen nach der Auferstehung, also das ὤφθη überhaupt, nicht speziell die Nennung von Erscheinungszeugen mit Namen. – J. Héring, La première Epître de Saint Paul aux Corinthiens, Neuchâtel – Paris 1949, 134 hält schon vor V. 5 das Zitat der Tradition für abgeschlossen. Schon das ὤφθη Κηφᾷ sei eine Zufügung des Apostels im Stil der Gemara: »car à partir de ces mots la proclamation perd son allure rythmée et semble être ajoutée par Paul pour donner la preuve des affirmations qui précèdent«.

[5] Ph. Seidensticker, Das Antiochenische Glaubensbekenntnis 286–323.

».… Und: (Er) ist auferweckt worden am dritten Tage gemäß den Schriften,

und: (Er) ist sichtbar geworden mehr als fünfhundert Brüdern ein für allemal,

von denen die meisten leben bis jetzt«.

Ph. Seidensticker möchte also die Erscheinung vor Kephas und den Zwölfen aus dem alten Textbestand der Formel streichen und allein V. 6 als einen ursprünglich dazugehörigen Erscheinungsbericht belassen. Als Argument verweist er auf den »nicht sonderlich paulinischen Sprachgebrauch der in V. 6 verwandten Vokabeln«[1]. Neben μένειν (vgl. dazu oben S. 43f.) verweist Ph. Seidensticker auf ἕως ἄρτι (trotz 1 Kor 4, 13; 8, 7, wo ἕως ἄρτι auch nach Ph. Seidensticker in der nämlichen Bedeutung wie an unserer Stelle paulinisch ist) und auf ἐπάνω, – in der Tat bei Paulus ein Hapaxlegomenon[2]. Hauptargument für Ph. Seidensticker ist jedoch das ἐφάπαξ in V. 6: dieses Kompositum sei sonst in der neutestamentlichen Verkündigungssprache terminus technicus für die Einmaligkeit des Heilshandelns und des Heilstodes des Christus[3]. Tatsächlich findet sich ἐφάπαξ außer im Hebräerbrief[4] im ganzen Neuen Testament[5] nur noch Röm 6, 10, und zwar eindeutig in der oben von Ph. Seidensticker angeführten Bedeutung[6]. Zur Behauptung, daß »V. 6a auf jeden Fall zum Urbestand der überlieferten Glaubensformel« gehört habe[7], reicht dieses Argument jedoch nicht hin, zumal ἐφάπαξ in der Bedeutung »auf einmal« durch Belege gesichert ist[8].

Noch schwieriger wird es, Ph. Seidensticker dort zu folgen, wo er V. 5 und V. 7 als spätere Zutaten zur Formel erweisen möchte. Es bewegen ihn

---

[1] A.a.O. 312.

[2] G. Klein, Die Zwölf Apostel 39f. Anm. 160 meint dagegen, gerade das »pedantische« und zugleich »ganz unpräzise« ἐπάνω πεντακοσίοις sei in formelhaften Bildungen »kaum denkbar«.

[3] Ph. Seidensticker, Das Antiochenische Glaubensbekenntnis 311.

[4] Hebr. 7, 27; 9, 12; 10, 10.

[5] Jud 3 führt Ph. Seidensticker zu Unrecht an; hier steht nur ἅπαξ und gerade ἅπαξ verwendet Paulus wiederholt einfach in der Bedeutung »einmal«: Vgl. 2 Kor 11, 25; Phil 4, 16; 1 Thess 2, 18.

[6] Vgl. O. Kuss, Der Römerbrief, Regensburg 1957, 202; O. Michel, Der Brief an die Römer, Göttingen [4]1966, 156.

[7] Ph. Seidensticker, Das Antiochenische Glaubensbekenntnis 312.

[8] Vgl. G. Stählin, Artikel ἐφάπαξ in: ThWNT 1, 382 und W. Bauer, Wörterbuch zum Neuen Testament, s. v. 652; F. Preisigke, Wörterbuch der griechischen Papyrusurkunden 1, Berlin 1925, 630. Der Kontext der Papyruszitate läßt, soweit er angeführt wird, keine Interpretation des ἐφάπαξ im Sinne von »ein für allemal« zu (gegen Ph. Seidensticker, a.a.O. 312 Anm. 55). Gegen die Übersetzung des ἐφάπαξ in 1 Kor 15, 6 und den angeführten Papyrustexten als »ein für allemal« spricht sich auch aus E. Gutwenger, Auferstehung und Auferstehungsleib Jesu, in: ZKTh 91, 33–35.

dabei vor allem stilkritische Erwägungen. Nachdem er die Gliederungspartikel ἔπειτα und εἶτα als »stilistisch störend« vom Text abgestrichen und durch καί ersetzt hat[1], stellt er fest: »V. 5 und 7 sind formal zwei parallel gestaltete zweigliedrige Formeln«..., »V. 6 hingegen ist nur eingliedrig und dürfte mit seinem Relativsatz der ursprüngliche Abgesang des ganzen Bekenntnisses gewesen sein«[2]. Dieser Schluß kann kaum überzeugen. Es ist auch nicht leicht zu verstehen, wie Paulus oder sont ein maßgeblicher Mann der Verkündigung, unbefangen an die »ein für allemal« geschehene Erscheinung weitere Erscheinungen anreihen könnte, wenn doch ἐφάπαξ als terminus technicus der christlichen Verkündigungssprache für die abschließende Einmaligkeit eines Geschehens reserviert sein sollte[3].

5. Als abschließendes Ergebnis ist zu registrieren:

a) Mit hoher Wahrscheinlichkeit ist anzunehmen, daß mit εἶτα τοῖς δώδεκα das Referat einer Traditionsformel abgeschlossen ist (also nach V. 5).

b) Paulus fügt daran – fast nahtlos – weitere Berichte an über Erscheinungen des auferweckten Christus, die ihm bekanntgeworden waren. Und zwar

eine Erscheinung vor mehr als 500 Brüdern,
eine Erscheinung vor Jakobus,
eine Erscheinung »vor den Aposteln allen«
und die ihm selbst zuteil gewordene Erscheinung.

Von Bedeutung in unserem Zusammenhang ist vor allem dies: Paulus erweitert und verstärkt gleichsam das letzte Glied der von ihm zitierten Traditionsformel[4]. Welchem Zweck aber diente dieses letzte Glied im ursprünglichen Zusammenhang der Formel? Und welchem Ziel soll gedient werden, wenn Paulus nun dieses letzte Glied so eindeutig und ausgiebig erweitert?

---

[1] Ph. Seidensticker, a.a.O. 312.

[2] A.a.O. 312.

[3] Vor allem ist es kaum denkbar, daß Paulus seine eigene Erscheinung als letzte und damit als die gewissermaßen nun »ein für allemal« geschehene deklarieren könnte, wenn ἐφάπαξ in der neutestamentlichen Verkündungssprache tatsächlich reservierter terminus technicus im Sinne von Ph. Seidensticker gewesen wäre.

[4] Auch wenn die These A. v. Harnacks von der Existenz zweier rivalisierender Formeln recht hätte – oder auch die Variationen, die E. Bammel und U. Wilckens zu dieser These Harnacks aufstellten –, so bliebe doch der Tatbestand erhalten, daß Paulus den Erscheinungen, die von der Formel berichtet werden, weitere Erscheinungsberichte anfügt, auch wenn diese selbst schon Gegenstand anderer Traditionen gewesen wären.

2. Welchem Ziel dient der Bericht von den Erscheinungen
in 1 Kor 15, 3–8?

A. Die Aufgabe der Erscheinungsberichte im Zusammenhang der Formel

1. Eine Analyse von 1 Kor 15, 3–5 weist für die darin vorliegende Traditionsformel zwei Hauptaussagen nach, nämlich: Χριστὸς ἀπέθανεν und Χριστὸς ἐγήγερται. Jede dieser beiden Hauptaussagen erhält eine doppelte nähere Bestimmung:

a) durch den Hinweis, daß das Berichtete κατὰ τὰς γραφάς geschehen sei;

b) durch einen die Aussage sicherstellenden Begleitsatz: ἀπέθανεν wird durch ἐτάφη bestätigt und gesichert; ἐγήγερται wird gesichert und bestätigt durch ὤφθη[1]. Diese Auffassung, daß also die Erwähnung der Erscheinungen in der Formel das Ziel verfolge und die Aufgabe habe, die Tatsächlichkeit der Auferstehung des Christus sicherzustellen, findet sich bei der Mehrzahl der Exegeten[2], ist aber durchaus nicht die einzig überdenkenswerte Deutung des ὤφθη und der anschließenden Erscheinungsberichte.

2. E. Bammel findet in 1 Kor 15, 3–7 drei Traditionsformeln, verschiedener Art und Herkunft, die Paulus ad hoc zusammengefügt habe. Formel I läßt E. Bammel nach καὶ ὅτι ὤφθη (V. 5) enden; Formel II umfasse die drei Erscheinungen vor Kephas, den Zwölfen und den Fünfhundert; Formel III entspreche dem V. 7, hatte also die Erscheinungen vor Jakobus und den Aposteln allen zum Inhalt[3]. Formel I bezeichnet E. Bammel als eine »christologische Formel«[4]; Formel II und Formel III stellen nach seiner Meinung zwei Listen von Zeugen dar, welche die Erscheinungen des aus dem Grabe Erstandenen belegen sollen[5]. Bald jedoch habe eine rasche Transformierung der ursprünglichen Intention eingesetzt: die Formeln II und III – so wird man E. Bammel wohl richtig verstehen – dienen in der Praxis nicht mehr der Bezeugung der Erscheinungen und damit der Auferweckung durch qualifizierte Zeugen, sondern nun – das bedeutet gewissermaßen eine Umkehrung – bezeugen die Erscheinungsberichte die Autorität und Legitimität jener Personen, die sich auf eine derartige Erscheinung berufen können[6].

---

[1] Siehe oben S. 46. – Vgl. auch E. Schweizer, Erniedrigung und Erhöhung 89,

[2] Vgl. vor allem A. v. Harnack, Verklärungsgeschichte 63; E. Lichtenstein. Die älteste christliche Glaubensformel 7; H. Conzelmann, Zur Analyse der Bekenntnisformel 7; K. Wegenast, Das Verständnis der Tradition bei Paulus 55 Anm. 1.

[3] E. Bammel, Herkunft und Trad. Elemente 402-408.

[4] E. Bammel, a.a.O. 408.

[5] A.a.O. 403 f.

[6] A.a.O. 406–408. Die Formel III versteht E. Bammel als eine ursprünglich gegen die Formel II konzipierte, konkurrierende Formel, die unter Jakobusanhängern kursierte (a.a.O. 408).

Wenn nun Paulus hier drei ursprünglich selbständige Formeln zusammenfügt, dann verfolgt er damit, nach E. Bammel, das Ziel, anerkannte und legitimierte Autoritäten (auf Grund der Erscheinungen legitimiert!) für die Richtigkeit und Gültigkeit seiner Verkündigung in Anspruch zu nehmen. Und zwar bezieht E. Bammel nun den ganzen Aufwand an Autoritäten, den Paulus hier betreibt, nicht auf die Auseinandersetzung des Paulus mit den Auferstehungsleugnern in Korinth, also nicht auf 1 Kor 15, sondern auf 1 Kor 13. 14: die in diesen beiden Kapiteln getroffenen Anweisungen will Paulus decken mit dem Hinweis auf die angeführten Autoritäten. In bezug auf diese Anordnungen der Kapitel 13 und 14 fasse Paulus 1 Kor 15,11 zusammen: εἴτε οὖν ἐγὼ εἴτε ἐκεῖνοι, οὕτως κηρύσσομεν[1].

Doch ist die Existenz einer gesondert umlaufenden Zeugenliste, die nur drei Positionen aufweist (Petrus, die Zwölf und die Fünfhundert), unwahrscheinlich; erst recht die Existenz einer nur zwei Teile umfassenden Formel, die etwa lautete: Christus erschien dem Jakobus, dann allen Aposteln[2]. Schwierigkeiten macht es vollends, sich vorzustellen, wie die von E. Bammel eruierte Formel II transformiert worden sein sollte in eine Legitimationsformel; daran ließe sich vielleicht noch denken, wenn nur Kephas und die Zwölf genannt würden. Was aber geschieht mit den mehr als fünfhundert Brüdern der nämlichen Formel? Auch sie hätten in einzigartiger Weise legitimiert und zu Autoritäten werden müssen. Tatsächlich sind sie anonym geblieben[3].

Entscheidend für die Ablehnung der These E. Bammels ist jedoch die Tatsache, daß mit 1 Kor 14,30 deutlich der in den Kapiteln 13 und 14 behandelte Stoff abgeschlossen wird und mit 1 Kor 15,1 ein neues Thema angeschlagen wird[4]. Zu Unrecht bezieht E. Bammel V. 11 (εἴτε οὖν ἐγὼ εἴτε ἐκεῖνοι, οὕτως κηρύσσομεν) auf die in Kap. 13.14 behandelten Fragen zurück; er übergeht damit die Aussagen der Verse 3–5, die ausdrücklich als *gemeinsame* Paradosis eingeführt werden (V. 1–3), für die eine Betonung der *gemeinsamen* Verkündigung daher auch angebracht ist. So wundert nicht, daß E. Bammel zwar eine einsichtige Begründung dafür angeben kann, daß Paulus die von ihm als Formel II und Formel III genannten Traditionen an dieser Stelle des Korintherbriefes zitiert, daß er aber keinen Grund angibt

---

[1] A.a.O. 408.

[2] Daß Paulus Glieder der ursprünglichen Liste ausgelassen hat, ist ja kaum anzunehmen, wenn er – nach E. Bammel – sogar konkurrierende Formeln zusammenfügte. Daß Paulus über den Sinn dieser »Legitimationsformeln« nichts mehr gewußt haben sollte, ist ebenfalls nicht wahrscheinlich.

[3] E. Bammel besteht darauf, auch die 500 Brüder seien, zusammen mit Kephas und den Zwölfen, Teil einer Traditionsformel (a.a.O. 404f.).

[4] Siehe dazu oben S. 20f.

für das Auftauchen der »christologischen Formel« (V. 3 f.). Wozu zitiert Paulus dann dieses Traditionsstück in diesem Zusammenhang[1]?

3. Auch für U. Wilckens ist 1 Kor 15, 3–7 von Paulus aus verschiedenen Traditionsstücken katechetischer und kerygmatischer Art zusammengefügt. Als Ziel der Verse 1–11 gibt U. Wilckens an: es gehe darum, die Fundamentallehre von der Auferstehung des Christus ins Gedächtnis zu rufen und deren Verbürgtheit aufzuzeigen[2]. Doch auch hier erhebt sich die Frage: angenommen, Paulus verschweißt in 1 Kor 15, 3–7 wirklich ad hoc verschiedene Formeln oder Formelstücke: wozu dienen dann die Aussagen über den Sühnetod des Christus (U. Wilckens nennt sie eine »ursprünglich liturgische [?] Formel«), die Tatsache des Begräbnisses? Die Situation verlangt dies nicht, zur Vorbereitung auf die Diskussion mit den Auferstehungsleugnern dient es nicht.

Anders ist die Sachlage, wenn die Erwähnung des Sühnetodes und des Begräbnisses, auf die es im Zusammenhang nicht ankommt, dadurch bedingt ist, daß Paulus eine Formel von Anfang an zitiert. In dieser Formel ist das ἐγήγερται eine der Hauptaussagen und das ὤφθη hat seinen Stellenwert darin, Bestätigung und Bekräftigung der Auferweckungsaussage zu sein.

B) Welches Ziel verfolgt Paulus mit der Erweiterung der Formel?

1. Paulus ergänzt die Formel nur an einer Stelle, dort aber auffallend nachdrücklich und ausführlich, eben nach V. 5, nach dem ὤφθη Κηφᾷ εἶτα τοῖς δώδεκα. Diese Erscheinungsberichte haben nun wiederum innerhalb der Formel die Funktion, das ἐγήγερται sicherzustellen und zu stärken. Der Schluß ist daher berechtigt: Paulus erweitert die Formel offensichtlich um

---

[1] Diese Frage muß auch gestellt werden an T. H. Bindley, wenn er zur Stelle schreibt: »and so the opening phrases, which are so often wrongly taken to be formal proofs of Christ's resurrection, are merely reminders of the ABC of the Christian faith which St. Paul had impressed upon his converts«. Auch T. H. Bindley erklärt nicht, warum Paulus gerade den letzten Punkt des ABC erweitert und damit betont (T. H. Bindley, A Study in 1 Kor XV, in: The Expository Times XLI, Edinburgh 1929/1930, 503–507). – Das nämliche gilt für den Vorschlag von J. H. Wilson, der hinsichtlich dieser Verse schreibt: »what does need to be emphasized is that Jesus also died« and as proof of his death« ... »that he was buried« (J. H. Wilson, The Corinthians who say there is no resurrection of the dead, in: ZNW 59, 102). J. H. Wilson gibt zu, daß im vorliegenden Text die Auferstehung betont sei, er meint jedoch: »Yet we cannot evaluate so quantitatively« (a. a. O. 102). Jedoch, – schon das quantitative Übergewicht, das im Text der Auferstehung zuteil wird, müßte zu denken geben; ausschlaggebend ist aber, daß Paulus diese Aussagen zur Auferstehung ausdrücklich und ausführlich erweitert. Wozu dieses Bemühen, muß man sich doch fragen, wenn er nur oder hauptsächlich den *Tod* des Christus bezeugen will.

[2] U. Wilckens, Der Ursprung der Überlieferung 62 f.

das Auferwecktworden-Sein des Christus zu betonen und sicherzustellen mit dem Hinweis auf Zeugen – z. T. anerkannte Autoritäten, zum anderen Teil noch lebende, also befragbare Personen[1].

2. Es ist allerdings auch nicht zu übersehen, wie sehr es Paulus darauf ankommt, sich und seine eigene Verkündigung in die Reihe dieser Zeugen hineinzustellen.

a) Es scheint allerdings dem ἔσχατον (V. 8) zu viel Gewicht beigelegt zu werden, wenn man darin betont finden will: mit meiner eigenen Erscheinung haben die Erscheinungen des Auferstandenen ein für allemal ein Ende gefunden. Jedenfalls fehlen Hinweise darauf, daß Paulus mit ἔσχατον κἀμοί eine polemische Feststellung trifft[2]; es genügt zur Erklärung, ἔσχατον als Abschluß der Reihe ἔπειτα...ἔπειτα...εἶτα...ἔσχατον zu sehen; ἔσχατον muß nicht absolut gefaßt werden, so als ob nun daraufhin nichts mehr derartiges folgen könne; es kann auch nur das im Verhältnis zum Vorhergehenden »Letzte« bezeichnen[3].

b) Die Erklärung zu ἔκτρωμα, Paulus greife hier ein Schimpfwort der Korinther auf, das auf seine Vergangenheit hinweist, ist einleuchtend[4]. V. 9 würde zugestehen, inwieweit dieses Schimpfwort seine Berechtigung hat, gleichzeitig aber hervorheben, was er, Paulus – wenn auch nur mit Gottes Gnade –, geleistet und wie sehr er trotzdem ein Anrecht hat, sich Apostel zu nennen.

c) Besonderen Wert legt Paulus jedoch offenbar auf die Tatsache, daß seine Verkündigung über die Auferweckung des Christus nicht seine eigene Erfindung ist, daß er vielmehr hier in einer Reihe steht mit den anerkannten Führern der Kirche[5].

---

[1] Vgl. C. H. Dodd, The Appearances 30: die Erwähnung der fünfhundert Brüder hat ihren Sinn in der Tatsache, daß die Mehrzahl von ihnen noch lebt und somit noch befragt werden kann. – Wenn H. W. Bartsch dagegen meint, der Zusatz in V. 6 b τινὲς δὲ ἐκοιμήθησαν widerspreche Korinthern, die glauben, Personen, denen eine Erscheinung des Auferstandenen zuteil wurde, würden nicht sterben, so kann er zumindest aus den Korintherbriefen keinen Anhalt beibringen, der für diese Gemeinde eine derartige Meinung belegt (H. W. Bartsch, Die Argumentation des Paulus 272f.).

[2] So z. B. K. Wegenast, Das Verständnis der Tradition bei Paulus 62.

[3] W. Bauer, Wörterbuch, s. v. 620f.

[4] So z. B. J. Weiß, 1 Kor 352; W. Bousset, 1 Kor 154.

[5] E. Güttgemanns, Der leidende Apostel 81-94 hat Recht mit der Beobachtung, in den Versen 1-11 komme es Paulus darauf an, zu betonen, daß er kein Außenseiter sei, sondern in einer Reihe stehe mit allen Aposteln. Wieso es sich – nach E. Güttgemanns – allerdings um die Behauptung einer »christologisch-endzeitlichen« Differenz zwischen dem Schon-Auferweckt des Christus und dem Noch-nicht-Auferweckt der Gläubigen handeln soll, bleibt dunkel.

3. Wurde in Korinth auch die Auferstehung des Christus geleugnet?

Wenn es Paulus in 1 Kor 15,1–11 vor allem darum zu tun ist, die Auferstehung des Christus sicherzustellen, als eine ihm und allen Aposteln gemeinsame Verkündigung, so muß man sich die Frage stellen: war diese starke Betonung der Auferstehung des Christus notwendig gegenüber der Gemeinde in Korinth? War auch die Auferstehung des Christus mitbetroffen, wenn es hieß: ἀνάστασις νεκρῶν οὐκ ἔστιν? War also auch der Glaube an die Auferweckung des Christus fallengelassen oder zumindest starken Zweifeln ausgesetzt? Oder aber hielten die Korinther trotz allem fest an der Auferstehung des Christus, bezogen sich ihre Irrtümer und Zweifel nur auf die zukünftige allgemeine Totenauferstehung?

Wenn es sich herausstellen sollte, auch die Auferweckung des Christus sei mitbetroffen von der Auferstehungsleugnung, – welche Haltung nahmen dann die Korinther ein gegenüber diesem Christus? War er für sie als Gekreuzigter gestorben und nun eben tot, – so tot, daß es kein Wiederkommen für ihn gab? Oder aber leugnete man in Korinth (auch) für Christus nur eine ἀνάστασις ἐκ νεκρῶν der Art, wie Paulus sie zum Gegenstand seiner Verkündigung machte und als für den Glauben an Christus für notwendig erachtete? Vielleicht sprachen sie in irgendeiner anderen Weise von einem Leben des Christus über den Tod hinaus, nur eben nicht von einer ἀνάστασις ἐκ νεκρῶν?

Für die Vermutung, die Korinther hätten auch die Auferweckung des Christus in die Leugnung der Totenauferstehung miteinbezogen, sprechen folgende Beobachtungen:

a) Es wurde oben gezeigt[1], daß die einzige weiterreichende Veränderung an der Traditionsformel von 1 Kor 15,3–5 durch Paulus der Sicherung der Auferweckung des Christus gilt. Diese Erweiterung zur Formel ist recht umfangreich, und es hat den Anschein, als habe Paulus möglichst viel – vielleicht sogar sich gegenseitig behinderndes Material[2] – zusammengetragen, alles nur, um das ὤφθη der Formel zu verstärken und damit wiederum das ἐγήγερται als einhellig bezeugt und gesichert darzustellen. Was veranlaßte den Apostel dann aber überhaupt, soweit auszuholen, wie er es in 1 Kor 15,1–11 doch tatsächlich tut? Was trieb ihn, die Auferstehung des Christus so stark zu bezeugen, wenn nicht doch auch diese Gegenstand der Leugnung oder zumindest ernsthafter Zweifel war?

b) Paulus nennt als These der Korinther: ὅτι ἀνάστασις νεκρῶν οὐκ ἔστιν. Was berechtigt zur Annahme, dieser allgemeine und die Totenauferstehung als solche bezeichnende Ausdruck ἀνάστασις νεκρῶν schließe die Auferweckung des Christus nicht auch mit ein? Deutlich ist, daß es nicht *speziell* um

---

[1] S. 42–50.
[2] Siehe dazu oben S. 50 Anm. 4

die Auferstehung des Christus geht, sonst würde die Formulierung lauten ἀνάστασις ἐκ νεκρῶν οὐκ ἔστιν[1]. 1 Kor 15,12 in der vorliegenden Form scheint aber generell die Möglichkeit einer Totenauferweckung zu verneinen, demnach auch die des Christus.

c) Es ist zu beachten, daß 1 Kor 15,12 nicht etwa beginnt: εἰ δὲ πιστεύεται ὅτι Χριστὸς ἐγήγερται ἐκ νεκρῶν sondern: εἰ δὲ κηρύσσεται... Gerade aus diesem Vers kann *nicht* erschlossen werden, Paulus habe sich hinsichtlich des Glaubens an die Auferweckung des *Christus* von vornherein auf einer gemeinsamen Basis mit den korinthischen Auferstehungsleugnern gewußt[2]. κηρύσσεται betont die (in den Versen 1–11 herausgestellte) Gemeinsamkeit in der *Verkündigung* der Auferweckung des Christus und der Schluß liegt nahe, Paulus habe sich zu diesen Ausführungen veranlaßt gesehen, weil eben dieser Teil der einheitlichen Verkündigung von den Korinthern nicht festgehalten wurde[3].

d) Geht man davon aus, die Korinther hätten die Auferweckung des Christus von der Auferstehungsleugnung ausgenommen, so wäre zu fragen, mit welcher Begründung sie das taten, womit sie diese eine Ausnahme erklärten[4]. Man muß sich auch fragen, ob es möglich ist, daß die Korinther die allgemeine Totenauferstehung leugneten und dabei nicht daran dachten, daß damit auch die Auferstehung des Christus mitbetroffen war[5]. Dann hätte also Paulus als erster die Korinther darauf aufmerksam machen müssen: wenn es eine Auferstehung Toter nicht gibt, dann, wenn Tote über-

---

[1] Vgl. S. 33–37. – Daß es sich hier nicht um alle Toten, sondern nur um verstorbene Gläubige handle, läßt sich dem νεκροί nicht entnehmen (gegen C.F.G. Heinrici, 1 Kor 406). Tatsache ist allerdings, daß Paulus sich in der folgenden Abhandlung mit dem Los der verstorbenen Gläubigen befaßt.

[2] So z.B. L.I. Rückert, Der erste Brief Pauli an die Korinther, Leipzig 1836, 394.

[3] Ab 1 Kor 15,13 setzen die Darlegungen des Apostels allerdings tatsächlich voraus, daß er annimmt, die Korinther glauben wie er an die Auferweckung des Christus aus den Toten. Insofern ist U. Wilckens Recht zu geben, wenn er schreibt: »die Art der Argumentation in V. 12ff. schließt geradezu aus, daß in Korinth etwa die Auferstehung *Christi* in Frage gestellt wäre« (U. Wilckens, Der Ursprung der Überlieferung der Erscheinungen des Auferstandenen 61 Anm. 11).

[4] Meistens wird die Frage erst gar nicht gestellt, mit welcher Begründung die Korinther den Christus von der Leugnung der Totenauferstehung ausgenommen haben. Ph. Bachmann, 1 Kor 433 (Anmerkung) vermutet, die Korinther hätten mit einer gewissen oberflächlichen Gedankenlosigkeit mit dieser skeptischen Anschauung gespielt, ohne sich der Konsequenzen bewußt zu werden. In diesem Falle müßte man annehmen, Paulus habe von diesen Gedankenspielereien schon unmittelbar nach ihrem Entstehen gehört, bevor sie noch richtig ausgedacht worden waren.

[5] So z.B. Ph. Bachmann, 1 Kor 433; F. Guntermann, Die Eschatologie des hl. Paulus (NtAbh 13), Münster 1932, 146f.; O. Moe, Paulus und die evangelische Geschichte, Leipzig 1912, 18.

haupt nicht auferstehen, wie ihr sagt (vgl. 1 Kor 15,29), dann kann doch auch Christus nicht auferweckt worden sein.

Diese Beobachtungen zusammengenommen lassen es tatsächlich als möglich erscheinen, daß eine Gruppe innerhalb der korinthischen Christengemeinde mit der allgemeinen Totenauferstehung auch die Tatsächlichkeit einer Auferstehung des Christus aus den Toten verneinte. Dennoch sprechen die gewichtigeren Gründe gegen diese angeführte Vermutung:

a) Trotz der Tatsache, daß 1 Kor 15,12 nicht die – für Paulus und die Gemeinde – gemeinsame Basis des gleichen *Glaubens* an die Auferweckung des Christus, sondern die Einheitlichkeit in der *Verkündigung* der Auferweckung des Christus betont, legt es doch die Argumentation des Apostels in den Versen 13–30 nahe, daß er hier von einer Grundlage ausgeht, die er mit den Korinthern gemeinsam hat, eben von dem Glauben an die Auferweckung des Christus. Er setzt bei den Korinthern voraus, daß die Auferweckung des Christus nicht bestritten ist und knüpft daran seine Beweisführung, wenn er mit dem logischen Gesetz arbeitet, daß ein allgemeiner logischer Satz nicht aufrechterhalten werden kann, wenn *eine* positive Ausnahme nachgewiesen werden kann[1]. Diese eine Ausnahme – eben für Christus – gestehen die Korinther aber zu, also ist ihre These ὅτι ἀνάστασις νεκρῶν οὐκ ἔστιν nicht haltbar.

Auch der Abschnitt 1 Kor 15,20–28 weist in diese Richtung. Spielte Paulus bis hierher seine Überlegungen immer mit der theoretischen Möglichkeit durch, auch Christus sei nicht auferstanden, so schiebt er nun (V.20) diese – eben auch von den Korinthern doch nicht ernsthaft erwogene – Folgerung beiseite: nun *ist* aber Christus auferweckt worden aus den Toten ... (V.20). Diese Gestaltung der Antwort an die Auferstehungsleugner in den Versen 12–34 spricht für die Annahme, daß die Auferweckung des Christus nicht bestritten war[2].

---

[1] J. Weiß, 1 Kor 353.

[2] Verschiedene Autoren verweisen auf den »ruhigen Ton«, in dem Paulus 1 Kor 15 geschrieben habe und meinen, wenn Paulus davon gewußt hätte, daß in seiner Gemeinde auch die Auferstehung des Christus selbst geleugnet wurde, hätte er diese Zurückhaltung sicherlich aufgegeben (so. z.B. C.F.G. Heinrici, Das erste Sendschreiben des Apostels Paulus an die Korinthier, Berlin 1880, 464). – Diese Überlegung hat manches für sich, es ist jedoch auch nicht zu übersehen, daß die Ausführungen des Apostels zwar im Ton nicht heftig, hinsichtlich ihres Inhaltes jedoch äußerst gravierend formuliert sind. Gerade die kurzen Sätze von 1 Kor 15, 12-20 sind von einer ungemeinen Wucht getragen: gibt es keine Auferstehung Toter, dann ist leer euer Glaube (V.14), er ist nichtig (V.17), die in Christus Entschlafenen sind verloren (ἀπώλοντο!) und wir selbst beklagenswerter als alle Menschen (V.19). – So beurteilt auch C.F.G. Heinrici selbst a.a.O. 487 diese Verse: »In furchtbarem Ernst steigert sich die Rede«. Ähnlich z.B. W. Bousset, 1 Kor 155.

b) Entscheidend ist wohl die Überlegung: ist eine Gemeinde von Christus-Gläubigen denkbar, die sich zu einem gestorbenen und toten Christus als ihrem Kyrios bekennt? Eine Gemeinde, deren Herr mit einem Tod am Kreuz endigte? In der Tat, ein solcher Gedanke ist schwer vollziehbar und es fehlen vergleichbare Parallelen aus dieser Zeit. Man könnte darauf natürlich antworten: dann ist eben in der Gemeinde zu Korinth zum ersten Mal diese Möglichkeit zum Durchbruch gekommen und verwirklicht worden. Doch ist es dann nicht vorstellbar, wie Paulus diese Gemeindemitglieder noch als Christus-Gläubige akzeptieren kann.

Dabei geht es eigentlich nicht darum, daß Paulus ja nicht den Korinthern »Glauben« zugestehen (vgl. 1 Kor 15,11) und noch dazu versichern könne, daß sie im Evangelium »stehen« (1 Kor 15,1), wenn er darum wüßte, daß sie die Auferstehung des Christus verneinen[1]. Denn diese Überlegung, wieso das möglich ist, muß man ja doch auch schon dann anstellen, wenn man meint, die Korinther hätten »nur« die allgemeine Totenauferstehung oder »nur« die leibliche Auferstehung bestritten. Paulus sagt nämlich hinsichtlich des *ganzen* Evangeliums (nicht hinsichtlich eines Teils, der Auferstehung Christi eben) von den Korinthern, daß sie »darin stünden«. Und J. Weiß hat wohl recht mit dem Hinweis, ἑστήκατε mit ἐν bedeute nicht ein Feststehen im Sinne von unbeirrbar daran festhalten, sondern es gebe den Grund an, der tragfähig ist, Rettung zu wirken (δι' οὗ καὶ σῴζεσθε)[2]. Und auch hinsichtlich des *ganzen* Inhalts der Paradosis sagt Paulus den Korinthern, sie seien gläubig geworden (ἐπιστεύσατε, V. 11). Ein fehlerloses Festhalten der Korinther an *allen* Wahrheiten des Evangeliums ist damit noch lange nicht bestätigt. Wie sehr das Verhalten der Korinther zu wünschen übrig ließ, zeigt ja der gesamte erste Korintherbrief.

---

[1] So z.B. J. Kremer, Das älteste Zeugnis von der Auferstehung Christi, Stuttgart 1966, 13. – Ähnlich J.H. Wilson, The Corinthians who say there is no resurrection of the Dead, in: ZNW 59, 100f. – K. Lehmann, Auferweckt am dritten Tag nach der Schrift (Quaestiones Disputatae 38), Freiburg – Basel – Wien 1968, 20f. schreibt:»Nimmt man aber an, die Korinther zweifelten auch an der Auferstehung Jesu, dann hätte Paulus gegenüber einem solchen Rückfall ins Heidentum wohl die Korinther nicht mehr als ›Christen‹ und gar ›Brüder‹ angesprochen und von ihrem Glauben geredet«. Hier wird nicht genügend beachtet, daß sich Paulus mit Kapitel 15 nicht direkt an die Auferstehungsleugner wendet, sondern angesprochen ist die ganze Gemeinde (ἐν ὑμῖν, V. 12), alle Gläubigen spricht Paulus mit der Wendung γνωρίζω δὲ ὑμῖν, ἀδελφοί an. Übrigens scheint diese Formulierung Paulus leicht über die Lippen gekommen zu sein: vgl. 2 Kor 8,1; Gal 1,11. Dabei ist die Situation Gal 1,11 derjenigen von 1 Kor 15 gar nicht so fern.

[2] J. Weiß, 1 Kor 346; H. Lietzmann, 1 Kor 76. – Diese Heilswirksamkeit des angenommenen Evangeliums wird abhängig gemacht davon, daß es auch tatsächlich beachtet wird: εἰ κατέχετε (1 Kor 15,2).

Was Paulus sagt, ist also nur dies: ihr habt das Evangelium angenommen – auch soweit es spricht vom ὤφθη und vom ἐγήγερται; dies alles muß auch euer Glaube umfassen, nur darauf kann seine Heilswirksamkeit beruhen, die unser Evangelium verheißt. Daß die Korinther den Christus von der Auferstehungsleugnung ausgenommen hatten, kann also zwar kaum aus V. 1 (ἑστήκατε) und V. 11 (ἐπιστεύσατε) entnommen werden. Dennoch kann die Frage, ob Christengemeinden denkbar sind, die jede »Auferstehung« des Christus verneinten, schwerlich mit Ja beantwortet werden[1].

c) Die korinthische Christengemeinde hat offenbar die übrigen Inhalte der paulinischen Verkündigung von den Eschata nicht angezweifelt. Sie warten auf die Parusie des Christus und bejahen damit seine Auferstehung aus den Toten, da sie auch seinen Tod bekennen. Diese Erwartung der Parusie des Christus setzt Paulus auch innerhalb von 1 Kor 15, also während der Auseinandersetzung mit den Auferstehungsleugnern, als unbestritten gemeinsam voraus[2].

d) Es ist richtig, daß im Abschnitt 1 Kor 15, 3–11 das Hauptgewicht auf der Sicherung der Auferweckung des Christus liegt. Zu diesem Zwecke hat Paulus die Formel erweitert und die gemeinsame Verkündigung dieser Wahrheit betont er noch einmal zusammenfassend in den Versen 11.12. Dieses Vorgehen des Apostels erklärt sich jedoch ausreichend damit, daß es ihm daran gelegen sein mußte, die Auferweckung des Christus zur festen Basis zu machen, von der aus die Diskussion über das ἀνάστασις νεκρῶν οὐκ ἔστιν geführt werden kann.

Es läßt sich aus 1 Kor 15 ferner nicht erkennen, daß Paulus darum wußte, warum die Leugner in Korinth hinsichtlich der Auferweckung des Christus eine Ausnahme machten. Da es nur ein kleiner Teil in der Gemeinde gewesen sein dürfte, der die Leugnung der Auferstehung vertrat, konnten dem Apostel wohl auch Zweifel kommen, ob in der Tat diese Korinther nicht auch schon die Folgerungen hinsichtlich der Person des Christus zogen, die er selbst in 1 Kor 15, 12 ff. als eigentliche Konsequenz hinstellt. Doch auch abgesehen von dieser Vermutung ist der Rückgriff auf die Verkündigung der Auferweckung des Christus in diesem Zusammenhang, obwohl diese

---

[1] Mit Recht weist U. Wilckens darauf hin, daß im ganzen 1. Korintherbrief deutlich wird, wie sehr die Auferstehung des Christus in der korinthischen Gemeinde eine zentrale Stellung einnahm, während für die Lehre von Christus dem Gekreuzigten wenig Platz vorhanden gewesen zu sein scheint (U. Wilckens, Weisheit und Torheit [BHTh 26], Tübingen 1959, 205 f.; ders., Der Ursprung der Überlieferung der Erscheinungen des Auferstandenen, in: Dogma und Denkstrukturen, Göttingen 1963, 61 Anm. 11). Allerdings ist diesem Argument nicht viel Gewicht beizumessen, da die Auferstehungsleugnung nicht einfach als Bestandteil einer »korinthischen Theologie« erscheint.

[2] Zur Parusieerwartung innerhalb der Gemeinde siehe unten Kapitel 6.

selbst anscheinend nicht Gegenstand der Leugnung war, verständlich, für Paulus vielleicht sogar notwendig: mit 1 Kor 15,3–5 hatte er ein geprägtes, bekanntes und anerkanntes Stück der gemeinsamen apostolischen Verkündigung, auf das er sich stützen konnte, das man ihm nicht als Sonderlehre bestreiten konnte. Für die Verkündigung der allgemeinen Totenauferstehung aber gab es etwas Vergleichbares nicht[1]. Wollte Paulus für deren Verkündigung und Verteidigung sich auf die gemeinsame apostolische Verkündigung berufen, dann konnte er das eben nur auf dem Umweg über die einhellig als Hauptbestandteil der christlichen Botschaft bezeugte Auferstehung des Christus.

So sprechen also die gewichtigeren Gründe für die Annahme, daß in Korinth nicht auch die Auferstehung des Christus Gegenstand der Auferstehungsleugnung gewesen ist. Es muß jedoch noch eine weitere Möglichkeit erwogen werden: Glaubten die Korinther vielleicht an eine irgendwie geartete ἀνάστασις des Christus, nicht aber an eine Auferstehung des Christus *aus den Toten*, so wie Paulus sie lehrte? Könnte auf diese Weise die allgemein zu verstehende und damit auch auf Christus zu beziehende Behauptung ὅτι ἀνάστασις νεκρῶν οὐκ ἔστιν zu vereinbaren gewesen sein mit dem Glauben an eine (anders verstandene) Weiterexistenz des Christus?

Dies vorausgesetzt, müssen zwei Möglichkeiten bedacht werden:

a) Paulus hat die Situation in Korinth richtig erkannt; er hat verstanden, daß nicht das Weiterleben des Christus, sondern nur seine (leibliche) Auferstehung aus den Toten geleugnet wurde[2]. Dann müßte man jedoch in 1 Kor 15 unbedingt eine deutliche Auseinandersetzung mit den Leugnern finden, die klar zu machen sucht, daß nach seinem – des Paulus – Verständnis eine *irgendwie* verstandene ἀνάστασις nicht genügt, daß es unbedingt eine ἀνάστασις ἐκ νεκρῶν sein muß[3]. Eine derartige Darlegung fehlt jedoch in 1 Kor.

---

[1] Zu beachten ist auch, daß die christliche Verkündigung der Apostel ja die Auferstehung der Toten nicht auf philosophisch gestützte Anschauungen von einem unsterblichen Bestandteil des Menschen aufbauten. Richtig C. K. Barret: »The Christian preaching does not in itself contain any proposition about the immortality or resurrection of Christians. In this it differed from some contemporary ›Gospels‹ ‚which consisted mainly in the offer of immortality to the hearer« (C. K. Barret, The First Epistle to the Corinthians, Black's New Testament Commentaries, London 1968, 347).

[2] Vgl. etwa A. Maier, Commentar über den ersten Brief Pauli an die Korinther, Freiburg/Br. 1857, 333 f.: auch die Auferstehung des Christus aus den Toten ist geleugnet, nicht aber sein »geistiges Fortleben«.

[3] Daß dem paulinischen ἀνάστασις νεκρῶν nicht ein ἀνάστασις im Sinne einer geistigen Weiterexistenz auf seiten der Korinther gegenüberstand, zeigt deutlich die Tatsache, daß Paulus im Verlauf seiner Darlegung in 1 Kor 15 den gegnerischen Standpunkt umschreibt mit der Wendung εἰ νεκροὶ οὐκ ἐγείρονται.

b) Paulus hat von dieser Lösung der Auferstehungsfrage, soweit sie sich auf Christus bezog, *nicht* gewußt, bzw. er hat die eigentliche Problematik der korinthischen Auferstehungsleugner nicht erkannt, d. h. er setzte irrtümlich die Leugnung der Auferstehung *aus Toten* der Verneinung jeder Weiterexistenz des Christus gleich, obwohl die Korinther die Existenz des pneumatischen Christus über den Tod hinaus sehr wohl bejahten[1]. Unter dieser Voraussetzung müßte man dann allerdings erwarten, daß Paulus die Korinther auch als das behandelt, was sie in seinen Augen eben sind: radikale Leugner einer Auferstehung des Christus. Das geschieht jedoch, wie oben gezeigt wurde, nicht[2].

So spricht der exegetische Befund von 1 Kor 15 gegen die Annahme, daß die korinthischen Auferstehungsleugner auch die Auferstehung des Christus bestritten[3]. Aber obwohl die Auferweckung des Christus nicht Gegen-

---

[1] Diese Lösung legt W. Schmithals nahe, wenn er schreibt, es wäre unverständlich, warum Paulus zu Beginn von 1 Kor 15 einen so ausführlichen Nachweis der Auferstehung des Christus hätte führen sollen, wenn die Tatsache der Auferstehung Christi aus den Toten in Korinth nicht auch bestritten war (W. Schmithals, Die Gnosis in Korinth, Göttingen ²1965, 324). Zur These W. Schmithals, Paulus habe die eigentliche Intention und den Gehalt der korinthischen Auferstehungsleugnung nicht erkannt, vgl. unten 180f.

[2] Es sind, neben W. Schmithals, nur wenige Exegeten, die annehmen, die korinthischen Leugner hätten mit der Auferstehung der Toten auch die Auferstehung des Christus abgestritten. Klar sprechen sich in diesem Sinne aus: F. Godet, Kommentar zu dem ersten Brief an die Korinther, deutsche Bearbeitung von K. Wunderlich, Hannover 1888, 179; Löckle (ohne Angabe des Vornamens), Zur paulinischen Lehre von der Auferstehung, in: Theologische Studien aus Württenberg 1, Ludwigsburg 1880, 56; A. Krauß, Theologischer Kommentar zu 1 Kor 15, Frauenfeld 1864. – A. Maier, Commentar über den ersten Brief Pauli an die Korinther, Freiburg 1857, 333f. glaubt, die Korinther hätten wenigstens ein »geistiges« Weiterleben für Christus angenommen. – Vgl. dazu auch die Bemerkung des Ambrosiaster zu 1 Kor 15,12: »Haec a falsis apostolis erant tradita, qui Christum neque natum neque in carnem passum neque resurrexisse asseverabant« (MPL 17 (1879), 277, bzw. CSEL LXXXI, Pars II, Wien 1968, 168f.). – Daneben rechnen aber manche Forscher doch ernsthaft mit der Möglichkeit, auch die Auferstehung des Christus sei angegriffen gewesen. Vgl. H. Grass, Ostergeschehen und Osterberichte, Göttingen ³1964, 149: Es sei nicht ausgeschlossen, »daß bei einigen der Korinther nicht nur der Glaube an die Auferstehung der Toten, sondern auch der an die Auferstehung Christi unsicher geworden ist«. – Mit einer totalen Bestreitung jeder Auferstehung Toter, einschließlich der des Christus, rechnet auch J. L. Mosheim, Erklärung des Ersten Briefes des heiligen Apostels Paulus an die Gemeinde zu Corinthus, Altona und Flensburg ¹1741 (Flensburg ²1762), 30.909; für wahrscheinlicher hält er es jedoch, die Korinther hätten – auch für Christus – mit einer Auferstehung im übertragenen Sinne gerechnet: »Die Menschen werden durch die Lehre des Evangelii ein neues geistliches Leben bekommen und aus dem Tode der Sünde erweckt werden« (a. a. O. 911f.).

[3] So in jüngerer Zeit u. a. H. Braun, Exegetische Randglossen zum 1. Korintherbrief, in: Gesammelte Studien zum Neuen Testament und seiner Umwelt, Tübingen

stand der Auferstehungsleugnung war und es somit auch keines Beweises für diese bedurft hätte, kann 1 Kor 15, 1–12 schwerlich anders, denn als der Versuch eines Nachweises für die Tatsächlichkeit der Auferweckung des Christus verstanden werden: Paulus möchte – einerseits um seine spätere Argumentation auf eine unumstößliche Basis zu stellen und andererseits wohl auch um möglichen Zweifeln, welche auch die Auferweckung des Christus aus Toten betreffen könnten, zuvorzukommen – diese Auferweckung des Christus sicherstellen, und zwar als ein tatsächlich geschehenes Ereignis, das dadurch belegt und glaubhaft gemacht werden kann, daß es von vielen, z. T. noch lebenden Zeugen als wahrhaft geschehen bestätigt wird. Man versteht also das Anliegen des Apostels in 1 Kor 15, 1–12 wohl mit J. Weiß[1] und R. Bultmann[2] richtig, wenn man in diesen Versen den Versuch sieht, die Auferweckung des Christus – über die Erscheinungen – als historisch nachweisbar darzustellen[3].

In diesem Sinne[4] ist es berechtigt und richtig, 1 Kor 15, 3–12 als einen Zeugen-Beweis für die Tatsächlichkeit der Auferweckung des Christus zu

---

[2] 1967; W. Grundmann, Überlieferung und Eigenaussage im eschatologischen Denken des Apostels Paulus, in: NTS 8, 14f.; K. Wegenast, Das Verständnis der Tradition bei Paulus und den Deuteropaulinen, Neukirchen 1962, 61; H. Conzelmann, Zur Analyse der Bekenntnisformel 1 Kor 15, 3–5, in: EvTh 25, 10; E. Güttgemanns, Der leidende Apostel und sein Herr, Göttingen 1966, 58 Anm. 26; P. Hoffmann, Die Toten in Christus, Münster 1966, 241.

[1] J. Weiß, Urchristentum 17: 1 Kor 15, 3 ff. seien gedacht als »unwidersprechliche Beweise für den Satz, daß Christus auferstanden ist«.

[2] R. Bultmann, Neues Testament und Mythologie, in: Kerygma und Mythos, hrsg. v. H. W. Bartsch, Hamburg ([1]1948) [5]1967, 44f.: »Freilich auch Paulus selbst will einmal das Wunder der Auferstehung durch Aufzählung der Augenzeugen als historisches Ereignis sicherstellen« (in den ersten Auflagen S. 48); vgl. ders., in: Theologie des Neuen Testaments, Tübingen [4]1961, 295; ders., in: Glauben und Verstehen I, Tübingen [3]1958, 54f. (allerdings bezeichnet R. Bultmann diesen Versuch des Paulus als »fatal«; a. a. O.).

[3] So z. B. auch E. Schweizer, Erniedrigung u. Erhöhung 90; K. Wegenast, Das Verständnis der Tradit. b. Pl. 59; J. Héring: ab 1 Kor 15, 5 versuche Paulus Beweise für die Auferstehung anzugeben (des preuves de l'historicité de la résurrection), 1 Kor z. St; O. Moe, Paulus und die evangelische Geschichte, Leipzig 1912, 18; J. Weiß, 1 Kor 350; H. Lietzmann, 1 Kor 77 (neben dem Schriftbeweis ein »historischer« Beweis); W. G. Kümmel, Ergänzungen zu H. Lietzmann 1 Kor 192: Paulus wolle nicht den Glauben an die Auferstehung beweisen, aber er wolle nachweisen, daß diese Glaubenswahrheit eine von allen Aposteln bestätigte historische Wahrheit ist); W. Schmithals, Das kirchliche Apostelamt, Göttingen 1961, 64; H. W. Boers, Apokalyptic Eschatology in 1 Corinthians 15, in: Interpretation, A Journal of Bible and Theology 21, 60; C. K. Barret, The First Epistel to the Corinthians, Black's New Testament Commentaries, London 1968, 341.

[4] Im strengen Sinn ist lediglich die Überzeugung der Urkirche und der Zeugen von der Auferweckung des Christus beweisbar. Der Osterglaube selbst ist nicht durch ein Wissen, auf Grund zwingender Beweise im Sinne eines neuzeitlichen

beurteilen[1]. Es geht Paulus um die Behauptung einer Tatsache – daß Christus auferweckt wurde – und um die Sicherstellung dieser Tatsache durch gewichtige oder befragbare Zeugen[2].

II. Der Abschnitt 1 Kor 15,12–34

1. Die Verse 1 Kor 15,12–19

V. 12: Wenn aber Christus verkündigt wird,
daß er aus Toten erweckt worden ist, –
wie sagen unter euch einige,
daß es eine Auferstehung Toter nicht gibt?

1. Es wird hier nochmals deutlich, mit welcher Absicht Paulus 1 Kor 15,1–11 entwickelt hat. Er wollte zeigen: von Christus wird verkündigt, er ist auferweckt worden von Toten[3]; das ist das gemeinsame Kerygma aller

---

Wissenschaftsbegriffes ersetzbar. Die Erscheinungsberichte (und auch die Entdeckung eines leeren Grabes) sind in sich nicht eindeutig. Gleichwohl ist 1 Kor 15, 3–11 nicht einfach nur als ein Appell an den Glauben zu begreifen, sondern als der Versuch, ein Ereignis (nämlich die Auferweckung des Christus) als tatsächlich geschehen zu erweisen. Paulus will sagen: seine Verkündigung, Christus sei auferweckt worden, kann nachgeprüft werden.

[1] K. Lehmann, Auferweckt am dritten Tag nach der Schrift, Freiburg-Basel-Wien 1968 betont, daß Bekenntnistraditionen, also auch die 1 Kor 15,3–5 zugrunde liegende Formel, mehr sein wollen, als »Protokoll«, »Beweis«; sie seien untrennbar Botschaft und Bericht (a.a.O. 324). – Die Art, wie Paulus an unserer Stelle Tradition verwendet und erweitert, zeigt aber, daß es ihm nicht (nur) auf die theologische Aussagen dieser Formel ankommt, sondern auf das in ihr mitausgesagte Ereignis, die Auferweckung des Christus, und zwar auf diese vor allem insofern, als sie ein tatsächliches Ereignis war, das seinerseits wieder die noch ausstehende allgemeine Totenauferstehung als wirklich geschehend sicherstellen soll.

[2] H. Conzelmann meint, die Streitfrage, ob Paulus mit der Formel und deren Erweiterung durch die Zeugenliste einen historischen Tatsachenbeweis für die Auferstehung des Christus führen wolle, verliere ihre Schrecken, wenn man erkennt, daß die Korinther doch die Auferweckung des Christus gar nicht leugneten und Paulus daher auch nicht einen Beweis für diese antreten müsse (H. Conzelmann, Zur Analyse der Bekenntnisformel 1 Kor 15,3–5, in: EvTh 25,9f.). – Doch darüber, ob eine Argumentation als Beweis gemeint ist oder nicht, entscheidet ja nicht der tatsächliche Standpunkt des Adressaten. Auch um Zweifeln zuvorzukommen oder um die eigene Ausgangsposition möglichst unangreifbar zu machen, kann Paulus versuchen, Beweise für die Auferweckung des Christus vorzulegen.

[3] Paulus knüpft hier bewußt an das Χριστός von V. 3 an. W. Kramer, Christos, Kyrios, Gottessohn, Zürich–Stuttgart 1963, 18f. sieht in dem Χριστός von 1 Kor 15,12.14.16.17.20 eine direkte Abhängigkeit vom Wortlaut der in 1 Kor 15,3–5

christlichen Glaubensverkündiger. Und Paulus faßt hier den Gedankengang zusammen: wenn aber von Christus – wie eben gezeigt worden ist – einhellig bezeugt wird, er sei auferweckt worden aus Toten, wie ist dann die Bestreitung einer Totenauferstehung möglich.

2. Paulus wendet sich ausdrücklich an die *Gemeinde* in Korinth, nicht etwa direkt und ausschließlich an die Leugner der Auferstehung. Die ganze Gemeinde ist Adressat auch dieses 15. Kapitels[1]. Eine direkte Anrede der Auferstehungsleugner findet sich nicht[2]. Das ist im Auge zu behalten, wenn der

---

zitierten Formel. – Nicht überzeugen kann die Konstruktion von E. Güttgemanns, Der leidende Apostel und sein Herr, Göttingen 1966, 74ff.: Die korinthischen Leugner sagten: *Christus* ist auferstanden (aber nicht von den Toten!), und sie meinten damit den *Anthropos-Erlöser*, den sie betont ablösen wollen vom irdischen Jesus; Paulus antwortete darauf in 1 Kor 15,12 polemisch: *Christus* ist auferweckt worden und er meint nun betont den *irdischen Jesus*, die Individualperson. E. Güttgemanns beruft sich dafür auf das artikellose Χριστός und auf die Satzstellung in 1 Kor 15,12, die zweifellos »Christos« betont an den Anfang stellt; allerdings nicht das »Christos« allein, sondern auch das κηρύσσεται, denn das war ja das Bestreben des Apostels in 1 Kor 15,3–11, zu zeigen, Χριστὸς κηρύσσεται... *Nicht* aber betont Paulus in den Versen vor 1 Kor 15,12, daß Christus *aus den Toten* auferweckt wurde (daß es also nicht nur um eine ἀνάστασις im Sinne einer Erhöhung gehen kann, sondern daß es eine ἀνάστασις ἐκ νεκρῶν sein muß); wenn diese Differenzierung Streitgegenstand gewesen wäre, hätte dem Apostel weder die Berufung auf die Formel genutzt, die ja auch nicht explizit betont, daß Christus aus den *Toten* auferweckt wurde, noch die Aufzählung der Erscheinungsträger. – Darüber hinaus ist es aber auch ganz unwahrscheinlich, daß Paulus hier, wenn es ausdrücklich um die Auferweckung des irdischen Jesus gegangen wäre, im Gegensatz zur Behauptung der Erhöhung eines gnostisch verstandenen Christos-Anthropos, das mißverständliche Χριστός gewählt hätte. Man vergleiche die Diktion des Apostels in 1 Kor 12,1–3. – Wie wenig die von E. Güttgemanns in Korinth vermutete Position der tatsächlichen Argumentation des Apostels entspricht, zeigt z.B. 1 Kor 15,18f. E. Güttgemanns interpretiert V.18: »*Wenn* es sich bei der ἀνάστασις nur um die universale Himmelfahrt der jetzt noch lebenden Pneumatiker handelt, *dann* sind die schon verstorbenen Christen nicht vom Heilsgeschehen betroffen, weil sie nicht mehr vom ἐν Χριστῷ umschlossen sind (V.18). Am ἐν Χριστῷ wären nur noch die Lebenden beteiligt (V.19a)« (a.a.O. 76). Der folgende Vers (V.19) bezieht sich nun aber eindeutig auf die Lebenden, die also – nach der Auffassung, die Paulus von der korinthischen Auferstehungsleugnung hat – ebenfalls von den Folgen des ἀνάστασις νεκρῶν οὐκ ἔστιν bedroht sind. Nach E. Güttgemanns, der in 1 Kor 15 für die noch lebenden Gnostiker eine schon geschehene universale Himmelfahrt behauptet sieht, dürften diese aber von dem ἀνάστασις νεκρῶν οὐκ ἔστιν nicht berührt werden. Folgerichtig paraphrasiert er 1 Kor 15,19: »*Dann* hätte der Erlöser allenfalls für die noch Lebenden eine Bedeutung, umschlösse aber nicht mehr die Toten. *Wenn* aber unsere Hoffnung nicht mehr die Toten umschließt, *dann* sind wir die armseligsten aller Menschen (V.19)« (a.a.O. 76). – Diese Umschreibung von 1 Kor 15,19 geht in die Irre, denn hier spricht der Apostel nicht mehr von den Toten, sondern von den Lebenden.

[1] ἐν ὑμῖν – τινές.
[2] Das gilt auch für 1 Kor 15,35–50.

Ton in der Argumentation als verhältnismäßig ruhig und als der Wichtigkeit des Anliegens fast nicht gerechtwerdend beurteilt werden könnte. Wie groß die Zahl der Auferstehungsleugner innerhalb der Gemeinde gewesen sein mag, läßt sich naturgemäß nicht einmal ungefähr angeben. Wenn die Behandlung der Auferstehungsfrage im Verhältnis zum Gesamt des Briefes als relativ ausführlich erscheint, so läßt sich das am ehesten erklären mit der zentralen Bedeutsamkeit des verhandelten Themas. Auf eine schon stattliche Anzahl der Leugner ist daraus nicht zu schließen.

3. V. 12 führt den Hauptgedanken des folgenden Absatzes ein: Mit der Leugnung einer Totenauferstehung ist gleichzeitig auch die Auferstehung des Christus geleugnet. Für Paulus läßt sich ganz offensichtlich die Aussage Χριστὸς ἐγήγερται ἐκ νεκρῶν nicht vereinbaren mit der These ἀνάστασις νεκρῶν οὐκ ἔστιν. Wer eine Auferstehung für den Christus zugibt, der begibt sich der Möglichkeit, die Auferstehung Toter zu bestreiten. Wer aber an der These ἀνάστασις νεκρῶν οὐκ ἔστιν festhält, kann nicht sagen, Christus ist auferweckt worden aus Toten. Stets schon fand diese unbedingte Verklammerung Beachtung, die Paulus hier und in den folgenden Versen vollzieht zwischen der Auferstehung Toter und der Auferweckung des Christus. Doch welcher Art ist diese Zusammengehörigkeit? Warum ist es nach Paulus unmöglich, die Auferweckung des Christus als ein isoliertes Einzelereignis beizubehalten, auch wenn die Möglichkeit einer allgemeinen Auferstehung Toter verneint wird?

4. Herbert Braun suchte aus den Versen 1 Kor 15,20–22 eine Antwort auf diese Frage zu gewinnen: »weil Christus seinem Wesen nach ein alle einbegreifendes Geschehen darstellt, weil ein Einzelgeschehen, das sich auf die Person des Christus beschränkte, eben nicht mehr das *Christus*-Geschehen wäre, weil er nur als ἀπαρχὴ τῶν κεκοιμημένων Christus ist. Darum gilt nicht nur: ohne Christi Auferweckung gibt es keine allgemeine Totenauferweckung, sondern auch das Gegenteil: bei Fortfall der allgemeinen Totenauferweckung hat Christi Auferweckung nicht stattgefunden«[1]. Nach H. Braun konnte Paulus dieses Christus-Verständnis und damit wohl auch diese Bedeutung der Christus-Auferweckung bei seinen Zeitgenossen auf Grund der allgemein verbreiteten Adam-Christus-Spekulation voraussetzen. So müßte es wohl auch in der Gemeinde der Korinther bekannt gewesen sein, daß demnach die Auferweckung des Christus nur die eine Seite des *einen* eschatologischen Heilsfaktums darstellt, dessen andere Seite die allgemeine Auferstehung der Toten bildet. Nun gibt H. Braun zu, Paulus spreche im Verlauf der Verse 1–11 von der Auferweckung des Christus wie von einem

[1] H. Braun, Exeget. Randglossen z. 1. Korintherbrief, in: Ges. Studien z. NT und seiner Umwelt, Tübingen 1962 (²1967), 178–204, bes. 198–201 (zuerst in: Theologia Viat., Jahrbuch der Kirchl. Hochschule Berlin 1948/49, 26–50).

historisch feststellbaren Einzelereignis. Wenn H. Braun auch behauptet, diese Argumentation werde dem von Paulus eigentlich Gemeinten nicht gerecht, so gesteht er doch zu, daß Paulus von der Auferstehung des Christus auch in dieser Art reden, sie sich auch als Einzelereignis vorstellen konnte. Für die Verse 12–22 bestreitet H. Braun jedoch diese Möglichkeit: in diesem Abschnitt sei die Auferstehung des Christus »ein Geschehen, das mit seinem eschatologischen Sinn steht und fällt«[1]: Die Tatsächlichkeit der Auferweckung des Christus dürfe, der Tendenz der Verse 12–22 nach, keine historisch nachweisbare sein. Diese Folgerung zieht H. Braun aus der Argumentation des Paulus: wäre ihm die Auferweckung des Christus auch als isoliertes, historisches Ereignis möglich, müßte er nicht sofort, wenn die allgemeine Totenauferstehung geleugnet wird, auch die Auferweckung des Christus geleugnet sehen: »denn solch ein historisch feststellbares Faktum« – eben die Auferweckung des Christus, wenn sie ein historisches Ereignis wäre! – »müßte ja übrigbleiben können als Einzelgeschehnis, auch wenn seine, die allgemeine Totenauferweckung einleitende Bedeutsamkeit abgestritten würde«[2].

Indes: die korinthische These (V. 12) lautet ja nicht, die Auferweckung des Christus ist in ihrer *Bedeutsamkeit* für die allgemeine Totenauferstehung bestritten, sondern allgemein: Auferweckung Toter gibt es nicht. Paulus ist es doch, der die Korinther darauf hinweist, welcher Zusammenhang besteht zwischen der allgemeinen Totenauferstehung und der Auferweckung des Christus: letztere ist der auslösende Faktor und die Bedingung für die allgemeine Totenauferstehung. Und wie gut Paulus die Auferweckung des Christus als ein Einzelereignis werten kann, zeigt – von V. 1–11 abgesehen – V. 23 f.: hier hebt Paulus doch gerade die Auferweckung des Christus als ein eigenes Geschehen ab von dem Geschehen der allgemeinen Totenauferstehung: ἀπαρχὴ Χριστός, ἔπειτα οἱ τοῦ Χριστοῦ... εἶτα τὸ τέλος. Es kann keine Rede davon sein, für Paulus sei – nach V. 20 – mit der Auferweckung des Christus auch die allgemeine Auferstehung schon mitgesetzt; beide Ereignisse sind betont auseinandergehalten[3]. Die Tatsache, daß für Paulus die Auferweckung des Christus zweifellos die Bedingung darstellt für die Möglichkeit einer allgemeinen Totenauferstehung, darf nicht gleichgesetzt wer-

---

[1] A.a.O. 201.
[2] A.a.O. 200.
[3] Vgl. dazu den Lösungsversuch von J. Schniewind, der gerade mit Berufung auf die Verse 20–28 bei den Korinthern die Auffassung vermutet: die Auferstehung ist schon geschehen, auch für die an den Christus Glaubenden, und Paulus lege nun in diesen Versen auseinander: es ist zu unterscheiden zwischen dem Christusgeschehen, das als ἀπαρχή zwar Bedeutsamkeit hat für die allgemeine Totenauferstehung, aber gerade nicht mit dieser zusammenfällt (J. Schniewind, Die Leugner der Auferstehung 110–139).

den mit der Vorstellung, für Paulus sei die allgemeine Auferstehung Toter nur die andere Seite des Heilsereignisses der Auferweckung des Christus. Richtig ist es, wenn H. Braun bemerkt, in diesen Versen sei die Auferweckung des Christus für Paulus ein *eschatologisches* Ereignis[1]: es ist das Geschehen, das in besonderem Maße die Eschata einleitet und ermöglicht. Doch ist gemäß der apokalyptischen Eschatologie des Paulus einem Ereignis, dem eschatologische Bedeutung zukommt, deswegen nicht notwendig der Charakter eines historisch feststellbaren Einzelgeschehens verwehrt[2]. Das zeigen in unserem Abschnitt V. 1–11 und V. 23.

5. Welcherart ist dann das Verhältnis zwischen der Auferweckung des Christus und der allgemeinen Totenauferstehung? Am besten läßt sich die Argumentation des Apostels verstehen als Anwendung des logischen Gesetzes, daß ein allgemein gehaltener negativer Satz nicht aufrechtzuerhalten ist, wenn eine einzige positive Ausnahme angeführt werden kann, und daß andererseits bei der Behauptung der generellen Unmöglichkeit einer Sache, eine angeführte Ausnahme eine zu Unrecht angeführte, weil eben nicht mögliche Ausnahme sein muß[3]. Dem entspricht die allgemein formulierte These der korinthischen Auferstehungsleugner: ἀνάστασις νεκρῶν οὐκ ἔστιν.

---

[1] H. Braun, a.a.O. 200f. – H. Braun greift mit diesen Überlegungen das Anliegen wieder auf, das R. Bultmann darlegte in seinem Aufsatz Neues Testament und Mythologie, in: Kerygma und Mythos 1, Hamburg ⁴1960, hrsg. v. H.W. Bartsch, bes. 47–53: »Freilich auch Paulus selbst will einmal das Wunder der Auferstehung durch Aufzählung der Augenzeugen als historisches Ereignis sicherstellen (1 Kor 15,3–8)«. Und Bultmann nennt dies eine fatale Argumentation, da die Auferweckung des Christus als eschatologisches Ereignis immer nur Gegenstand des Glaubens, nie aber – als historisch festhaltbares objektives Faktum – den Glauben sichern und garantieren könne (als »beglaubigendes Mirakel«, a.a.O. 49).

[2] In diesem Sinne auch H.W. Boers, Apokalyptic Eschatology in I Corinthians 15, in: Interpretation, A Journal of Bible and Theology 21, Richmond-Virginia 1967, 50–65, bes. 60–63.

[3] So J. Weiß, 1 Kor 353f.; H. Lietzmann, 1 Kor 79; Ph. Bachmann, 1 Kor 433; W. Bousset, 1 Kor 155; P.W. Schmiedel, 1 Kor 192, u.a. – Anders z.B. G. Brakemeier (Die Auseinandersetzung des Paulus 42): »Die Auffassung scheitert jedoch schon an der betont kerygmatischen Fassung von V. 12a. Paulus weist nicht die *Möglichkeit* der Totenauferstehung nach, sondern behauptet ihre mit der Auferstehung Christi gegebene Wirklichkeit«. – Richtig ist, daß V. 12a die Auferstehung des *Christus* als *Wirklichkeit* behauptet – gestützt übrigens auf den Nachweis durch V. 1–11 –, aber eben damit wird nach dem Paulus Verständnis auch die *Möglichkeit* der Auferstehung der zu Christus Gehörenden dargelegt. Der Vorwurf G. Brakemeiers, hier werde der eschatologische Charakter des Ostergeschehens verfälscht, wäre nur dann berechtigt, wenn hier die Auferweckung des Christus wirklich – wie er unterstellt – »zunächst nichts anderes als die prinzipielle Möglichkeit einer Auferstehung von den Toten beweist«. – Überzeugen kann auch nicht der weitere Hinweis: »Mißlich wird die Sache nur in V. 17 und anderwärts, wo festgestellt werden muß, die Ebene des logischen Beweises sei verlassen …«. Argumentation auf verschiedenen Ebenen ist für paulinische Gedankenführung geradezu typisch.

Sie verneint die Möglichkeit der Auferstehung Toter generell[1]. Von diesem Verständnis der in V. 12.13.15 ausgesprochenen Verklammerung der Auferweckung des Christus und der allgemeinen Auferstehung Toter ausgehend, läßt sich der folgende Abschnitt V. 12–19 verstehen:

V. 13: Wenn Auferstehung Toter generell nicht möglich ist, dann gab es auch keine Auferweckung des Christus[2]. V. 14: Dann ist aber die Verkündigung aller christlichen Glaubensverkünder inhaltsleer (κενόν). Das nämliche gilt für euren Glauben: er ist leer, denn er baut auf unser Kerygma auf, das ja selbst nicht tragfähig, weil grundlos, ist[3]. V. 15: Wir Glaubensverkündiger stehen dann als Lügenzeugen da, denn wir legten Zeugnis dafür ab, Gott habe den Christus auferweckt. Unser Zeugnis muß aber falsch sein, denn wenn es überhaupt keine Auferstehung gibt, ist auch eine Auferstehung des Christus nicht möglich. V. 16: Denn wenn Tote nicht auferweckt werden, dann ist damit auch Christus betroffen: er ist nicht auferweckt. V. 17: Wenn somit Christus nicht auferweckt sein kann, dann ist euer Glaube – der ja aufbauen muß auf der Erweckung des Christus – töricht und unwirksam, und die Folge ist, daß ihr noch in euren Sünden befangen seid[4]. V. 18: Folglich sind auch die in Christus Verstorbenen verloren, denn Auf-

---

[1] C.F.G. Heinrici, Das erste Sendschreiben des Apostels Paulus an die Korinthier, wendet sich dagegen, daß Paulus hier mit Hilfe logischer Demonstration die Auferweckung beweisen wolle. Der Apostel konstatiere vielmehr den »heilsgeschichtlichen Zusammenhang zweier Tatsachen«; Paulus behaupte einfach: »mit der Auferstehung Christi ist die Auferstehung der Gläubigen gegeben, es steht und fällt die eine mit der andern« (a.a.O. 486). Ähnlich F. Guntermann, Die Eschatologie des Hl. Paulus 152f. – Jedoch bleibt unter dieser Voraussetzung unverständlich, warum nicht doch die Auferstehung des Christus für sich allein bestehen bleiben könnte. Paulus gibt darauf jedenfalls in diesem Abschnitt keine Antwort, denn wenn er in V. 20.23 die Auferstehung des Christus die ἀπαρχή der allgemeinen Totenauferstehung nennt, so gibt er damit zwar den Grund an, der die Auferstehung der in Christus Verstorbenen (V. 23) ermöglicht, nicht aber ist die Bezeichnung ἀπαρχή so verwendet, als schließe sie damit ein, Christus könne *nur* als ἀπαρχή auferstehen oder andernfalls gar nicht. – Dieses bedingungslose Entweder – Oder ist aber verständlich, wenn Paulus hier den oben genannten Weg der logischen Schlußfolgerung im Sinn hat.

[2] Auf den ersten Blick möchte man in V. 13 statt δέ ein γάρ erwarten. Doch läßt sich das δέ aus der Umkehrung der in V. 12 angewandten Folgerungsweise erklären (vgl. Ph. Bachmann, 1 Kor 432).

[3] J. Weiß, 1 Kor 353: leer, inhaltsleer, nichtig; ohne Auferweckung war der Christus nicht der Messias, der Heilsbringer und ihr seid somit noch im Banne des Unheils-Äons.

[4] Eine scharfe Abgrenzung zwischen κενός und μάταιος läßt sich nicht angeben. F. Guntermann, Die Eschatologie 153 unterscheidet, als ob κενός die Folgen der Auferstehungsleugnung nach der objektiven und μάταιος ihre Folgen nach der subjektiven Seite hin angebe. Doch ist der Sprachgebrauch im neutestamentlichen Bereich nicht sauber genug getrennt, um eine solche Aufteilung zu rechtfertigen (vgl. W. Bauer, 979.846 s. v.).

erweckung gibt es ja nicht! V. 19: Wenn es keine Totenauferstehung gibt, dann sind wir Menschen, die in diesem Leben auf Christus nur ihre *Hoffnung* gesetzt haben: damit sind wir erbarmungswürdiger als alle Menschen[1].

6. Diese Gedankengänge legen nun keine Argumente logischer Natur vor, mit deren Hilfe etwa die Auferweckung des Christus oder die allgemeine Totenauferstehung – oder gar der Glaube daran – bewiesen werden könnte oder sollte. Es sind vielmehr argumenta ad hominem, Hinweise auf alle die Folgen, welche sich unweigerlich einstellen mit der Leugnung der Auferweckung Toter[2].

7. Welche Schlüsse lassen sich aus diesen Versen auf den Inhalt der korinthischen Auferstehungsleugnung ziehen?

a) Zunächst gelten die Folgen, welche Paulus hier als Konsequenz der Auferstehungsleugnung ins Feld führt, nur unter der von ihm gemachten Voraussetzung: auch Christus ist nicht auferweckt worden von den Toten (wenn Tote überhaupt nicht auferweckt werden). Da aber die Auferstehung des Christus in Korinth doch mit großer Wahrscheinlichkeit nicht Gegenstand der Leugnung war, sind die von Paulus dargestellten Folgen des ἀνάστασις νεκρῶν οὐκ ἔστιν nicht auch schon die Folgerungen, welche die Korinther selbst aus ihrer Leugnung abgeleitet haben. Das gilt mit Sicherheit von der Aussage von V. 17 (ihr seid noch in eueren Sünden) und V. 19 (wir sind armseliger als alle Menschen)[3].

b) Andererseits ist es aber auch nicht erlaubt, anzunehmen, daß alles, was Paulus hier als – seiner Meinung nach – unausweichliche Folge der Auferstehungsleugnung anführt, erst seine Schlußfolgerungen sind, daß diese also nicht auch schon von den Korinthern selbst gezogen worden sind. Das

---

[1] μόνος ist zu ἠλπικότες ἐσμέν zu ziehen: »*nur gehofft* haben«. J. Weiß, 1 Kor 355 umschreibt: genarrte Hoffende, ohne Erfüllung Hoffende. – Ähnlich P. W. Schmiedel, 1 Kor 193; W. G. Kümmel, in: H. Lietzmann – W. G. Kümmel, 1 Kor 193. – E. Güttgemanns, a. a. O. 76 entstellt dagegen den Sinn des Satzes, wenn er den Inhalt so umschreibt: »*Wenn* aber unsere Hoffnung nicht mehr die Toten umschließt, *dann* sind wir die armseligsten aller Menschen«. Paulus hat in V. 19 das Schicksal der Lebenden im Auge, nachdem er zuvor (V. 18) die Konsequenzen zeigte, die sich aus der Leugnung der Auferstehung für die Schon-Verstorbenen ergeben. E. Güttgemanns wird zu der oben angegebenen Lösung gedrängt durch seine Auslegung von 1 Kor 15, welche die Gegner des Paulus in Korinth wohl als Leugner der Totenauferstehung charakterisiert, aber bei ihnen eine Lehre des »Wir sind schon auferstanden« voraussetzt. Unter dieser Bedingung wäre die Argumentation des Paulus natürlich nicht passend, denn eine Auferstehungsleugnung, die zugleich die Überzeugung umschließt »Wir sind schon vollendet«, würde die Korinther ja keineswegs zu den armseligsten Menschen machen.

[2] J. Weiß, 1 Kor 354.

[3] Für sich selbst, die noch Lebenden, hatten die Korinther diese Folgerung mit Sicherheit nicht gezogen; für sich erwarten sie von der Parusie eine Steigerung und die Erfüllung ihres jetzigen Heilsbesitzes. Vgl. dazu unten S. 191-195.

muß wohl gelten von V. 18 (also sind auch die in Christus Entschlafenen verloren), jedenfalls dann, wenn mit ἀπώλοντο nicht jedes Erlöschen der Existenz der Verstorbenen von Paulus ausgesagt sein sollte, sondern nur die Tatsache, daß den einmal Verstorbenen unter der Voraussetzung des ἀνάστασις νεκρῶν οὐκ ἔστιν natürlich die Teilnahme am Heil in seiner Vollendung versagt bleiben muß[1].

c) Mit Sicherheit läßt sich den Versen 12–19 entnehmen: die korinthische Auferstehungsleugnung ist inhaltlich so zu umschreiben, daß sie in ihren Konsequenzen notwendigerweise auch das Kerygma und den Glauben an einen Christus, der von Toten erweckt wurde, unmöglich macht. Paulus kann die Aussage von V. 12 (ἀνάστασις νεκρῶν οὐκ ἔστιν) der Behauptung νεκροὶ οὐκ ἐγείρονται (V. 17) gleichsetzen. Nach seinem Verständnis erwarten die Korinther, daß Tote überhaupt nicht auferweckt werden (εἰ ὅλως νεκροὶ οὐκ ἐγείρονται V. 29)[2]. Daß die Korinther hinsichtlich der Person des Christus allem Anschein nach eine Ausnahme machten, erscheint – auch für Paulus – als inkonsequent.

2. Die Verse 1 Kor 15,20–22

Der hypothetisch angenommene Standpunkt, Christus sei nicht auferweckt worden aus den Toten, wird verlassen; die in 1 Kor 15,12–19 angeführten Folgerungen treffen nicht zu, denn Christus ist auferweckt worden. Schon in V. 12 bezog Paulus sich zurück auf V. 3, um das dortige Χριστὸς... ἐγήγερται der korinthischen These ἀνάστασις νεκρῶν οὐκ ἔστιν gegenüberzustellen. Nun, 1 Kor 15,20, dient der neuerliche Rückbezug auf das »Christus« von V. 3 dazu, um nach den Versen 12–19 noch einmal neu anzusetzen: jetzt sollen die Zusammenhänge zwischen der Auferweckung des Christus und der Auferstehung Toter erläutert, die Wirklichkeit der Auferstehung Toter gezeigt werden.

V. 20: Nun aber ist Christus erweckt worden aus Toten,
ein Erstling der Entschlafenen.

Während V. 20a eigentlich nur den aus 1 Kor 15,1–11 gewonnenen und in V. 12–19 erhärteten Standpunkt zusammenfassend wiederholt, leitet V. 20b zum neuen Thema über: Die Auferweckung des Christus sichert die Möglichkeit der Auferstehung Toter. Wie aber geschieht dies?

---

[1] Zur Bedeutung von ἀπόλλυμι, unten S. 197f.

[2] Das ist zu beachten bei der Überlegung, ob es möglich ist, daß hinter dem Satz der Korinther ἀνάστασις νεκρῶν οὐκ ἔστιν in Wirklichkeit die Behauptung stehen kann ἀνάστασις ἤδη γέγονεν.

1. Das Schlüsselwort ist ἀπαρχή. Es bezeichnet eigentlich die Erstlingsfrucht, Erstlingsgabe, ist also ein Wort aus der sakral-rechtlichen Opfersprache[1] und bezeichnet die erste reife Frucht der Ernte. Und zwar wurden die Erstlinge jeder Art so genannt, handelte es sich nun um die Früchte des Feldes, den Ertrag der Kelter oder den Zuwachs im Stall. Durch die Darbringung der Erstlingsgabe wurde die ganze Ernte des Jahres oder auch das tägliche Brot Gott geweiht[2]. So wie niemand zweifelt, wenn von der Ernte die Erstlingsgabe dargebracht wurde, daß nun auch der Rest der Ernte, oder besser, die Ernte überhaupt, folgen wird, so sollte auch nach der Auferstehung des Erstlings Christus niemand zweifeln, daß die »Ernte«, d. h. die Auferstehung der Entschlafenen, die zu Christus gehören, nun folgen wird[3].

Doch ist dem Wort ἀπαρχή wohl zuviel Wert beigemessen, wenn man in ihm nicht nur ein temporales, sondern auch ein kausales Verhältnis dargestellt sehen will, so als ob die Tatsache des ἀπαρχή-Seins auch schon aussage: damit, daß Christus eben ἀπαρχή ist, der Erstling, damit ist er auch Ursache, Grund – und zwar ermöglichender Grund – für die Auferstehung Toter[4]. Das trifft nach der Auffassung des Paulus wohl sachlich zu, dürfte aber im Wort ἀπαρχή kaum zum Ausdruck gebracht sein. Wahrscheinlicher ist, daß ἀπαρχή hier einfach den zeitlich Ersten meint[5], der natürlich – was im Namen ἀπαρχή ja beschlossen liegt – Kunde gibt und Verheißung ist für die nachfolgende Ernte, nicht aber auch sie verursacht. Es ist also mit ἀπαρχή sicher ein inneres Verhältnis der Gleichheit oder wenigstens der Ähnlichkeit ausgedrückt, aber nicht notwendig auch eine kausale Abhängigkeit[6]. Inwieweit Christus aber mit seiner Auferweckung zum Urheber der Auferstehung Toter geworden ist[7], das expliziert Paulus in 1 Kor 15, 21.22 mit einem neuen Bild.

V. 21: Denn da durch einen Menschen der Tod, – auch durch einen Menschen die Auferstehung Toter.

---

[1] Vgl. W. Bauer, Wörterbuch zum Neuen Testament, s. v. 161. In der Septuaginta: Ex 23, 19; 25, 2.3; 36, 6. Lev 22, 12. Deut 12, 6.11.17; 18, 4; 26, 2.10. Ezech 44, 30. – J. Blank, Jesus und Paulus, München 1968, 275, nennt ἀπαρχή »einen theologisch-rechtlichen Terminus«. Wesentlich ist allerdings die Verbindung mit dem Opfer-Recht. Aus J. Blanks Stellenliste zu ἀπαρχή (S. 275 Anm. 30) sind zu streichen Ex 22, 29 und Lev 30, 10.

[2] Bei Ezechiel erscheint ἀπαρχή als Fachterminus für die Abgabe bei der Landerwerbung: Ez 45, 1.6.7.13.16; 48, 8.9.10.12.18.20.21.

[3] Ph. Bachmann, 1 Kor 436f.; J. Weiß 1 Kor 356.

[4] H. Molitor, Die Auferstehung 34; Ph. Bachmann, 1 Kor 436.

[5] H. Lietzmann, 1 Kor 79; W. Bauer, Wörterbuch z. NT 161 s. v. 2a; G. Delling, Art. ἀπαρχή, ThWNT 1, 484.

[6] Vgl. 1 Kor 16, 15; Röm 16, 5.

[7] Das Partizip des Perfekts von κοιμᾶσθαι entspricht hier einem »νεκροί«. Es bezieht sich auf den Zustand jener (Christen), die entschlafen sind.

V. 22: Denn so wie in dem Adam alle sterben, so werden auch durch den Christus alle lebend gemacht werden.

2. Für Paulus scheint es ein bekannter und anerkannter Sachverhalt (ἐπειδὴ γάρ) gewesen zu sein: der Tod kam in die Welt durch das Verhalten oder die Tat eines Menschen. Und diese Tatsache macht es ihm notwendig und begreiflich, die Folgerung zu ziehen: auch das Leben, die Auferstehung Toter kommt wieder zustande durch einen Menschen. Dieser Beweisgang besagt nicht einfach, weil es den Tod in der Welt gibt, müsse auch Auferweckung Toter sein, sondern der entscheidende Gedanke ist: alles, was in der Geschichte der Menschheit in Gang kam, das kam in Gang durch einen Menschen[1]. Ein *Mensch* war es, durch den der Tod möglich und notwendig wurde; ein *Mensch* ist es, durch den Auferweckung Toter möglich und wirklich wurde[2].

Zu diesem Gedanken der Entsprechung, der in V. 21 erst allgemein formuliert ist, bringt V. 22 die Spezifizierung: Adam ist der eine Mensch, der andere Mensch ist Christus. Zwar fehlt hier die Benennung des Christus als »zweiter Adam« oder als »letzter Adam«, doch ist eine Parallelisierung dieser beiden Menschheitsrepräsentanten nicht zu bestreiten; V. 45 wird den Gedanken in Entfaltung bringen. Es ist allerdings zu beachten: die beiden Vergleichspunkte zwischen Adam und Christus sind lediglich: es besteht ein Lebenszusammenhang zwischen Christus und denen, die zu ihm gehören, so wie ein Lebenszusammenhang besteht zwischen dem Adam und allen seinen Nachkommen[3]. Diese Aussage ist es, die mit ὥσπερ-οὕτως zueinander in Parallele gesetzt wird; nur das ist das Gemeinsame auf beiden Seiten, das an dieser Stelle betont ausgesagt werden soll[4].

---

[1] Das Fehlen des Artikels vor ἄνθρωπος bestätigt diese Auffassung. Vgl. Ph. Bachmann, 1 Kor 436f.

[2] Über die Herkunft dieses Prinzips läßt sich keine sichere Auskunft geben. Am wahrscheinlichsten scheint immer noch die Darlegung von H. Gunkel, Schöpfung und Chaos in Urzeit und Endzeit, Göttingen 1895, bes. 367–371: Es liegt der allgemeine Satz zugrunde, »daß das Eschatologische dem Urzeitigen gleich sein werde,« ... »wie an der Spitze der alten Menschenwelt eine Person stand, deren Handeln und Leiden das Geschick seiner Nachkommen bestimmte; so wird die neue Menschheit inauguriert durch eine neue Gestalt, deren Bild sie tragen wird«. – Über die weite Verbreitung ähnlicher Spekulationen vgl. E. Brandenburger, Adam und Christus (WMANT 7) Neukirchen 1962, 131–153.

[3] Zum Verständnis des ἐν als Bestimmung bei Adam und bei Christus, vgl. O. Kuss, Röm 5, 12–21, Die Adam-Christus-Parallele exegetisch und biblisch untersucht, Breslau 1930 (Teildruck der Dissertation), 42f.; J. Jervell, Imago Dei, Gen 1,26 im Spätjudentum, in der Gnosis und in den paulinischen Briefen (FRLANT 58), Göttingen 1960, 271. – Die Formel ἐν Χριστῷ ist der eigentümlich paulinische Ausdruck für die denkbar innigste Gemeinschaft mit Christus und im eigentlichen Sinne lokal zu verstehen. Die Parallelisierung des ἐν Αδάμ mit ἐν Χριστῷ legt auch für ἐν Αδάμ eine lokale Auffassung nahe.

[4] πάντες (V. 22b) umfaßt mit Sicherheit nicht die Gesamtheit der Menschen

3. Bedeutsam für unsere Fragestellung ist nun: nimmt Paulus in den besprochenen Versen 20-22 korinthische Vorstellungen auf? Korrigiert er Formulierungen, welche in den Kreisen der korinthischen Auferstehungsleugner verwendet worden sind? Läßt sich somit aus diesen Versen etwas gewinnen für die nähere Umgrenzung der Auferstehungsleugnung? E. Brandenburger hat dies bejaht: »Paulus greift auf einen von den Korinthern zumindest anerkannten Entsprechungsgedanken zurück und wandelt ihn charakteristisch ab, möglicherweise aber auch auf eine prägnante Formulierung der korinthischen Schwärmer selbst«[1].

Als Gründe dafür nennt E. Brandenburger:

a) »Die antithetische Entsprechung würde erwarten lassen, daß Paulus V. 21 b formuliert καὶ δι' ἀνθρώπου ζωή«[2]. Statt dessen spricht Paulus von der ἀνάστασις νεκρῶν. Nach der Meinung von E. Brandenburger vermeidet er es damit, von der Gegenwärtigkeit des Heils zu reden, denn eben diese wurde von den korinthischen Auferstehungsleugnern geleugnet. b) Das zweimalige πάντες in 1 Kor 15,22 sei überflüssig, und das πάντες in V. 22 b sei in dieser Form der Aussage sonstiger paulinischer Verkündigung geradezu entgegenstehend. Beide seien nur aus der Polemik gegen die korinthischen Widersacher heraus verständlich[3].

Zu a) Paulus kommt es in diesem Zusammenhang doch nicht darauf an, die gegenwärtige ζωή zu behaupten, sondern Gegenstand seiner Argumentation ist der Nachweis der ἀνάστασις νεκρῶν. Übrigens ist für Paulus nicht nur ζωή, sondern auch die Vorstellung der ἀνάστασις νεκρῶν Ausdruck seiner Heilserwartung. Vor allem aber ist zu bedenken: wenn E. Brandenburger recht hätte mit der Vermutung, der Inhalt oder gar die Formulierung der korinthischen Auferstehungsleugnung habe gelautet »ἀνάστασις ἤδη γέγονεν«[4], dann ist es schlechthin nicht begreiflich, wie Paulus hier ausgerechnet diese Formulierung, deren Gültigkeit er den Gegnern in Korinth abstreiten will, selbst verwendet und es dabei versäumt, mit einem Verbum den futurischen Charakter der Aussage δι' ἀνθρώπου ἀνάστασις νεκρῶν zu betonen oder auch nur anzudeuten[5]. Die futurische Aussage von 1 Kor 15,22 (ζωοποιηθήσονται)

überhaupt. Zu Christus gehört nur ein Teil der Menschheit; für diesen Teil allerdings gilt: alle! – So auch J. Weiß, 1 Kor 356; W.G. Kümmel, in: H. Lietzmann–W.G. Kümmel, 1 Kor 193; bes. ausführlich H. Molitor, Die Auferstehung 37–44 und H.-A. Wilcke, Das Problem eines messianischen Zwischenreichs bei Paulus (AbThANT 51), Zürich 1967, 69–76.

[1] E. Brandenburger, Adam und Christus 72.

[2] A.a.O. 72.

[3] A.a.O. 72.

[4] A.a.O. 70.

[5] Es kommt Paulus im Zuge seiner Argumentation sichtlich nicht auf das Futurische der Auferstehung Toter an, sondern auf deren Möglichkeit überhaupt. Wie auch die Aussage von V. 22a: »alle Menschen sterben in Adam« weder sagen will:

kann das nicht mehr korrigieren. Der Eindruck ist doch einfach der, daß Paulus hier völlig unbefangen sagen kann: δι' ἀνθρώπου ἀνάστασις νεκρῶν und das schließt geradezu aus, daß die in Korinth vertretene und von Paulus hier an dieser Stelle bekämpfte These gelautet haben kann: ἀνάστασις ἤδη γέγονεν[1].

Zu b) Der Ton liegt nicht auf dem zweimaligen πάντες, sondern einfach auf der Behauptung des Lebenszusammenhanges zwischen allen denen, die in Gemeinschaft stehen mit Adam bzw. mit Christus. Es liegt allerdings die Vermutung nahe, für Paulus könne die Aussage »in Adam müssen alle sterben« (o. ä.) eine feststehende Aussage gewesen sein, die ihm vielleicht aus seiner rabbinischen Tradition zugekommen war[2]; das πάντες in V. 22b wäre dann durch die Parallelisierung bedingt. – Hätte E. Brandenburger jedoch recht mit seiner Vermutung, πάντες sei hier polemisch, dann müßten die korinthischen Leugner ja das Gegenteil vertreten haben zu πάντες, etwa: nur ein *Teil* der zu Christus gehörenden wird einmal auferweckt werden.

Somit kann kein Grund angegeben werden, der Anlaß gäbe, in V. 20–22 eine direkte Polemik gegen eine korinthische Position anzunehmen, die etwa ähnliche Vorstellungen, wie Paulus selbst sie hier entfaltet – aber eben in einer für Paulus unannehmbaren Gestalt –, vertreten hätte[3]. – Gilt dies aber von den folgenden Versen?

alle Menschen sterben in Zukunft ..., noch betont: alle Menschen sterben jetzt schon ..., sondern einfach die allgemeine Aussage: der Tod kam durch Adam für alle, die zu ihm gehören, zum Ausdruck bringt, so ist auch die Aussage V. 22b ohne zeitliche Bestimmung: durch die Auferweckung des Christus ist die Auferstehung für alle, die zu ihm gehören Möglichkeit geworden.

[1] Abgesehen davon, daß die Argumentation des Apostels in 1 Kor 15, bei den korinthischen Leugnern mit Sicherheit nicht die These ἀνάστασις ἤδη γέγονεν annimmt (vgl. dazu unten S. 176ff.), könnte man nur unter der Voraussetzung, Paulus habe die korinthische Auferstehungsleugnung total mißverstanden, vermuten, daß er selbst ἀνάστασις zu einem ἀνάστασις νεκρῶν umgewandelt habe. Der Verweis auf spätere Umdeutung des ἀνάστασις durch Gnostiker zu einer Aussage über die Schon-Gegenwärtigkeit des Heils darf nicht übersehen, daß in 1 Kor 15,12 nicht nur von ἀνάστασις, sondern von ἀνάστασις νεκρῶν die Rede ist. – Insofern ist die Annahme von E. Fuchs konsequent, der meint, Paulus habe die These der Korinther neugefaßt (»Auferstehung Toter gibt es nicht«), damit »er Gelegenheit hat, zu einer klaren Entscheidung zu kommen« (E. Fuchs, Die Auferstehungsgewißheit nach 1 Korinther 15, in: Zum hermeneutischen Problem der Theologie, Gesammelte Aufsätze 1, Tübingen 1959, 197–210, bes. 201); dann muß man allerdings nicht nur annehmen, daß Paulus die Korinther mißverstanden hat (so E. Fuchs, a.a.O.), sondern, daß er sogar bewußt eine Frage anspricht, die gar nicht zur Debatte stand.

[2] Vgl. H. Strack–P. Billerbeck, Komm. z. NT aus Talmud und Midrasch III, München 1926, 227f.; F. Neugebauer, In Christus, Göttingen 1961, 44.

[3] In diesem Sinne auch W. Schmithals, Die Gnosis in Korinth 132f.; H. Conzelmann 1 Kor 317 Anm. 44: Der Vorbehalt, Christus ist bisher der einzige, hat bei Paulus grundsätzlichen Charakter. Er erscheint auch an Stellen, an denen Paulus keine aktuelle Polemik führt (Röm 6).

V. 23 : Jeder aber an seiner Stelle:
als Erstling Christus,
dann die des Christus bei seiner Ankunft;
V. 24: dann das Endziel,
wenn er die Herrschaft dem Gott und Vater übergibt,
wenn er vernichtete jede Obrigkeit, jede Macht und jede Kraft.

Diese beiden Verse gehören aufs innigste mit V. 22 zusammen. Sie bilden gleichsam dessen weiterführende Erklärung[1].

1. Wie schon in V. 20–22 unterscheidet Paulus auch hier zwischen der Auferweckung des Christus einerseits und der Auferstehung Toter andererseits: beide, Christus und die, welche zu ihm gehören, bilden je ein τάγμα; eine eigene Stellung, einen eigenen Rang hat Christus inne, und einen eigenen Stand bilden die Gläubigen. Mit einiger Sicherheit läßt sich behaupten, daß es Paulus hier auch daran gelegen ist, eine zeitliche Distanz zwischen der Auferweckung des Christus und der Auferstehung Toter zur Sprache zu bringen, doch ist dies ein Gedanke, der auch in V. 20 (ἀπαρχή) und V. 22 (ζωοποιηθήσονται) zum Ausdruck kam, hier aber nochmals verdeutlicht wird[2].

2. Von einer dritten Abteilung oder einem dritten Stand spricht Paulus nicht[3]. Τέλος bezeichnet den Abschluß des Geschehens, mit dem die Auferstehung der Toten verknüpft sein wird, wobei der ursprüngliche dynamische Charakter des Substantivs τέλος zu beachten ist[4]: es ist der Zielpunkt, das Endziel erreicht[5]. Εἶτα τὸ τέλος bildet dabei einen zwar unvollständigen,

---

[1] J. Weiß, 1 Kor 357; Ph. Bachmann, 1 Kor 438; H. Molitor, Die Auferstehung 51 f. Zur Herkunft der Aussagen von 1 Kor 15,23–28 aus der apokalyptischen Tradition und ihrer Gestaltung durch Paulus vgl. U. Luz, Das Geschichtsverständnis des Paulus, München 1968, 339–358.

[2] Zur Wortbedeutung von τάγμα: G. Delling, Art. τάγμα in: ThWNT 8, 31 f.; Lidell-Scott, A Greek-English Lexicon, Oxford 1951 (Neudruck), 2. Teil, 1752 (»order, rank«); ausführlich auch H. Molitor, a. a. O. 49–53. – Die Bedeutung »Rest« oder »zuletzt« scheidet aus (vgl. dazu J. Héring, in: Revue d'Histoire et de Philosophie religieuses, Straßburg 1932, 300 ff.). – H.-A. Wilcke (Das Problem eines messianischen Zwischenreiches bei Paulus, Zürich 1967, 83–85) entscheidet sich für die von B. Weiss (Das Neue Testament II, Leipzig ²1902, 225) vorgeschlagene Interpunktion. Er liest: »... ἐν τῷ Χριστῷ πάντες ζωοποιηθήσονται ... ἕκαστος δὲ ἐν τῷ ἰδίῳ τάγματι«. In diesem Fall bleibt jedoch nur die Möglichkeit, »ζωοποιηθήσονται« nochmals zu ergänzen. Das scheitert jedoch wiederum daran, daß für die Gruppe des Adam ja gerade nicht ausgesagt wird, daß sie lebendig-gemacht wird.

[3] Gegen C. F. G. Heinrici, Das erste Sendschreiben des Apostels Paulus an die Korinthier 497; J. Weiß, 1 Kor 358.

[4] Vgl. dazu G. Delling, Art. τέλος, in: ThWNT 8, 50–58.

[5] Gegen die Annahme, mit εἶτα τὸ τέλος sei ein drittes »τάγμα« angezeigt und für die Auslegung von »τέλος« als »Ende« auch A. Robertson–A. Plummer, 1 Kor 354;

jedoch selbständigen Hauptsatz, der unmittelbar anschließend eine zweifache zeitliche Bestimmung erfährt (ὅταν..., ὅταν)[1].

V.25: Denn es muß dieser herrschen,
  bis »er legt alle die Feinde unter seine Füße«.
V.26: Als letzter Feind wird vernichtet der Tod.
V.27: Denn alles hat er unter seine Füße getan.
  Wenn es aber heißt, daß alles unterworfen ist, –
  offenbar mit Ausnahme dessen, der ihm alles unterworfen hat.
V.28: Wenn er aber alles ihm unterworfen hat,
  dann wird (auch) der Sohn selbst sich unterwerfen dem,
  der ihm alles unterworfen hat,
  damit sei Gott alles in allem.

Diese Verse 25–28 haben den Charakter eines kurzen Exkurses[2]. Eine Verbindung zum verhandelten Thema fehlt gleichwohl nicht: es geht um das Wirken des (schon auferweckten) Christus, welcher mit der Unterwerfung aller irdischen und kosmischen Mächte, schließlich auch der Vernichtung der Todesmacht, die Auferstehung Toter vorbereitet. Wenn es auch richtig ist, daß τὸ τέλος weder vom Sprachgebrauch noch vom Inhalt des Kontextes und der gesamten paulinischen Theologie her die Bedeutung »Ende der Auferstehung« oder »Rest« haben kann[3], so ist doch, auch bei der Übersetzung von τὸ τέλος als »Endziel«, »Ziel«, zwischen der allgemeinen Auferstehung (also dem zweiten τάγμα) und dem τέλος eine zeitliche Distanz anzunehmen. Der Ansatzpunkt für die Lehre eines messianischen Zwischenreiches wäre hier in der Tat gegeben[4].

J. Moffat, 1 Kor 246f.; E.-B. Allo, 1 Kor 406f.; vgl. dazu auch die Literaturübersicht bei J. Léal, Deinde finis (1 Kor 15,24a), in: Verbum Domini 37, Rom 1959, 225–231, bes. 226f. und H.-A. Wilcke, Das Problem eines messianischen Zwischenreiches bei Paulus 85–108.

[1] εἶτα τὸ τέλος ist parallel gebaut wie V.23a (ἀπαρχὴ Χριστός); vgl. Ph. Bachmann, 1 Kor 439; C.F.G. Heinrici, Das erste Sendschreiben des Apostels Paulus an die Korinthier 499f. – Es ist daher nach τὸ τέλος kein ζωοποιηθήσονται zu ergänzen (andernfalls müßte τέλος mit »Rest« übersetzt werden, wie J. Weiß, Das Urchristentum, Göttingen 1917, 413 Anm. 1 zu Recht bemerkt).

[2] H. Lietzmann, 1 Kor 81; R. Schnackenburg, Gottes Herrschaft und Reich, Freiburg–Basel–Wien ²1961, 205. – Zu den Problemen, die diese Verse aufwerfen hinsichtlich eines messianischen Zwischenreiches siehe H.-A. Wilcke, Das Problem eines messianischen Zwischenreiches bei Paulus 97–108.

[3] Nachweis im einzelnen bei H.-A. Wilcke, Das Problem eines messianischen Zwischenreiches, und G. Delling, Artikel τέλος, in: ThWNT 8, 50–58.

[4] Für die Lehre von einem messianischen Zwischenreich in diesen Versen entschied sich z. B. J. Weiß, 1 Kor 358–362: Paulus kenne zwei Vorstellungsreihen: jene, die der Verkündigung Jesu entspreche, wonach die Herrschaft Gottes das einzige Ziel der Hoffnung ist, und die hier in 1 Kor 15 ausgesprochene, die nach

Gegen diese Möglichkeit spricht, daß Paulus andernorts von einem Zwischenreich nichts erwähnt und auch an dieser Stelle keine Ausführungen anschließt, die auf eine derartige Erwartung deuten. Dazu kommt, daß sich diese Verse ungezwungen auch verstehen lassen unter der Annahme, daß mit τὸ τέλος die Beendigung der βασιλεία des Christus angezeigt wird, die nicht erst beginnt mit der Auferstehung der Toten, sondern für Paulus schon mit der Erhöhung des Christus ihren Anfang genommen hat, insofern also eine schon gegenwärtige Größe ist. Diese Herrschaft des Christus wird am Ende abgelöst durch die βασιλεία τοῦ θεοῦ. Über den Umfang dieser zeitlichen Distanz zwischen der allgemeinen Auferstehung und dem »Endziel« lassen sich aus unserem Abschnitt keine Angaben entnehmen[1]; von einem Chiliasmus oder einem messianischen Zwischenreich dürfte jedoch hier mit Sicherheit nicht die Rede sein[2]. Eine besondere Betonung widmet Paulus, im Zusammenhang verständlich, der Vernichtung der Todesmacht (V. 26): sie ist ja jetzt noch – auch den Korinthern klar erkenntlich – wirksam, trotz der Auferweckung des Christus; ihre Vernichtung bildet jedoch die Voraussetzung der Auferstehung.

3. Welche Schlüsse lassen sich aus den eben besprochenen Versen 23–28 für die Auferstehungsleugnung in Korinth ziehen? Es ist möglich, Teile dieses Abschnittes als polemische Zurückweisung korinthischer Thesen zu verstehen. Für solch ein Verständnis bietet sich vor allem V. 23 an: »jeder aber an seiner Stelle«. Man kann darin die Zurückweisung einer Auferstehungslehre finden, die glaubt, *alle*, die unter das Gesetz und das Privileg der Auferstehung fallen, würden *zusammen* auferstehen; es dürfe keine τάγματα geben: mit der Auferstehung des Christus sei auch schon die Auferstehung jener geschehen, die zu ihm gehören. Dabei sind zwei Standpunkte denkbar, die an sich völlig verschieden sind, auf die jedoch diese

---

der Parusie des Christus mit der Aufrichtung der βασιλεία τοῦ Χριστοῦ rechne und mit der Beendigung dieser Herrschaft durch Gott, »nach Paulus wahrscheinlich so, daß Gott die aus ihm ›stammende Welt‹ wieder in sich zurück nimmt«; (a.a.O. 362); vgl. W. Bousset, Die Religion des Judentums im späthellenistischen Zeitalter, Göttingen ³1926 (hrsg. v. W. Gressmann), 288; ders., in: 1 Kor 156 (³1917); A. Schweitzer, Die Mystik des Apostels Paulus, Tübingen 1930, 94–100. – Weitere Literaturangaben bei H.-A. Wilcke, Das Problem eines messianischen Zwischenreiches 56–108.

[1] E. Güttgemanns, Der leidende Apostel 71 Anm. 103: »Natürlich besteht zwischen Parusie und ›Ende‹ kein großer zeitlicher Zwischenraum, etwa im Sinne eines ›Zwischenreiches‹« ... »Aber man darf diese zeitliche Distanz auch nicht« ... »ganz leugnen«.

[2] So auch W.G. Kümmel, in: H. Lietzmann–W.G. Kümmel 1 Kor 193; H. Bietenhard, Das Tausendjährige Reich, Eine biblisch-theologische Studie, Bern 1944, 102; H. Molitor, Die Auferstehung 44–53. Weitere Belege bei H.-A. Wilcke, Das Problem eines messianischen Zwischenreiches a. a. O.

Antwort des Apostels passen würde. Die korinthische Position könnte gelautet haben: »wir sind schon auferstanden«, mit Christus zusammen; ein Nacheinander, eine Ordnung beim Auferstehungsgeschehen kennen wir nicht[1]. Die Antwort des Apostels paßt jedoch nicht weniger auf eine korinthische These, die sagte: es gibt überhaupt keine Auferstehung Toter in Zukunft; die einzige Totenauferstehung war die des Christus; für die Gläubigen, die vor seiner Wiederkunft sterben, gibt es keine Hoffnung auf eine Auferstehung[2]. Auch hier kann die Antwort des Apostels lauten: aus dem Noch-Nicht-Auferstanden dürft ihr nicht schließen, es gebe überhaupt keine Auferstehung Toter – außer bei Christus. Vielmehr: die Auferstehung muß sich in τάγματα vollziehen. Sie wird sich noch ereignen[3].

Sehr wohl möglich ist jedoch ein Verständnis dieser Verse auch dann, wenn man keine direkte Polemik voraussetzt. Wie oben gezeigt wurde, ist V. 23 im Grunde nur eine Explikation des Abschnittes V. 20–22, mit dem er eng zusammen gehört. Die Tatsache, daß V. 25–28 einen Exkurscharakter haben, kann kaum in Abrede gestellt werden. Dieser Exkurscharakter bleibt übrigens im Grunde zumindest für V. 25.27.28 auch bestehen, wenn man in V. 23 f. eine direkte Polemik gegen eine andere Ansicht in Korinth vermutet.

4. Die stellvertretende Taufe für Tote (1 Kor 15,29)

V. 29: Denn was werden tun die Taufenden über die Toten?
Wenn überhaupt Tote nicht auferweckt werden, was auch taufen sie über diese?

Die Diskussion um die Erklärung dieses Verses ist noch nicht abgeschlossen[4]; am Sinn dieser Worte dürfte dennoch kaum mehr Zweifel be-

---

[1] Vgl. J. Schniewind, Die Leugner der Auferstehung 124f.; H.-D. Wendland, 1 Kor 127.

[2] Vgl. z.B. J.Chr.K. von Hofmann, 1 Kor 347.

[3] Für diese Deutung scheint sich auch U. Luz, Das Geschichtsverständnis des Paulus 336 zu entscheiden: »Es wäre aber auch möglich, daß Paulus primär nicht die Zukünftigkeit, sondern die *Wirklichkeit* der künftigen Auferstehung betonen wollte. Daß diese Auferstehung erst in der Zukunft stattfinden würde, wäre damit nicht geleugnet, aber das Gewicht der Aussage läge anderswo, eben darauf, daß die Auferstehung der Toten auf Grund von Christi Auferstehung wirklich *stattfinden* werde«.

[4] Neuere Arbeiten zu diesem Thema: M. Rissi, Die Taufe für die Toten (AThANT 42), Zürich 1962; E. Dinkler, Artikel »Totentaufe« in: RGG 5, 958 (3. Aufl.); B.M. Foschini, »Those who are baptized for the dead« – 1 Kor 15,29, in: CBQ 12, Washington 1950, 260–276, 379–388; Jahrgang 13 (1951), 46–78, 172–198, 276–283 (als Buch, Worcester 1951); M. Raeder, Vikariatstaufe in 1 Kor

stehen: in Korinth gab es Gläubige, die sich taufen ließen an Stelle (oder zugunsten) von schon Verstorbenen[1].

Eine Übersicht zu den zahlreichen, oft seltsamen Deutungsversuchen findet sich bei M. Rissi[2]. Sie sind in ihrer Mehrzahl nicht entstanden durch die Unklarheit des vorliegenden Textes, sondern aus dogmatischen oder apologetischen Rücksichten: ein »magisches« Sakramentenverständnis dieses Ausmaßes könne in einer paulinischen Gemeinde nicht vermutet werden, sei es auch nur mit stillschweigender Duldung des Apostels. Demgegenüber ist als die offenliegende Aussage von V. 29 festzuhalten: in der Korinthergemeinde wurde die »Vikariatstaufe« ausgeübt und zwar im Sinne einer Taufe, die Christen über sich ergehen ließen oder auf sich nahmen, um damit

---

15,29?, in: ZNW 46, 259–260; – zustimmend dazu: J. Jeremias, Die Kindertaufe in den ersten vier Jahrhunderten, Göttingen 1958, 43f. Anm. 3; ders., Flesh an Blood cannot inherid the Kingdom of God (1 Kor 15,50), in: NTS 2, 151–159, bes. 155; K.C. Thompson, 1 Corinthians 15,29 and Baptism for the Dead, in: Studia Evangelica 2, Berlin 1964, 657–659; K. Staab, 1 Kor 15,29 im Lichte der Exegese der griechischen Kirche, in: Analecta Biblica 17.18, Rom 1963, 443–450; R. Schnackenburg, Das Heilsgeschehen bei der Taufe nach dem Apostel Paulus, Eine Studie zur paulinischen Theologie, MThS Hist. Abt. 1, 90–98; – vgl. auch Anm. 4 S. 81.

[1] M. Raeder, a.a.O. möchte das ὑπέρ nicht mit »anstelle von« wiedergegeben, sondern darin ein ὑπέρ der »Abzweckung«, ein ὑπέρ mit »finalem Sinn« sehen. Die dafür aus Bl-Debr § 231,2 beigebrachten Belege sind jedoch für diesen Zweck nicht zu gebrauchen: 2 Kor 1,6 und Phil 2,13; hier empfiehlt Bl-Debr als Übersetzung: »zugunsten« oder »im Interesse von«; das ergibt – angewandt auf die Stelle 1 Kor 15,29 – den Sinn: es lassen sich Lebende zugunsten von Verstorbenen taufen, und das ist eigentlich der Tatbestand der Vikariatstaufe (inhaltlich). M. Raeder möchte aber aus dem ὑπέρ den Sinn herausholen: »was sollen denn die anfangen, die sich um der Toten willen taufen lassen (d.h. um mit ihren verstorbenen christlich getauften Angehörigen oder Freunden bei der Auferstehung vereinigt zu werden)« (a.a.O. 260). Damit verschiebt M. Raeder den Sinn: es sind genau genommen nun die Lebenden, zu deren Gunsten die Taufe gereichen soll, nicht die Toten, zu denen natürlich das ὑπέρ bezogen werden muß. – Die ernsthaftesten Einwände gegen die hier im folgenden vertretene Auffassung von einer wirklichen stellvertretenden Taufe zugunsten von Verstorbenen finden sich bei Ph. Bachmann, 1 Kor 447–453. – K. Staab, a.a.O. befürwortet die (fast) einhellig in der griechischen Kirche vertretene Lösung, ὑπέρ heiße »zugunsten«, und Paulus denke, wenn er ὑπέρ τῶν νεκρῶν schreibt, nicht an schon Verstorbene, sondern an die zukünftigen Toten. Die Väter der griechischen Kirche beziehen allerdings ὑπέρ τῶν νεκρῶν (fast) einhellig auf die Leiber, deren Auferstehung – ihrer Meinung nach – von den korinthischen Auferstehungsleugnern geleugnet wurde, die also insofern »νεκροί« seien. Vgl. unten S. 86 Anm. 1. – K.C. Thompson, a.a.O. schlägt als Lösung eine Uminterpunktion des Textes vor: Ἐπεὶ τί ποιήσουσιν οἱ βαπτιζόμενοι, [!] ὑπὲρ τῶν νεκρῶν εἰ ὅλως νεκροὶ οὐκ ἐγείρονται; [!] τί καὶ βαπτίζονται ὑπὲρ αὐτῶν; (a.a.O. 651. 659). Das Problem ist dadurch jedoch nicht gelöst. Zumindest die Möglichkeit einer Taufe ὑπὲρ τῶν νεκρῶν bliebe angedeutet.

[2] A.a.O. 6–51.

Toten die Frucht der Taufe zugute kommen zu lassen[1]. Daß diese Taufe zugunsten Verstorbener nicht in einer eigenen Taufhandlung erfolgte, sondern bei der eigenen Taufe mitbewirkt wurde, ist unwahrscheinlich[2]: die Formulierung V. 29 deutet auf eine gesonderte Taufhandlung.

Der tiefere Sinn und der Ritus dieser Taufe bleibt für uns allerdings im Dunklen: Wie dachten sich die Korinther die Wirkung dieser Taufe für die Toten? Was sollte sie bezwecken? Für wen war diese Taufe gedacht? Eine genaue Abgrenzung des Personenkreises, der mit οἱ νεκροί (V. 29 a) bezeichnet wird, läßt sich nicht ausmachen[3]: Waren es »Christen«, die verstorben waren, ohne den Empfang der Taufe? Doch Paulus scheint für seine Gemeinden den Empfang der Taufe als unentbehrlich vorauszusetzen[4]. War diese Totentaufe nur für Katechumenen bestimmt, für Bewerber um die Aufnahme in die Christen-Gemeinde, die noch vor der Taufe starben[5]?

---

[1] So u.a. J. Weiß, 1 Kor 363; H. Lietzmann, 1 Kor 82; W.G. Kümmel, in: H. Lietzmann–W.G. Kümmel, 1 Kor 194; W. Wrede, Paulus, Religionsgeschichtliche Volksbücher 1,5.6, Tübingen ²1907, 70f.; W. Heitmüller, Taufe und Abendmahl im Urchristentum, Religionsgeschichtliche Volksbücher 1,22.23, Tübingen 1911, 19f.; C.F.G. Heinrici, Das erste Sendschreiben des Apostels Paulus an die Korinthier 514f.; P. Wernle, Die Anfänge unserer Religion, Tübingen ²1904 (¹1901), 149; etwas abweichend auch M. Rissi, a.a.O. 89.

[2] So J. Schniewind, Die Leugner der Auferstehung 127, bes. Anm. 2.

[3] J. Jeremias, Flesh and Blood cannot inherid the Kingdom of God (1 Kor 15,50), in NTS 2, 1955/56, 151–159, bes. 155 trifft folgende Unterscheidung: in 1 Kor 15 bezeichne durchgehend νεκροί *ohne* Artikel die Toten im allgemeinen, οἱ νεκροί (also *mit* Artikel) bezeichne die verstorbenen Christen. Also in 1 Kor 15,12. 13.15.16.20.21.29b.32 seien die Toten überhaupt gemeint, in 1 Kor 15,29a. 35.42.52 nur verstorbene Christen: 29a »speaks of heathen who are baptized for deceased Christians« (a.a.O. 155). – J. Jeremias' Differenzierung läßt sich jedoch kaum beibehalten (zur Übersetzung von ὑπέρ siehe oben, Anm. 1 S. 79). Einmal weist nichts darauf hin, daß Paulus im Verlauf von 1 Kor 15 überhaupt das Schicksal der verstorbenen Nicht-Christen im Auge hat, sondern es geht um die Auferstehung der verstorbenen Christen. Zum anderen ist die Basis für eine derartige Unterscheidung einfach zu schmal: man berücksichtige, daß die Wendung ἀνάστασις ἐκ τῶν νεκρῶν überhaupt im ganzen Neuen Testament nie vorkommt; es steht stets ἀνάστασις ἐκ νεκρῶν. Ebenso ist ἀνάστασις τῶν νεκρῶν, abgesehen von Mt 22,31 und 1 Kor 15,42, im Neuen Testament nicht mehr verwendet. Außerdem läßt sich kein Grund angeben, warum in V. 32 von Toten überhaupt die Rede sein soll, in V. 35 dagegen speziell von verstorbenen Christen. Ausgenommen V. 42.52, könnte an allen Stellen in 1 Kor 15 – abgesehen jetzt von V. 29 –, an denen der Artikel fehlt, auch οἱ νεκροί stehen (und J. Jeremias könnte seine Unterscheidung immer noch aufrechterhalten).

[4] Vgl. Röm 6,3; Gal 3,26f.; 1 Kor 12,13.

[5] So z.B. von den älteren Exegeten H. Grotius, Annotationes in Novum Testamentum, Tomi II Pars I, Erlangen–Leipzig 1756, z. St.; in neuerer Zeit: E. Güttgemanns, Der leidende Apostel 77. – Doch weist nichts im Text hin auf Katechumenen; es ist sehr fraglich, ob man in dieser Zeit von einem Stand der Katechumenen

Oder ist der Kreis der »Toten« weiter zu fassen: schließt er auch heidnische Angehörige und Verwandte von Gläubigen ein[1]?

Auch eine exakte Einordnung dieser Totentaufe in das Sakramentenverständnis des Apostels und seiner Gemeinden ist schwerlich zu gewinnen. Ein gewisser »Sakramentenrealismus«, der von manchen als »magisch« bezeichnet werden mag[2], dürfte der paulinischen Lehre nicht ganz fremd sein: man denke an die Wirkungen, die Paulus dem unrechten Genuß des Herrenmahles zuschreibt (vgl. 1 Kor 11,27–32)[3]. Es ist natürlich richtig, daß hier von einer ausdrücklichen Billigung dieser Praxis durch den Apostel keine Rede ist. Andererseits fehlen aber auch Anzeichen einer Ablehnung dieser »Taufe« durch Paulus. Vielfach spricht man von einer stillschweigenden Duldung durch den Apostel; er erwähne diesen Brauch nur zum Zwecke seiner Argumentation[4]. Das einzige Argument, das vorgebracht werden kann für eine – wenigstens andeutungsweise – Ablehnung der Praxis durch Paulus, ist der Wechsel von der dritten Person zur ersten Person zwischen V. 29 und V. 30; doch ist das ἡμεῖς von V. 30 in keiner Weise polemisch gegen V. 29 abgesetzt, sondern sogar durch das καί mit ihm verbunden

---

überhaupt schon sprechen kann; die Vorbereitung konnte sich auf kürzeste Zeit beschränken; noch dazu ist kaum anzunehmen, in einer so jungen Gemeinde seien schon so viele Taufbewerber gestorben, daß sich daraus eine Sitte entwickeln konnte (1 Kor 11,30 spricht von Christen!).

[1] Das ist das wahrscheinlichste; so schon Ambrosiaster, zur Stelle (in: CSEL LXXXI, Wien 1968, 174f.): »in tantam ratam et stabilem vult ostendere resurrectionem mortuorum, ut exemplum det eorum, qui tam securi erant de futura resurrectione, ut etiam pro mortuis baptizarentur, si quem forte mors praevenisset. Timentes ne aut male aut non resurgeret qui baptizatus non fuerat, vivus nomine mortui tinguebatur«. An »gläubig Verstorbene« kann hier nicht gedacht sein (gegen M. Rissi, Die Taufe 58).

[2] Z.B. R. Bultmann, Theologie des Neuen Testaments, Tübingen [4]1961, 312.

[3] Vgl. W. Wrede, Paulus 70; J. Weiß, Das Urchristentum 509; R. Bultmann, Theologie des Neuen Testaments 312f. – Siehe dazu auch O. Kuss, Zur Paulinischen und Nachpaulinischen Tauflehre im Neuen Testament, in: ThGl 42, 401–425, bzw. in: Auslegung und Verkündigung 1, Regensburg 1963, 121–150, bes. 132; ders.: Exkurs »Taufe«, in: Der Römerbrief, 1. Lieferung, Regensburg 1956, 307–319.

[4] Daß Paulus mit dem Hinweis auf die Praxis der Vikariatstaufe nicht diese Handlung auch schon billigte, betont z.B. schon der Ambrosiaster, a.a.O.; ähnlich: C.F.G. Heinrici, Das erste Sendschreiben des Apostels Paulus an die Korinthier; F. Guntermann, Die Eschatologie des Hl. Paulus 160; H. Clavier, Brèves remarques sur la notion de σῶμα πνευματικόν, in: The Background of the New Testament and its Eschatology, in honour of C.H. Dodd, hrsg. v. W.D. Davies und D. Daube, Cambridge 1956, 342–362, hier: 359 Anm. 5; J.H. Wilson, The Corinthians who say there is no resurrection of the Dead, in: ZNW 59, 105; D.J. Joyce, Baptism on Behalf of the Dead, in: Encounter 26, Indianapolis 1965, 269–277.

Beide Aussagen, die von V. 29 und von V. 30, werden als gleichwertige Argumente zusammengefaßt[1].

Immer wieder wird nun behauptet, der Kreis, der in der korinthischen Christengemeinde die stellvertretende Totentaufe übte, müsse sich decken mit dem Kreis der Auferstehungsleugner, die sagten, ἀνάστασις νεκρῶν οὐκ ἔστιν[2]. Als einziges Argument für diese These wird angeführt: nur dann, wenn die Auferstehungsleugner, gegen die Paulus sich doch wendet, selbst es sind, die sich taufen lassen zugunsten von Verstorbenen, nur dann habe die Argumentation des Apostels überhaupt Sinn und Durchschlagskraft. Der Apostel wolle hier zeigen, wie das eigene Handeln dieser Leute ihrer Auferstehungsleugnung widerspricht. Andernfalls, wären die Leugner nicht auch diejenigen, welche die Totentaufe üben, würden sie sich durch dieses Argument des Apostels ja in keiner Weise berührt fühlen müssen[3].

Doch ist zu beachten:

a) Im Verlauf des ganzen Kapitels 15 sind an keiner Stelle die Auferstehungsleugner direkt von Paulus angesprochen. So kann auch hier damit gerechnet werden, daß sich der Apostel an die Gemeinde als ganze wendet und mit Argumenten operiert, welche in dieser Gemeinde Resonanz finden können. Es genügt anzunehmen, daß dieser Brauch der stellvertretenden Totentaufe innerhalb der Korinthergemeinde – wenigstens bei einigen – in Übung gewesen ist[4].

b) Die »οἱ βαπτιζόμενοι« werden hier anscheinend als eine neue Gruppe eingeführt, von der bisher nicht die Rede war. Nichts weist darauf hin, diese Gruppe sei einfach mit den τινές (V. 12), den Leugnern der Auferstehung, gleichzusetzen[5].

c) Auch in den folgenden Versen 30–32 bietet Paulus Gedanken auf, die nicht direkt auf die Auferstehungsleugner zutreffen; er spricht von seinem

---

[1] Vgl. M. Rissi, Die Taufe 59.

[2] So etwa J. Schniewind, Die Leugner der Auferstehung 126; W. Schmithals, Gnosis 146.244; P. Hoffmann, Die Toten in Christus 240. – Auch G. Brakemeier glaubt die Situation in Korinth mit dem Hinweis auf V. 29 entscheidend bestimmen zu können: »Die Praxis der Vikariatstaufe in Korinth zeigt, daß man durch sie die Seligkeit im Jenseits zu erreichen hoffte. Ein Seelenglaube ist bei den Korinthern also vorauszusetzen« (G. Brakemeier, Die Auseinandersetzung des Paulus mit den Leugnern der Auferstehung in Korinth, Diss. Göttingen 1968, 12).

[3] M. Rissi, Die Taufe 91; E. Güttgemanns, Der leidende Apostel und sein Herr 77.

[4] Nichts läßt sich für die Beschränkung dieser Praxis auf die Korinthergemeinde vorbringen – ausgenommen die Tatsache des Fehlens auch der leisesten Spur einer solchen Sitte innerhalb der frühesten Christenheit über diesen Vers 29 hinaus.

[5] W. Schmithals' Argumentation kann nur schwerlich überzeugen: »Da nur einige (τινές 15,12) behaupteten, die Auferstehung sei nicht, und es auch nur gewisse Leute (οἱ βαπτιζόμενοι V. 29) sind, die sich stellvertretend taufen lassen, hat die Beweisführung des Paulus in V. 29 ja nur dann Sinn, wenn beide Gruppen identisch waren« (Die Gnosis in Korinth 244).

eigenen Tun, das mit einer Auferstehungsleugnung – seiner Meinung nach – nicht sinnvoll verbunden werden kann. Jetzt (V. 30-32) sind es also seine eigenen Leiden und Verfolgungen, die Appell und Beweggrund für die Gemeinde sein sollen und die Zeugnis geben von der Auferstehungshoffnung der Christus-Gläubigen. Ebenso kann Paulus in V. 29 von der stellvertretenden Totentaufe sprechen als einem Argument, das – für die Gemeinde als solche – Zeichen gibt für eine Auferstehungserwartung, die durch dieses Tun in der Gemeinde ihren Ausdruck findet[1]. Es ist somit festzuhalten: die stellvertretende Totentaufe ist kein Element, das eine Näherbestimmung der korinthischen Auferstehungsleugnung zuläßt[2]. V. 29 weist auf einen Brauch innerhalb der Korinthergemeinde hin, nicht auf einen Brauch, der von den Auferstehungsleugnern selbst geübt wurde.

Über die religionsgeschichtliche Einordnung der stellvertretenden Totentaufe läßt sich nichts mit Sicherheit ausmachen. Parallelen, welche aus heidnischen hellenistischen Mysterienkulten bemüht werden, weisen gerade in entscheidenden Zügen wesentliche Unterschiede auf: vor allem wird eine wirkliche stellvertretende Totentaufe nirgends erwähnt. Eine Nähe zu dem in 1 Kor 15,29 berichteten Brauch besteht allerdings insofern, daß das Bemühen erkennbar ist, einem Verstorbenen mit den Mitteln der Religion zuhilfe zu kommen durch eine für ihn vollbrachte religiöse Handlung[3]. Dieser Gedanke, den Verstorbenen durch Gebet, Opfer oder sonstige religiöse Leistungen über den Tod hinaus beistehen zu können, läßt sich auch in der Frömmigkeit des Judentums nachweisen. Doch von einer Taufe zugunsten Verstorbener wissen die Quellen nichts zu berichten[4].

Dagegen ist der Brauch einer stellvertretenden Totentaufe von gnostischen Sekten überliefert. Bei der Aufzählung derartiger Parallelen aus gnostischen Kreisen wird allerdings meist zu wenig exakt unterschieden zwischen einer stellvertretenden Totentaufe, die ein Lebender auf sich nimmt

---

[1] Mit Recht weist E. Güttgemanns, Der leidende Apostel 78, Anm. 140 darauf hin, für die Sinnhaftigkeit von 1 Kor 15,30f. sei es nicht notwendig, daß die Auferstehungsleugner das Argument mit dem Leiden des Apostels als wirksam und überzeugend annahmen; vielmehr – nach E. Güttgemanns – nahmen sie gerade daran Anstoß, und sie hätten ihm wohl gerne die Sinnlosigkeit dieser Leiden bescheinigt (U. Luz, Das Geschichtsverständnis des Paulus, München 1968, 337 Anm. 74). – Genausowenig wie dieser Hinweis auf die apostolischen Leiden konnte auch der Hinweis auf die Praxis der Totentaufe die korinthischen Auferstehungsleugner selbst überzeugen.

[2] G. Schnedermann, 1 Kor 274: »Die οἱ βαπτιζόμενοι sind ohne Zweifel nicht die λέγοντές τινες von V. 12, sondern andere, deren Verhalten von der durch Gegenwärtiges zu schützenden Gemeinde stillschweigend oder ausdrücklich gebilligt worden war«.

[3] So auch M. Rissi, Die Taufe 62-65; G. Wagner, Das religionsgeschichtliche Problem von Röm 6,1-11 (AbThANT 39), Zürich 1962, 285.

[4] Vgl. H. Lietzmann, 1 Kor 82; M. Rissi, Die Taufe 59-62.

zugunsten eines Toten – und nur dies ist in 1 Kor 15,29 intendiert – und Berichten über eine Taufe, die an Toten selbst vollzogen wird. Von einer Taufe, die Toten gespendet wird, spricht Philastrius in seinem Kurzbericht über die Lehre der Cataphryger: »Hi mortuos baptizant, publice mysteria celebrant...«[1]. Vom Brauch der stellvertretenden Totentaufe kann hier nicht die Rede sein[2]. Das nämliche gilt vom Verbot, das im VI. Kanon des dritten Konzils von Karthago ausgesprochen wurde: »Item placuit, ut corporibus defunctorum eucharistia non detur... Deinde cavendum est, ne mortuos etiam baptizari posse fratrum infirmitas credat...«[3]. Von der gleichen Praxis, den Leichnam eines Verstorbenen zu taufen, gibt Fulgentius Ruspe Kunde, der einen eigenen Abschnitt der Frage widmet: »Mortui cur non baptizentur?«[4]. Vereinzelt lassen sich Spuren solcher Totentaufe durch die ganze Kirchengeschichte verfolgen[5].

Wirkliche Vikariatstaufe – Taufe anstelle eines Verstorbenen – scheint nur drei einschlägigen Berichten zugrunde zu liegen: dem des Johannes Chrysostomus, des Epiphanius und des Didymus von Alexandria.

Johannes Chrysostomus berichtet von den Markioniten: wenn ein Katechumene verstorben war, verbarg sich ein Lebender unter dem Bett des Toten; man fragte den Leichnam, ob er getauft werden wolle und an dessen Statt antwortete jener, der unter dem Bett lag: ja, er wolle getauft werden. Der entscheidende Satz lautet dann: καὶ οὕτω βαπτίζουσιν αὐτὸν ἀντὶ τοῦ ἀπελθόντος[6]. Man möchte eigentlich erwarten, die Taufhandlung werde daraufhin über den Leichnam vollzogen; doch nach dem Bericht des Chrysostomus wird der Lebende anstelle des Toten getauft.

---

[1] Philastrius (v. Brescia), Liber de haeresibus 49. Das Werk entstand zwischen 383–391 als Gegenstück zu Epiphanius Abhandlung über die Irrlehrer (vgl. O. Bardenhewer, Geschichte der altkirchl. Literatur III, 481f.). Text: MPL 12, 1166.

[2] Es ist irreführend, diese und die unten angeführten Stellen im Zusammenhang einer Aufzählung der Belege anzuführen, welche die Vikariatstaufe in gnostischen Sekten bezeugen sollen; so z.B. W. Schmithals, Die Gnosis in Korinth 244f.; E. Dinkler, Art. »Totentaufe« in: ³RGG 6, 958.

[3] F. Lauchert, Die Kanones der wichtigsten altkirchlichen Konzilien nebst den apostolischen Kanones (Sammlung ausgewählter kirchen- und dogmengeschichtlicher Quellenschriften 12). – Diese Synode fand statt im Jahre 397.

[4] Fulgentius Ruspe (467–533); Text: MPL 65, 388 (vgl. auch Sp. 379).

[5] Vgl. Heinrich Schauerte, Die Totentaufe, in: ThGl 50, Paderborn 1960, 210–214. – Die von E. Dinkler, a.a.O. angeführte Stelle bei Irenäus von Lyon, Adv. haer. I, 21.5 spricht zwar nicht von Taufe, aber doch von einem Ritus des Übergießens von Öl und Wasser über das Haupt eines Verstorbenen (Text: MPG 7, 666f.). Vgl. dazu W. Bousset, Hauptprobleme der Gnosis, Göttingen 1907, 297–305: »Das Ölsakrament«; »in einer Reihe gnostischer Sekten scheint die Öltaufe die Wassertaufe mehr oder minder verdrängt zu haben« (a.a.O. 297).

[6] Johannes Chrysostomus (gest. 407), In Epistula prima ad Corinthios, Hom. 40 (zu 1 Kor 15,29). Text: MPG 61, 347f.

Ähnliches berichtet Epiphanius von Anhängern des Kerinthos: ...ὡς τινῶν μὲν παρ' αὐτοῖς προφθανόντων τελευτῆσαι ἄνευ βαπτίσματος, ἄλλους δὲ ἀντ' αὐτῶν εἰς ὄνομα ἐκείνων βαπτίζεσθαι, ὑπερ τοῦ μὴ ἐν τῇ ἀναστάσει ἀναστάντας αὐτοὺς δίκην δοῦναι τιμωρίας βάπτισμα μὴ εἰληφότας, γίνεσθαι δὲ ὑποχειρίους τῆς τοῦ κοσμοποιοῦ ἐξουσίας. καὶ τούτου ἕνεκα ἡ παράδοσις ἡ ἐλθοῦσα εἰς ἡμᾶς φησιν τὸν αὐτὸν ἅγιον ἀπόστολον εἰρηκέναι >εἰ ὅλως νεκροὶ οὐκ ἐγείρονται, τί καὶ βαπτίζονται ὑπὲρ αὐτῶν<[1].

Von den Anhängern des Markion sagt Didymus von Alexandria: Οἱ ἀπὸ Μαρκίονος ἀντὶ ἀφωτίστων τεθνεώτων βαπτίζουσιν ζῶντας, οὐκ εἰδότες ὅτι τὸ βάπτισμα σώζει μόνον τὸν εἰληφότα αὐτό. ὁ δὲ ἀπόστολος νεκροὺς λέγει τὰ σώματα ὑπερ ὧν βαπτιζόμεθα[2].

Diese drei Zeugnisse einer stellvertretenden Totentaufe in Kreisen häretischer Gnostiker lassen nicht den Schluß zu, der Brauch, auf den Paulus in 1 Kor 15,29 anspielt, gehe auf gnostische Einflüsse innerhalb der Korinthergemeinde zurück. Es scheint umgekehrt zu sein: 1 Kor 15,29 war der Anlaß für diese Praxis in späteren gnostischen Sekten[3]. Tatsächlich berichtet auch Epiphanius ausdrücklich, die Praxis der Korinther gehe zurück auf ein falsches Verständnis des Apostels (vgl. den Text oben); ebenso wissen Chrysostomus und Didymus von Alexandrien von dem Brauch der Totentaufe bei den Markioniten nur im Zusammenhang einer Auslegung zu 1 Kor 15,29 zu berichten[4]. Tertullian weiß von einer derartigen Praxis

---

[1] Epiphanius von Salamis (gestorben 403), Panarion (»Haereses«) 28,6.4 Text: MPG 41, 384, bzw. in: GCS 25, Leipzig 1915, 318.

[2] Didymus von Alexandria (»der Blinde«), gestorben um 389; ein Fragment aus seiner Hand zu 1 Kor 15,29 in: K. Staab, Pauluskommentare aus der griechischen Kirche, Münster 1933, 8.

[3] Gegen W. Schmithals, Die Gnosis in Korinth 245 (»Die angeführten Parallelen sichern den Sinn der Stelle 15,29 unbedingt. Daß sie alle aus diesem Vers abgeleitet sind, den man im Sinne einer Taufe für Tote mißverstanden habe, ist eine Behauptung, die man nur kopfschüttelnd zur Kenntnis nehmen kann«). – Dagegen hält es M. Rissi, Die Taufe 67 für einleuchtender, »daß gnostisch-magische Sehnsucht, den Toten zu Hilfe zu kommen, sich auf die dunkle Stelle 1 Kor 15,29 stütze und daß sich im Bereich marcionitischer und anderer Gnosis eine Vikariatstaufe zugunsten von Toten mit vermeintlich apostolischer Approbation daraus entwickelte«. So auch J. Jeremias, Die Kindertaufe in den ersten vier Jahrhunderten, Göttingen 1958, 43 f.; Ph. Bachmann, 1 Kor 447–453. – Die starke Abhängigkeit bzw. Anlehnung der Gnostiker des 2. Jahrhunderts betont H.-F. Weiß, Paulus und die Häretiker, in: Christentum und Gnosis, hrsg. von F. W. Eltester, BZNW 37, Berlin 1969, 116–118: gerade hinsichtlich der Auferstehungslehre (allerdings dann spiritualistisch gedeutet) und des Taufverständnisses seien die Gnostiker des zweiten Jahrhunderts »Paulus-Schüler«.

[4] Das betonen auch Ph. Bachmann, 1 Kor 447 f. Anm. 1 und K. Staab, 1 Kor 15,29 im Lichte der Exegese der griechischen Kirche, in: Analecta Biblica 17.18, Rom 1963, 443–450. – Klemens von Alexandrien (gest. vor 215) vermittelt eine Notiz über eine Engel-Spekulation in der valentinianischen Gnosis: ὑπὲρ ἡμῶν γάρ

bei den Markioniten nichts, weder in Adversus Marcionem, noch in De resurrectione carnis[1]. Über ein genaues Alter dieses Brauches bei den Markioniten – falls es diese Übung bei ihnen überhaupt gab[2] – läßt sich aus den beiden vorhandenen Quellen ebenfalls nichts mit Sicherheit ausmachen: weder Johannes Chrysostomus noch Didymus von Alexandria führen diese Übung direkt auf Markion selbst zurück[3].

Das Ergebnis der vorstehenden Untersuchung zu 1 Kor 15,29 gestattet es also nicht, auf Grund der Vikariatstaufe die korinthischen Auferstehungs-

---

φησιν, οἱ ἄγγελοι ἐβαπτίσαντο ὧν ἐσμεν μέρη. Νεκροὶ δὲ ἡμεῖς, οἱ νεκρωθέντες τῇ συστάσει ταύτῃ (Klemens von Alexandrien, Ex scriptis Theodoti et doctrina quae orientalis vocatur 22,1f. Text bei MPG 9, 668f.). »Dieser Theodotus ist nicht sicher zu bestimmen oder vielmehr unbekannt« (A. v. Harnack, Geschichte der altchristlichen Literatur, II, 2, Leipzig 1904; zit. nach dem Nachdruck der 2.Aufl. 1958, 17 Anm. 4). – Auch hier handelt es sich, wie der Zusammenhang zeigt, um eine Exegese zu 1 Kor 15,29. – Vgl. dazu C. Barth, Die Interpretation des Neuen Testaments in der valentinianischen Gnosis, in: TU 3,7 (hrsg. v. Gebhard–Harnack–Schmidt), Leipzig 1911, 90f. Siehe auch E. Käsemann, Leib und Leib Christi, Beitr. z. hist. Theologie 9, Tübingen 1933, 82 (E. Käsemann beurteilt die obengenannte Stelle ebenfalls als eine Exegese zu 1 Kor 15,29; nach der zugrunde liegenden gnostischen Auffassung habe jeder einen Engel, der für ihn, den Toten, zuvor getauft worden sei, damit auch er, getauft zur himmlischen Erlösung ins Pleroma eingehen könne).

[1] Tertullian spricht an zwei Stellen über 1 Kor 15,29: De resurrectione carnis, 48,11 (Text: CCh Series Latina, Turnhout 1953, II, 989) und Adversus Marcionem 5,10 (im zitierten Werk, I, 692). Wenn Tertullian in diesem Zusammenhang von einem »vicarium baptisma« spricht, so deutet er es auf die Leiber, die getauft werden, aber doch »Tote« sind, wenn sie nicht auferweckt werden: »Si autem et baptizantur quidam pro mortuis, videbimus an ratione. Certa illa praesumptione hoc eos instituisse portendit qua alii etiam carni vicarium baptisma profuturum existimarent ad spem resurrectionis, quae nisi corporalis non in baptismate corporali obligaretur. Quod et ipsos baptizari, ait, prodest, si non quae baptizantur corpora resurgunt? Anima enim non lavatione sed responsione sancitur« (De resurrectione carnis 48,11). – Diese Exegese zu 1 Kor 15,29 herrscht in der alten Kirche durchwegs vor. Erst der Ambrosiaster spricht von einer stellvertretenden Totentaufe in der Korinthergemeinde (vgl. den Nachweis bei K. Staab, 1 Kor 15,29 im Lichte der Exegese der griechischen Kirche, in: Analecta Biblica 17.18, Rom 1963, 447–449).

[2] Ernste Zweifel an der Richtigkeit der oben angeführten Berichte über eine Vikariatstaufe bei gnostischen Sekten wurden verschiedentlich geäußert: vgl. z.B. C.F.G. Heinrici, Das erste Sendschreiben des Apostels Paulus an die Korinthier 514 Anm. 3; J.Chr.K. von Hofmann, 1 Kor 362. – Ausführlich ist diese – nicht unberechtigte – Skepsis begründet bei Ph. Bachmann, 1 Kor 447f., bes. Anm. 1.

[3] Nachdem der Ambrosiaster (entstanden zwischen 366–384 in Rom) als erster Kommentar 1 Kor 15,29 als eine Auseinandersetzung des Apostels mit einer in Korinth geübten Praxis der Vikariatstaufe erklärt hatte, schlossen sich in der Folgezeit viele Kommentatoren dieser Deutung an, die ja lange der Autorität des Ambrosius zugeschrieben wurde (den Text des Ambrosiasters zur Stelle siehe oben Anm. 1, S. 81).

leugner als Gnostiker einzuordnen. Der Schluß: weil in späteren Zeiten in den Reihen der Gnostiker die Praxis einer stellvertretenden Totentaufe bezeugt ist – und weil keine andere religionsgeschichtliche Ableitung dieses Brauches möglich erscheint[1] –, werden auch die Korinther, welche anstelle von Toten sich taufen ließen, Gnostiker gewesen, oder wenigstens von gnostischem Denken beeinflußt gewesen sein, ist nicht gestattet[2].

1 Kor 15,29 nötigt auch nicht zu der Vermutung, die korinthische Auferstehungsleugnung könne nicht jede Hoffnung für die Toten über den Tod hinaus ausgeschlossen haben, denn die Praxis der Vikariatstaufe zugunsten von Verstorbenen zeige ja, daß die Leugner noch Hoffnung hatten für ihre Toten. Wie oben gezeigt wurde, gibt es aber keinen Anhaltspunkt dafür, daß die Leute, welche behaupteten, es gebe keine Auferstehung Toter, auch die stellvertretende Totentaufe praktizierten oder auch nur billigten.

Was aber läßt sich dann aus 1 Kor 15,29 entnehmen für die Näherbestimmung der korinthischen Auferstehungsleugner? Jedenfalls soviel, daß Paulus den Satz ἀνάστασις νεκρῶν οὐκ ἔστιν (V. 12) als einen Widerspruch zur Praxis der stellvertretenden Totentaufe beurteilt. Man kann, nach Paulus, nicht sinnvoller Weise beides vereinigen, die Behauptung, es gebe keine Totenauferstehung, und die Vikariatstaufe für Tote. Paulus versteht also die in V. 12 angeführte Auferstehungsleugnung als einen Ausdruck totaler Hoffnungslosigkeit für die Verstorbenen[3]; auch durch die Taufe könnte

---

[1] W. Schmithals, Die Gnosis in Korinth, möchte den Brauch der Vikariatstaufe aus Mysterienkulten übernommen wissen, denn das reine gnostische Denken schließe ein magisches Sakramentenverständnis aus (a.a.O. 245.348).

[2] Man sollte den zeitlichen Abstand zwischen dem Ersten Korintherbrief und den Berichten über die Vikariatstaufe bei Gnostikern nicht überbetonen, ihn aber auch nicht unterschätzen: es fehlt bis in das vierte Jahrhundert hinein jede Nachricht über eine solche Praxis.

[3] Hat Paulus die Korinther aber recht verstanden? Gerade 1 Kor 15,29 wird, wie es scheint, für manche Exegeten der Anlaß zur Behauptung, offensichtlich habe Paulus die Auferstehungsleugner mißverstanden; er behandle sie als Leugner jeder Auferstehung für die Verstorbenen, die Praxis der Totentaufe zeige aber, daß sie doch Hoffnung hatten; vgl. neben W. Schmithals 146.244 auch P. Hoffmann, Die Toten in Christus 240f.; U. Luz, Das Geschichtsverständnis des Paulus 337f. – Demgegenüber geht die hier gegebene Exegese davon aus, daß der Apostel in V.29 in der Tat eine Praxis anführt, die der Auferstehungsleugnung zuwiderläuft, die aber in der Gemeinde geübt wird und – wie das eigene Beispiel des Apostels, der selbst den Tod für die Sache des Evangeliums riskiert (V.30f.) – zeigt, daß christliche Glaubenshaltung und Glaubenspraxis notwendig aufbaut auf die Hoffnung einer Auferstehung für die Glaubenden, die vor der Parusie des Christus verstorben sind. – Eine andere Position bezieht die Exegese von E. Güttgemanns, Der leidende Apostel 77f.: er vermutet bei den Korinthern eine Haltung, die behauptet, die Auferstehung geschehe in der Gegenwart (ἀνάστασις ἤδη γέγονεν), aber auch *nur* in der Gegenwart. Konsequenterweise nimmt E. Güttgemanns daher an, hier, in 1 Kor 15,29, mache Paulus nun die Korinther auf einen Widerspruch in

ihnen – falls die Behauptung ἀνάστασις νεκρῶν οὐκ ἔστιν recht hätte – nicht mehr geholfen werden: die korinthische Auferstehungsleugnung kannte also keine Rettung für diejenigen, die einmal verstorben waren; die Toten hatten keinen Zugang mehr zum Heil.

5. Der Abschnitt 1 Kor 15,30–34

V. 30: Und was stehen *wir* jede Stunde in Gefahr?
V. 31: Täglich sterbe ich, – bei dem Ruhme an euch,
  Brüder, den ich habe in Christus Jesus unserem Herrn.
V. 32: Wenn ich nach Menschenweise mit wilden Tieren
  kämpfte in Ephesus, – was nützt es mir?
  Wenn Tote nicht auferweckt werden,
  laßt uns essen und laßt uns trinken, denn morgen sterben wir!

Paulus kommt auf sein eigenes Leben zu sprechen; so wie das Tun der Gemeinde, die Vikariatstaufe, so ist auch, was er tut, nur verständlich auf dem Hintergrund des Glaubens an eine Auferstehung Toter; ohne ihn wäre sein Einsatz sinnlos; das müssen die Korinther zugestehen. Es ist zu beachten: auch weiterhin sind nicht direkt die Leugner der Auferstehung, sondern ist die ganze Gemeinde der Korinther Gesprächspartner des Apostels. V. 31 macht das wieder deutlich: die Gemeinde, an die er sich wendet, – sie ist sein »Ruhm«; sie sind die »Brüder«[1]. Es ist also nicht etwa erforderlich, daß die Auferstehungsleugner selbst diese Lebensführung des Apostels bejahen, daß sie vielleicht selbst ebenso handeln würden wie Paulus[2]. Ihm kommt es nur darauf an, der Gemeinde zu zeigen, wie sich sein Leben einzig aus der festen Zuversicht heraus, einmal der Auferstehung teilhaft zu werden, sinnvoll verstehen läßt. Der Gedankengang der Verse läßt sich so umschreiben: V. 30: Jede Stunde bringe ich mich in Gefahr, – wenn ich einmal dabei um-

---

ihrem eigenen Verhalten aufmerksam: sie können doch, wenn sie sagen, es gebe keine kommende Auferstehung Toter, nicht gleichzeitig etwas tun, was nur sinnvoll ist, wenn man doch noch Hoffnung hat für die Toten. Schon dieser – von den Leugnern nicht bemerkte? – Widerspruch macht skeptisch gegen die Deutung des ἀνάστασις νεκρῶν οὐκ ἔστιν, wie sie von E. Güttgemanns geboten wird.

[1] Die Bezeugung des »ἀδελφοί« ist allerdings nicht einhellig. Es fehlt bei P 64 K D G pm it.

[2] So z. B. J. Weiß, 1 Kor 364. Zur Beteuerungsformel »νὴ τὴν ὑμετέραν καύχησιν« vgl. G. Stählin, Beteuerungsformeln im Neuen Testament, in: NovT 5,115–143: es ist hier eine Verpfändung des höchsten Gutes angedeutet. »Wenn Paulus in 1 Kor 9,15f. sein Leben als Pfand für die Wahrung seines apostolischen καύχημα einsetzt, so setzt er 1 Kor 15,21 eben diese seine καύχησις zum Pfand für die Wahrheit seines radikalen Lebenseinsatzes, der nur aus einer unerschütterlichen Auferstehungsgewißheit heraus möglich ist« (a.a.O. 135).

komme, und wenn dann Tote nicht auferweckt werden, wozu dann? Täglich sterbe ich (V. 31), – d. h. setze ich mich der Lebensgefahr aus[1]: was riskiere ich damit, wenn es keine Auferstehung Toter gibt? In Ephesus war ich in höchster Lebensgefahr[2] (V. 32): wenn ich ihr erlegen wäre, und es gäbe keine Auferstehung Toter, was würde mir alles nützen!

Paulus folgert also: wenn Tote nicht auferweckt werden, dann war aller Einsatz in diesem Leben vergeblich, fruchtlos, nichts wird vergolten[3]. P. Hoffmann hat mit Recht darauf hingewiesen, aus dieser Argumentation dürfe nicht vorschnell geschlossen werden, die Leugner seien radikale Bestreiter eines jenseitigen Lebens überhaupt, und die These, es gebe keine Auferstehung Toter (V. 12), dürfe nicht einfach der Behauptung einer Annihilation der Verstorbenen gleichgesetzt werden[4]. P. Hoffmann führt die Auferstehungsleugnung auf korinthische Gnostiker zurück, die selbst sehr wohl eine Weiterexistenz nach dem Tode erwarteten, nur Paulus habe, von seiner Jenseitserwartung aus argumentierend, diese Zukunftshoffnung nicht als Heilsgut und daher nicht als erstrebenswert anerkannt, denn seine – des Paulus – Jenseitsvorstellung sei unlöslich verbunden gewesen mit der Auferstehungshoffnung. Gleichzeitig gesteht P. Hoffmann zu, die Voraussetzung, die den Aussagen des Paulus (vor allem in V. 29–34) zugrunde liege, sei »die Tatsache, daß die Ablehnung der Auferstehung einer Verneinung jeder Jenseitshoffnung gleichkommt«[5], Paulus spreche also so, als habe er es

---

[1] Bei ἀποθνῄσκω ist nicht an die allgemeinen Leiden des Apostels zu denken, auch nicht an die zunehmende Schwäche seines kranken Leibes, sondern an die schweren Gefahren, denen er sich immer wieder in der Ausübung seines Berufes unterziehen mußte (vgl. 2 Kor 11,23).

[2] Wenn auch manches dafür spricht, daß nicht von einem Tierkampf im wörtlichen Sinne die Rede ist, so steht doch die restlose Klärung dieser Stelle noch aus. Zur Literatur über diese Frage vgl. W. G. Kümmel, in: H. Lietzmann – W. G. Kümmel, 1 Kor 194; R. E. Osborn, Paul and the wild Beasts, in: JBL 85, 225–230; A. J. Malherbe, The Beasts at Ephesus, in JBL 87, 71–81.

[3] E. Güttgemanns, Der leidende Apostel 79 Anm. 142 bestreitet, daß Paulus hier vom Gedanken an den zukünftigen Lohn bewegt werde. Gewiß steht im Vordergrund der Gedankenführung, das Widersprüchliche aufzuzeigen zwischen seinem Tun und einer Bestreitung der Auferstehung. Doch dabei gesteht Paulus: was er tut in seinem Dienst am Evangelium, – er erwartet dafür einen Lohn in einem zukünftigen Leben (Mit J. Weiß, 1 Kor 366; H. Braun, Gerichtsgedanke und Rechtfertigungslehre bei Paulus, Untersuchungen zum NT 19, Leipzig 1930, 53). – E. Güttgemanns kommentiert V. 32 a so: »Wenn wir wirklich schon jetzt im Eschaton angekommen sind« ... »Wozu soll mir diese überall mich umgebende Wirklichkeit dienen« (a. a. O. 78 f.). Der Zusammenhang des τί μοι ὄφελος mit dem Hinweis auf das Erlebnis in Ephesus (εἰ ἐθηριομάχησα ...) ist dabei völlig übergangen.

[4] P. Hoffmann, Die Toten in Christus 245–247.

[5] A. a. O. 245: »Es kann kein Zweifel darüber sein, daß Paulus die Gegner mit seiner Argumentation nicht trifft«.

mit radikalen Leugnern zu tun. Dennoch geht P. Hoffmann nicht den Weg von W. Schmithals, der aus dieser Erkenntnis (die Bestreitung des Paulus richte sich gegen radikale Leugnung) und aus der gleichen Voraussetzung (die Leugnung sei von Gnostikern ausgesprochen, die sehr wohl eine Zukunft des Heilsbesitzes erwarten) die Schlußfolgerung zieht, also habe Paulus diese Männer in Korinth eben falsch verstanden, ihre Ansichten verkannt[1]. Auch für P. Hoffmann besteht kein Zweifel, daß Paulus die Leugner mit seinen Argumenten verfehle, das komme aber davon, daß der Apostel die korinthische Jenseitshoffnung (von deren Existenz er wohl weiß) als *keine* Jenseitshoffnung beurteilen mußte, denn nach seinem Verständnis war die Jenseitsvorstellung unlöslich verbunden mit der Hoffnung auf Auferstehung; einen Zustand der Leiblosigkeit (wie ihn die Korinther nach dem Tode erwarteten) konnte er nicht als Heilsgut anerkennen[2].

Dieses Verständnis scheitert jedoch am Text von 1 Kor 15: er läßt an keiner Stelle erkennen, daß die Korinther einen (zwar leiblosen) Zustand der Vollendung oder des Heiles nach dem Tode erwarteten[3]. Auch unterscheidet Paulus im ganzen Kapitel nirgends zwischen einem *leiblosen* (für ihn unannehmbaren, weil »heillosen«) *Weiterleben* nach dem Tod und einer Teilnahme am künftigen Heil in *leiblicher* Existenz nach dem Tode, d. h. dieser Gedanke, daß die korinthische Jenseits-*Hoffnung* Paulus deswegen als Auferstehungs-*Leugnung* erscheint, weil seiner Meinung nach das jenseitige Heil unabdingbar an die leibliche Existenzweise geknüpft ist, klingt nirgends an[4]. Es lassen sich in 1 Kor 15 keine Spuren finden, die darauf hinweisen, daß Paulus eine Jenseitshoffnung (und für Gnostiker wäre die leiblose Weiterexistenz durchaus Hoffnung und sogar Inbegriff der Heilserwartung) deswegen als unannehmbar zurückweist, weil sie nicht Hoffnung auf eine *leibliche* Zukunft nach dem Tode wäre.

Die von P. Hoffmann vertretene Rekonstruktion der Situation, die zur Abfassung von 1 Kor 15 führte, ist darüber hinaus schon in sich selbst in gewissem Sinne widersprüchlich: kann man behaupten, Paulus habe sich einen leiblosen Zustand der Vollendung (nach dem Tode) *nicht denken können*[5]

---

[1] W. Schmithals, Die Gnosis in Korinth 147 (vgl. dazu Seite 19).

[2] P. Hoffmann, Die Toten in Christus 246.

[3] Die Totentaufe kommt als Argument dafür nicht in Frage. Siehe dazu oben.

[4] Der Gegensatz *leibliche* Jenseitserwartung oder *leibloses* Weiterleben steht auch in 1 Kor 15,35–58 nicht zur Debatte (vgl. die folgenden Darlegungen).

[5] P. Hoffmann, Die Toten in Christus 245: »Liegt nicht das Mißverständnis – hier ähnlich wie in 2 Kor 5,1-5 – darin, daß Paulus sich keinen leiblosen Vollendungszustand denken kann?« – Gewiß betont P. Hoffmann, daß Paulus sich keinen leiblosen Zustand der *Vollendung* denken kann, doch müßte Paulus, wenn er die Position der Korinther kennt und sie nur – gegen deren eigene Auffassung – als unbefriedigend und unzureichend dartun wollte, diese korinthische Position auch irgendwo anführen oder wenigstens sie deutlich zurückweisen. Auch das geschieht aber nicht.

und gleichzeitig annehmen, Paulus habe von einer Jenseitserwartung der Korinther sehr wohl *gewußt*[1]? Wenn Paulus *wußte*, daß die Korinther eine (leiblose) Jenseitserwartung hegten, dann war ihm diese Möglichkeit – wenn auch nur als Möglichkeit – *bekannt* (auch wenn er selbst darunter sich nichts vorstellen und erst recht diese Möglichkeit nicht anerkennen konnte), und er konnte mithin in seiner Antwort an die Korinther nicht einfach so schreiben, als sei diese (ihm ungenügende und nicht »vorstellbare«) Jenseits-*Hoffnung* der Korinther in Wirklichkeit eine Jenseits-*Leugnung*. Tut Paulus dies trotzdem, dann hat er die Korinther eben doch mißverstanden, oder aber er geht bewußt nicht auf die tatsächlich in Korinth anstehende Problematik ein; dies vorausgesetzt, ist allerdings sofort zu fragen, woher wir von der *tatsächlichen* Situation in Korinth und vom wirklichen Gehalt der Auferstehungsleugnung dann doch noch Kenntnis haben können[2].

Die nämlichen Gründe, die es nicht gestatten, hinter 1 Kor 15 eine gnostische Auferstehungsleugnung zu vermuten[3], der in Wirklichkeit eine echte – von Paulus allerdings als solche nicht erkannte – Jenseitshoffnung zugrunde lag, lassen es auch nicht zu, daß Paulus 1 Kor 15 gegen Vertreter der Unsterblichkeit der Seele schrieb, also gegen Leute, welche zwar keine leibliche Auferstehung glaubten, aber doch ein Weiterleben der Seele erwarteten[4]: Paulus spricht in diesem Kapitel nicht von einer leiblosen Seele und nicht davon, daß ein Weiterleben der Seele der christlichen Hoffnung nicht genüge. Seine Alternative, gerade in V. 30 ff. lautet vielmehr: entweder werden Tote auferweckt oder alles, was ich in diesem Leben getan habe, war vergeblich. Diese totale Ignorierung der Möglichkeit für eine Jenseitserwartung, die auf dem griechischen Seelenglauben (oder auch dem gnostischen Pneumabegriff) aufbauen könnte, ist auch für einen Juden nicht selbstverständlich[5], fast unverständlich muß sie erscheinen bei einem Paulus aus Tarsus, der seit vielen Jahren in hellenistischer Umwelt sich als Verkündiger mit den geistigen Strömungen seiner Umwelt notgedrungen auseinanderzusetzen hatte. So kann es nicht überzeugen, wenn erklärt wird, Paulus wende sich, allem Augenschein (vgl. V. 29–34) zum Trotz, nicht gegen wirkliche Leugner eines echten Weiterlebens nach dem Tode, er habe sich nur ein Weiterleben nach dem Tod ohne Leib nicht vorstellen können

---

[1] P. Hoffmann, a.a.O.: »Paulus hätte dann erkannt, daß die korinthischen Gnostiker eine Jenseitserwartung hatten, aber von seiner Jenseitsvorstellung aus, die mit der Auferstehungshoffnung unlöslich verbunden ist, diesen erwarteten Zustand der Leiblosigkeit nicht als Heilsgut anerkannte«.

[2] Vgl. dazu S. 18 f.

[3] Dazu ausführlicher unten Kapitel 6.

[4] Vgl. z.B. A. Bisping, 1 Kor 296; F. Godet, 1 Kor 219; C.F.G. Heinrici, 1 Kor 434. Vgl. ferner oben S. 9–12.

[5] So richtig P. Hoffmann, Die Toten in Christus 245.

und daher mußte seine Argumentation notgedrungen so ausfallen, wie sie uns nun vorliegt[1].

Die Radikalität, mit der Paulus gerade in den Versen 1 Kor 15,29–33 die korinthische Position zurückweist, läßt die Annahme einfach nicht zu, Paulus wisse darum, daß die Korinther selbst eine Zukunftserwartung über den Tod hinaus bewahrten, und zwar eine Erwartung, die in ihren eigenen Augen Teilnahme am Heil in Fülle ermögliche. Wenn die Korinther überhaupt eine menschliche Weiterexistenz über den Tod hinaus erwarteten, dann war diese derart, daß sie auch von den Leugnern der Auferstehung selbst, also nicht nur von Paulus, als erbärmlich beurteilt wurde, als ein trauriges Los (vgl. 1 Thess 4,13 ff.), das von der Teilnahme am Heil in jeder Weise ausschloß. Eine Entscheidung darüber, ob die These »Auferstehung Toter gibt es nicht« tatsächlich – sowohl für die Leugner selbst, wie auch für Paulus – die Verneinung jeder Existenz nach dem Tode, also die Behauptung der Annihilation in sich schloß, oder ob mit ihr der totale Heilsverlust angezeigt werden soll (wodurch etwa ein Schattendasein in der Scheol oder eine ähnliche Vorstellung nicht ausgeschlossen wäre) läßt sich mit Sicherheit kaum ausmachen[2]; die Aussage νεκροὶ οὐκ ἐγείρονται oder ἀνάστασις νεκρῶν οὐκ ἔστιν läßt an sich beide Möglichkeiten offen.

Wie lassen sich 1 Kor 15,29–34 verstehen, wenn man bei den Gegnern des Paulus eine Einstellung annimmt, die mit der Behauptung ἀνάστασιν ἤδη γεγονέναι umschrieben werden könnte? Setzt man voraus, die enthusiastische Gewißheit ἀνάστασις ἤδη γέγονεν[3] sei in Korinth verbunden gewesen mit einem radikalen Pessimismus für die Toten, wie er oben geschildert wurde, ließe sich 1 Kor 15,29–33 befriedigend erklären; dann behaupteten die Korinther »wir sind schon vollendet« (vgl. 1 Kor 4,8), uns ist das, was die »Auferstehung der Toten« verspricht, schon geschenkt in der Taufe, wir sind schon in der Heilsfülle, – die Verstorbenen allerdings, oder jene, die noch sterben werden vor der Ankunft des Herrn, sie sind verloren, und zwar verloren im Sinne eines rettungslosen Untergangs. Für sie besteht keine Hoffnung, einst am Reiche und der Herrlichkeit teilzunehmen. Dann,

---

[1] H. Lietzmann, 1 Kor 83: »Aber für Paulus ist ein Fortleben nach dem Tode ohne Leib undenkbar, deshalb kann er so wie in V.32 argumentieren«. Etwas anders A. Bisping, 1 Kor 296: »Das ganze Argument, welches Paulus hier gegeben hat, spricht scharf genommen nur für die Unsterblichkeit der *Seele*. Allein dem Apostel waren Unsterblichkeit der Seele und Auferstehung zwei sich gegenseitig mit Notwendigkeit postulierende Ideen. Und mit vollem Rechte. Wenn nicht der *ganze* Mensch fortlebt, so lebt er auch nicht in einem Teile fort«.

[2] Dazu unten, Kapitel 6.

[3] Daß die Korinther diese enthusiastische Gestimmtheit und Gewißheit mit dem Terminus ἀνάστασις zum Ausdruck brachten, ist unwahrscheinlich. Anzeichen für eine derartige Umdeutung von ἀνάστασις zur Wiedergabe von »Auferstehung« im uneigentlichen Sinn, fehlen in so früher Zeit. Vgl. dazu Kapitel 3.

nimmt man diese Position für die Auferstehungsleugner an, bekämpft Paulus wiederum eine radikale Leugnung des Weiterlebens über den Tod hinaus. Möchte man aber die Behauptung ἀνάστασις ἤδη γέγονεν bei den Auferstehungsleugnern gekoppelt sehen mit der gnostischen Jenseitserwartung vom Aufstieg des Geistpneumas in die Himmel nach der Befreiung aus der Verhaftung in den Leib, dann ist das Problem im gleichen Umfang und in der gleichen Schärfe wieder zur Stelle: Paulus setzt einfach Auferstehungsleugnung mit der Leugnung jeder Jenseitserwartung gleich. Er geht auf die Position der Korinther so wenig ein, daß er sie nicht einmal erwähnt. Und er spricht so, als ob sie behaupteten: wer stirbt, der hat nichts zu erwarten; alles, was er getan hat, es nützt ihm nichts mehr; nichts kann man mehr tun, um den Verstorbenen zu Hilfe zu kommen. Diese Tatsache hat J. Schniewind nicht berücksichtigt, als er nachzuweisen versuchte, die Auferstehungsleugnung in Korinth könne nicht eine leiblose Jenseitserwartung an Stelle der leibhaften Auferstehung geboten haben[1]: alle Argumente, die er gegen diese Lösung anführt, sprechen im Grunde auch gegen seinen eigenen Lösungsvorschlag[2], denn gnostische Auferstehungshoffnung tat genau dies: an Stelle der Auferstehungshoffnung, die den Leib mit einbezog in ihre Jenseitserwartung, setzte sie eine leiblose, pneumatische oder geistige Jenseitshoffnung. Und darauf kommt Paulus im Verlauf von 1 Kor 15 nicht zu sprechen.

Als Konsequenz aus der korinthischen Auferstehungsleugnung schlägt Paulus vor: wenn es so ist, laßt uns essen und laßt uns trinken; dann war alles vergeblich; es folgt keine Beurteilung unseres Tuns und keine Vergeltung. Es läßt sich nicht ausmachen, ob in Korinth bei den Leugnern der Auferstehung tatsächlich auch eine derartige These vertreten wurde: erinnert man sich an die libertinistische Haltung, die an einigen Stellen der Korintherkorrespondenz ihre Spuren hinterlassen hat, ist das nicht ausgeschlossen. Allerdings ist es sehr wohl möglich, daß die Auferstehungsleugner selbst eine solche Haltung weit von sich gewiesen haben[3]: der Text von

---

[1] J. Schniewind, Die Leugnung der Auferstehung, bes. 110–113.

[2] Insoweit hat W. Schmithals recht, wenn er die Auslegung von J. Schniewind als »recht eigenartig« bezeichnet (W. Schmithals, Die Gnosis in Korinth 147 Anm. 1).

[3] So z.B. G. Billroth, 1 Kor 226; L.I. Rückert, 1 Kor 396: »Paulus will«... »seine Leser davon belehren, wie man durch die Leugnung der Auferstehung«... »konsequenterweise nur zu der frivolen Lebensansicht hingelangen könne, welche er dort ausspricht, um, in der Voraussetzung, daß sie eine solche Absicht eben so sehr als er selbst verabscheuen, sie durch diese Konsequenz von der Verderblichkeit eines solchen Unglaubens zu überzeugen, und zum Glauben zurückzuführen. Er mußte also wenigstens vom Dasein einer solchen Gesinnung gar nichts wissen, weil er sonst dies Argument als ganz vergeblich nicht angewendet haben würde«. – Anders: J. Schniewind, a.a.O. 128 (die Korinther sagten selbst: φάγωμεν καὶ πίωμεν).

V. 32 scheint dies nahezulegen: es ist die Konsequenz, die Paulus als die einzig folgerichtige vorschlägt, die aber von den korinthischen Leugnern selbst nicht befolgt wird[1].

V. 33: Irret euch nicht!
Es verdirbt gute Sitten ein schlechter Umgang!
V. 34: Werdet wirklich nüchtern und sündigt nicht!
Denn Unkenntnis von Gott haben einige!
Ich rede euch zur Beschämung.

Den Personenkreis, den Paulus als »schlechten Umgang« bezeichnet, dürften die Leugner der Auferstehung bilden[2]. Diese Kennzeichung läßt jedoch keinen weitergehenden Schluß zu auf den Inhalt ihrer These. Paulus vergleicht die Einstellung der Korinther mit einem Zustand des Berauschtseins: daraus sollen sie erwachen[3]. Ursache, nicht eigentlich Folge, dieses Berauschtseins ist eine Unkenntnis von Gott, die der Apostel einigen vorwirft[4], – doch wohl denen, die die Gemeinde in Gefahr bringen durch ihre Entstellung der Auferstehungsverkündigung. Die Terminologie ἀγνωσία θεοῦ könnte als Spitze gegen Korinther gesagt sein, welche für sich den Besitz der γνῶσις beanspruchen (vgl. 1 Kor 8, 1 f.)[5]. Doch ist die hier begegnende Zuordnung von ἀγνωσία zu dem Begriff von Nüchternheit und Sünde weit verbreitet, besonders wohl durch den Einfluß der Stoa; sie findet sich auch

---

[1] Man vergleiche Gal 5, 12: nach der sachbezogenen Auseinandersetzung folgt eine herbe Attacke gegen die Widersacher: Möchten doch die, welche euch beunruhigen, sich auch noch beschneiden lassen! Was als eine auf die Spitze getriebene Konsequenz aussehen könnte, ist in Wirklichkeit eine Verzerrung des Tatbestandes: wahrscheinlich dachten die korinthischen Leugner nicht an die Konsequenz »laßt uns essen, laßt uns trinken«, und Paulus weiß das auch.

[2] Je nach dem, wie die korinthische Auferstehungsleugnung inhaltlich umschrieben wird, sehen die einzelnen Exegeten hinter ὁμιλίαι κακαί entweder eine Warnung vor dem Umgang mit heidnischen (von platonischer Philosophie beeinflußten) Leuten (vgl J. Weiß, 1 Kor 367; M. E. Dahl, The Resurrection of the Body, London 1962, 80) oder mit Gnostikern (z. B. J. Héring, 1 Kor 144f.).

[3] Wie ein Henochfragment beweist, kann δικαίως als »wirklich« übersetzt werden: Hen 106, 18: καὶ νῦν λέγε Λάμεχ ὅτι τέκνον σού ἐστιν δικαίως καὶ ὁσίως. Hen 107, 2: καὶ νῦν ἀπότρεχε τέκνον καὶ σήμανον Λάμεχ τῷ υἱῷ σου ὅτι τὸ παιδίον τοῦτο τὸ γεννηθὲν τέκνον αὐτοῦ ἐστιν δικαίως καὶ οὐ ψευδῶς (zitiert nach J. Jeremias, Beobachtungen zu neutestamentlichen Stellen an Hand des neugefundenen griechischen Henochtextes, in: ZNW 38, 122; so auch W. G. Kümmel, in: H. Lietzmann – W. G. Kümmel, 1 Kor 194).

[4] Vgl. dazu E. Lövestam, Über die neutestamentliche Aufforderung zur Nüchternheit, in: Studia Theologica XII, Lund 1958, 80–102; neben den a. a. O. erwähnten Stellen bei Philo vgl. auch Corpus Hermeticum VII, 1 (Text in: Corpus Hermeticum, hrsg. v. A. D. Nock – A. J. Festugière, Paris 1945, Band 1, 81).

[5] So u. a. B. Reicke, Diakonie, Festfreude und Zelos, Uppsala 1951, 280; vorsichtiger P. Hoffmann, Die Toten in Christus 248 und W. Schmithals, Die Gnosis in Korinth 137.

in der Septuaginta und bei Philo[1]. Ein überzeugender Hinweis auf eine in Korinth umgehende gnostische Terminologie[2], die Paulus hier aufgreife, läßt sich aus V. 34 nicht gewinnen[3].

Zusammenfassend kann also gesagt werden: 1 Kor 15, 1–34, vor allem die Verse 29–34, lassen von der korinthischen Auferstehungsleugnung soviel erkennen, daß sie keine wirkliche Hoffnung auf ein erstrebenswertes Leben nach dem Tode zuläßt, daß sie dem, der stirbt, auch wenn er Christ war, keine Chance läßt auf den endgültigen, von der Wiederkunft des Christus erwarteten, Heilsgewinn, auf eine Vergeltung oder Belohnung. Die Antwort, die Paulus den Korinthern gibt, läßt ferner deutlich werden, daß nicht nur Paulus in der Behauptung ἀνάστασις νεκρῶν οὐκ ἔστιν überhaupt keine echte Jenseitshoffnung erkennen kann, daß vielmehr auch die korinthischen Auferstehungsleugner selbst mit ihrer Leugnung der Auferstehung nicht die Erwartung eines nicht-leiblichen Heilszustandes nach dem Tode verbanden.

III. Der Abschnitt 1 Kor 15,35-58

1. Die Fragestellung von V.35

V. 35: Aber es wird einer sagen:
wie werden die Toten erweckt?
Mit welchem Leib kommen sie?

Mit V. 35 beginnt Paulus den Versuch, Schwierigkeiten aus dem Wege zu räumen, die seiner Meinung nach den Glauben an die Auferstehung Toter hindern könnten. Sind die beiden Fragen von V. 35 πῶς ἐγείρονται οἱ νεκροί; und ποίῳ δὲ σώματι ἔρχονται; in dieser Form von den Korinthern (auch von den Auferstehungsleugnern?) gestellt worden? Oder hat Paulus diese Fragen selbst formuliert? Geben sie Aufschluß über die Situation in der korinthischen Gemeinde?

---

[1] Belege dazu: E. Lövestam, a.a.O.; R. Bultmann, Art. ἄγνοια in: ThWNT 1, 116–122; O. Bauernfeind, Art. νήφω, in: ThWNT 4, 935–940 und am gleichen Ort, 550–554 Art. μέθη, μεθύω von H. Preisker; J. Kroll, Die Lehren des Hermes Trismegistos, Münster 1914, 353f.

[2] Auf gnostische Parallelen aus dem Corpus Hermeticum (I, 27; VII, 1) hat R. Reitzenstein aufmerksam gemacht. Die Texte: R. Reitzenstein, Die hellenistischen Mysterienreligionen, Nachdruck der 3. Aufl. (1927): Darmstadt 1956, 292 oder in der Ausgabe von A.D. Nock – A.J. Festugière, Bd 1, 16.81.

[3] Der Haltung der ἄγνοια scheint in den älteren Belegstellen meist ein »ignorare« zugrunde zu liegen, nicht ein »non cognoscere«: Vgl. H. Stephanus, Thesaurus Linguae Graece 1, 404 s.v. (Neudruck Graz 1954); vgl. auch R. Bultmann, Art. ἄγνοια, a.a.O. 118.

Meistens wird angenommen, die beiden Fragen von V. 35 seien – wenn auch nicht im Wortlaut – von Korinth an Paulus herangetragen worden. Er gehe also damit auf konkrete Schwierigkeiten der Auferstehungsleugner ein, und sowohl die Fragen wie auch die folgende Beantwortung geben Aufschluß über die tatsächliche Einstellung der Auferstehungsleugner[1]: sie zeigen deren Unfähigkeit, sich eine leibliche Auferstehung vorzustellen[2], oder aber die Ablehnung der von Paulus vorgetragenen Theorie einer somatischen Auferstehung[3].

Andererseits haben besonders J. Weiß[4] und R. Bultmann[5] nachgewiesen, daß das einleitende ἀλλὰ ἐρεῖ τις von V. 35 einer Floskel der kynisch-stoischen Diatribe entspricht. R. Bultmann machte auf folgende Parallelen aufmerksam:

a) Wie in der Diatribe benutzt Paulus das Mittel des Einwandes in direkter Rede und seiner Zurückweisung, um seine Gedanken entfalten zu können[6].

b) Ein Charakteristikum der Diatribe sind die Anreden an den Hörer, die den Ton tragen, in dem der Lehrer zum törichten Schüler redet: vgl. V. 36: ἄφρων[7].

c) »Wir beobachten, daß in der Diatribe nach der Aufstellung des Satzes häufig ein Vergleich oder eine Illustration durch bestimmte Fälle folgt«. Eine Analogie dazu bilde 1 Kor 15,35 ff.[8].

Diesem Tatbestand glaubt W. Schmithals entnehmen zu dürfen, daß den beiden Fragen von V. 35 jeder wirkliche Zusammenhang mit der Situation in Korinth fehle[9]. Sie seien nicht von den Leugnern der Auferstehung, sondern von Paulus selbst gestellt, als ein fingierter Einwand, der aber die

---

[1] Z.B. H. Lietzmann, 1 Kor 83: Paulus komme hier auf den Haupteinwand seiner Gegner zu sprechen: ein Auferstehungsleib sei undenkbar.

[2] So F. Guntermann, Die Eschatologie des Hl. Paulus 163: »Wir sehen daraus die Unfähigkeit der Korinther, sich die Auferstehung vorzustellen. Vor allem haben sie an dem Absterben, dem Verwesen des Körpers Anstoß genommen«.

[3] Vgl. E. Güttgemanns, Der leidende Apostel 79 f.: Paulus gehe mit der Beantwortung der Fragen von V.35 auf die Situation in Korinth ein: die Korinther lehnten die paulinische Soma-Begrifflichkeit ab, Paulus möchte sie ihnen als »Denknotwendigkeit« beweisen.

[4] J. Weiß, 1 Kor 367.

[5] R. Bultmann, Der Stil der paulinischen Predigt und die kynisch-stoische Diatribe, Göttingen 1910.

[6] A.a.O. 66f. Vergleichbare Wendungen bei Paulus sind: ἐρεῖς οὖν (Röm 9,19; 11,19), das charakteristische φησί (2 Kor 10,10). »Meist aber wird der Einwand ohne Formel eingeführt, einfach als Zwischenfrage«.

[7] A.a.O. 66. – Vgl. auch H. Thyen, Der Stil der hellenistisch-jüdischen Homilie, FRLANT 65, Göttingen 1955, 43 f. 90.

[8] R. Bultmann, a.a.O. 100. (Vgl. auch 1 Kor 12).

[9] W. Schmithals, Die Gnosis in Korinth 147: »V. 35 f. sagen also nichts über die Zustände in Korinth aus, sondern reflektieren lediglich die Anschauungen des Paulus darüber«.

Fragestellung der korinthischen Leugner in Wirklichkeit verfehle. W. Schmithals geht ja davon aus, daß Paulus die Leugner mißverstanden habe. Aus seiner Argumentation in V. 35–58 sei also nichts zu gewinnen für eine nähere Bestimmung der Auferstehungsleugnung[1].

Nun ist nicht daran zu zweifeln, daß Paulus diese Fragen selbst so formuliert hat. Dafür sprechen:

a) die Parallelen mit der Form der Diatribe,

b) die futurische Wendung: ἐρεῖ τις,

c) Paulus hat die Frage ποίῳ δὲ σώματι schon für seine Antwort zurechtgelegt, in der er von der Existenz verschiedener Somata spricht und die auf die Behauptung eines pneumatischen Auferstehungssoma hinauslaufen wird. An eine andere Art von Leib dachten die Gegner in Korinth kaum; sie könnten etwa gefragt haben: wie soll man sich ihr Aussehen denken, ihr Leib ist ja verwest[2].

Wenn aber auch die Form der Fragestellung auf Paulus zurückzuführen sein dürfte, so ist es doch nicht gut denkbar, daß er hier einfach einen Absatz seiner Auferstehungstheorie anfügen würde, wenn er nicht wüßte, daß er damit auch tatsächlich dem Anliegen der Korinther dient[3]; daß er dieses Anliegen kennt, ist vorausgesetzt[4]. Somit ist der Abschnitt 1 Kor 15,35–58 nicht von vornherein auszuschließen, wenn nach einer näheren Bestimmung der korinthischen Auferstehungsleugnung gesucht wird: auch in ihm kann sich die Problematik der Leugner widerspiegeln. Andererseits ist jedoch auch Vorsicht geboten: nicht jeder polemisch klingenden Wendung muß eine gegenteilige Behauptung auf seiten der korinthischen Leugner entsprechen[5]: Paulus will den Glauben der Gemeinde an die Auferstehung

---

[1] Konsequenterweise muß W. Schmithals daher auch V. 45 f. als eine spätere Glosse ausscheiden, denn in diesen Versen wird die korinthische Position, nach der Meinung von W. Schmithals, so exakt getroffen, daß diese Zeilen nicht von Paulus stammen können, der ja im Verlauf von 1 Kor 15 eine ganz andere – in Wirklichkeit die falsche – Auferstehungsleugnung bekämpfte (a.a.O. 160, bes. Anm. 2).

[2] So auch J. Weiß, 1 Kor 367. – J.C.K. Freeborn glaubt auch in dem Singular τὶς einen Hinweis darauf sehen zu dürfen, daß die Fragesteller von V. 35 f. nicht einfach mit den Auferstehungsleugnern (τινές!) von V. 12 gleichgesetzt werden dürfen (J.C.K. Freeborn, The Eschatology of 1 Corinthians, 15, in: Studia Evangelica 2, Berlin 1964, 557–568). Er erinnert in diesem Zusammenhang an 2 Bar 49, 2 f., wo ebenfalls der Schriftsteller selbst die Fragen aufwirft: »In welcher Weise leben weiter, die noch an deinem Tag am Leben sind« ... »Ja ziehen sie die jetzige Gestalt dann wieder an«?

[3] Das bestreitet allerdings auch W. Schmithals nicht; nur geht er eben davon aus, Paulus sei falsch informiert.

[4] Dazu oben, Kapitel 2.

[5] H. Conzelmann wies darauf hin, die paulinischen Briefe seien durchsetzt mit »wisdom sections«, die eventuell sogar in einer paulinischen »Schule« aus den Diskussionen herausgewachsen sein könnten (H. Conzelmann, Paulus und die Weisheit, in: NTS 12, 231–244). H. W. Boers äußerte die Vermutung, in dem Ab-

Toter festigen durch eine Klarstellung und Darlegung dieses Geschehens[1];
auch Einwände, die ihm von anderer Seite her bekannt waren, kann er in
diesem Zusammenhang beantworten.

2. Die – nach Paulus – notwendigerweise somatische Existenz des Menschen

Vielfach sieht man hinter den beiden Fragen von 1 Kor 15,35 einen Hinweis auf die Unfähigkeit der korinthischen Auferstehungsleugner, sich eine
leibliche Auferstehung denken zu können und darin ein Zeugnis für ihre
»griechische« Unsterblichkeitshoffnung[2]. Πῶς ἐγείρονται würde demnach die
Antwort des Apostels vorbereiten: die Auferstehung ist *nicht* eine *leiblose*
Auferstehung, wie ihr meint, sondern sie geschieht mit einem Leib! Die
zweite Frage, ποίῳ δὲ σώματι ἔρχονται, wäre dann der *Näherbestimmung* des
Auferstehungsleibes gewidmet[3].

In Wirklichkeit befaßt sich jedoch auch der Abschnitt 1 Kor 15,35–49
nur mit der Frage nach der Tatsächlichkeit und Wirklichkeit der Auferstehung. Es erfolgt hier kein Übergang zu der neuen Fragestellung, ob etwa
die Auferstehung leiblich oder nicht leiblich geschehen werde[4]. Tatsächlich
findet sich weder in V. 35 f. noch im ganzen 15. Kapitel des ersten Korintherbriefes ein überzeugender Hinweis darauf, daß Paulus hier Leuten ant-
worte, die eine *nicht*-leibliche Auferstehung (nur ein Weiterleben der Seele
oder eines Geistpneumas) vertreten oder erwarten[5]. ποίῳ σώματι hat als

---

schnitt 1 Kor 15,35–44a könne es sich um einen solchen Passus handeln (H.W.
Boers, Apokalyptic Eschatology in 1 Corinthians 15, An Essay in Contemporary
Interpretation in: Interpretation 21,57).

[1] Die Anrede (ἄφρων, V. 36) ist nicht dadurch bedingt, daß nun die Leugner, oder
einer von ihnen, direkt angesprochen werden, sondern durch den Stil der Diatribe.
– Diese Anrede läßt auch nicht darauf schließen, daß die Fragen der Korinther
spöttisch gemeint gewesen seien (so. z.B. E. Brandenburger, Adam und Christus
73 Anm. 2; J. Schniewind, Die Leugner der Auferstehung 130).

[2] Vgl. K. Deißner, Auferstehungshoffnung und Pneumagedanke bei Paulus,
Leipzig 1912: »Aus dieser Frage wird ersichtlich, daß die Behauptung ἀνάστασις
νεκρῶν οὐκ ἔστιν in der Unfähigkeit der Korinther, sich einen Auferstehungsleib zu
denken, ihren besonderen Grund hat« (a.a.O. 28).

[3] So z.B. J.Chr.K. von Hofmann, 1 Kor 375; H. Lietzmann, 1 Kor 83 f.

[4] So auch W. Gutbrod, Die paulinische Anthropologie, Stuttgart 1934, 33;
A.T. Nikolainen, Der Auferstehungsglaube in der Bibel und ihrer Umwelt 2,
Helsinki 1946, 181. Es handelt sich dem Inhalt nach im Grunde um eine einzige
Frage: um die Frage nach der Art der Auferstehung, welche eine leibliche ist.
Vgl. auch C.F.G. Heinrici, Das erste Sendschreiben des Apostels Paulus an die
Korinthier 524; ders. in: Der erste Brief an die Korinther 440: πῶς benenne die
unbestimmte Form des Zweifels, die dann durch ποίῳ δὲ σώματι konkretisiert werde.

[5] Das erkannte richtig J. Schniewind, Die Leugner der Auferstehung 131.

Gegenüber nicht etwa ein (unausgesprochenes) »ohne Leib«. Die *Leiblichkeit* der kommenden Auferstehung sieht allem Anschein nach Paulus nicht eigens bestritten. In seiner ganzen Argumentation von 1 Kor 15 setzt er einfach voraus: Auferstehung ist leibliche Auferstehung. Der strittige Punkt, dem er sich in 1 Kor 15,35–49 widmet, ist vielmehr: wie soll man sich denn die Auferstehung (die eine leibliche ist) vorstellen, wie sollte sie möglich sein. Gelegentlich wird in diesem Zusammenhang behauptet, Paulus habe sich eine leiblose Existenz des Menschen überhaupt nicht vorstellen können, sie sei ihm denkunmöglich gewesen[1]. Das läßt sich allerdings kaum glaubhaft machen. Die Kontakte des Apostels mit der hellenistischen Umwelt waren wohl doch stark genug, daß ihm dieser Gedanke eines leiblosen Weiterlebens über den Tod hinaus nicht unbekannt bleiben konnte.

Andererseits bezeichnet σῶμα bei Paulus doch das individuelle menschliche Sein, das er offenbar auch für das Leben nach dem Tode voraussetzt und behauptet, wenn auch mit einer der neuen Situation angepaßten Verwandlung[2]. Dieser Sachverhalt ist auch für die Erklärung von 1 Kor 15,35f. im Auge zu behalten: für den Apostel ist menschliche Existenz somatische Existenz. Fragepunkt in unserem Zusammenhang ist die *Beschaffenheit* dieses σῶμα, die *Tatsächlichkeit* der Auferstehung des Menschen als somatisches Wesen ist vorausgesetzt. Eine Position, welche eine nicht-somatische Existenz nach dem Tode oder nach der »Auferstehung« erwartet, berührt und bekämpft Paulus in den zur Diskussion stehenden Versen nicht: nirgendwo eine Anspielung darauf, daß ein nicht-somatisches Weiterleben nicht in Frage kommen könne, zu wenig sei. Auch bei den korinthischen Widersachern setzt Paulus in diesem Punkte Übereinstimmung mit seiner Auffassung voraus: *wenn* Auferstehung, dann natürlich somatische Auferstehung[3].

---

[1] Vgl. oben Seite 90f. So auch M. Goguel, Le caractère, à la fois actuel et futur, du salut dans la théologie paulinienne, in: The Background of the New Testament and its eschatology, hrsg. von W.D. Davies und D. Daube (Festschrift für C.H. Dodd), Cambridge 1956, 322–341. 325; W. Gutbrod, Anthropologie 32 (»es ist«... »festzustellen, daß Paulus menschliches Leben nie anders als leiblich sich dachte und denken konnte«); W. Schmithals, Die Gnosis in Korinth 248.

[2] W.G. Kümmel, in: H. Lietzmann – W.G. Kümmel, 1 Kor 195: »Leib beschreibt also das individuelle Sein, ohne das es kein Leben gibt, das aber den verschiedenen Zuständen entsprechend sich verändern kann«. – Vgl. R. Bultmann, Theologie des Neuen Testaments 199: Paulus behaupte hier das spezifisch menschliche Sein als ein somatisches auch über den Tod hinaus. – Daß der Mensch wesentlich nicht ein σῶμα hat, sondern σῶμα ist (so neben R. Bultmann, a.a.O. 195 auch W.G. Kümmel, Das Bild des Menschen im Neuen Testament, Zürich 1948, 25; E. Käsemann, Leib und Leib Christ, Tübingen 1933, 119) – das gilt für Paulus auch über den Tod hinaus für ein Leben nach der Auferstehung.

[3] W. Gutbrod, Anthropologie 33; ähnlich E. Percy, Der Leib Christi (Σῶμα Χριστοῦ in den paulinischen Homologumena und Antilegomena, Lunds Universitets Årsskrift, N.F. Adv. 1, Bd. 38,1, Lund 1942, 12.

Genau an diesem Punkte erwartet Paulus offenbar den Widerspruch der Korinther: der Leib des Menschen vergeht, er verfällt nach dem Tode; also ist eine Auferweckung des Menschen, da doch sein σῶμα vernichtet ist, unmöglich geworden[1]. Darauf gibt V. 37 f. die Antwort: Paulus bezeichnet den vorausgehenden Tod sogar als die Voraussetzung einer möglichen Lebendig-Machung durch Gott, worin für Paulus die Auferweckung besteht[2]; davon, daß durch den Verfall des Leibes die Auferstehung unmöglich geworden sei, kann nach Paulus also keine Rede sein. Der Leib *muß* tot gewesen sein, sagt er, dann wird er lebendig gemacht durch Gottes schöpferische Allmacht.

> V. 36: Du Tor, was du säst, wird nicht lebendig gemacht,
>   wenn es nicht stirbt.
>
> V. 37: Und was du säst, – nicht den Leib,
>   der werden soll, säst du, sondern ein nacktes Korn,
>   zum Beispiel von Weizen oder irgend etwas anderem.

Es scheint, daß hier die Begründung der korinthischen Auferstehungsleugnung sichtbar wird: eben die Tatsache, daß doch der Leib verwest und eine Auferstehung damit unmöglich gemacht wird. Es kann natürlich nicht einfach ausgeschlossen werden, daß dahinter, als Alternative zum Auferstehungsglauben, eine Unsterblichkeitshoffnung lebte, zugegeben aber muß wohl werden, daß eine solche auch in diesen Versen nicht einmal anklingt. Es wäre Willkür, anzunehmen, Paulus greife etwa mit dem Bildwort vom »nackten Korn« korinthische Terminologie auf, so als ob die Korinther (anstelle der leiblichen Auferstehung) von einer Befreiung der vom Körper gelösten Seele gesprochen hätten. Es findet sich auch in diesen Versen keine Ablehnung und Zurückweisung eines – durch hellenistisch-platonische oder

---

[1] J. Weiß, 1 Kor 367; K. Deißner, Auferstehungshoffnung 28 f.

[2] Vgl. W. G. Kümmel, Römer 7 und die Bekehrung des Paulus, Untersuchungen zum Neuen Testament 17, Leipzig 1929, 21; Ph. Bachmann, 1 Kor 464; K. Deißner, a. a. O. 29. – Anders ist der Prozeß allerdings bei jenen zu denken, welche lebend die Wiederkunft des Christus erfahren; für sie erwartet Paulus eine Umwandlung, die auch ohne vorausgehendes Sterben zur Teilnahme an der βασιλεία τοῦ θεοῦ befähigt (vgl. 1 Thess 4, 16–18; 1 Kor 15, 50–54). – H. Riesenfeld hält diese Aussage für das zentrale Anliegen von 1 Kor 15 überhaupt, dessen Thema seiner Ansicht nach nicht eigentlich die Auferstehung der Toten sei, sondern »der Tod als die Voraussetzung der Auferstehung«. H. Riesenfeld meint allerdings, die Auferstehung sei »von keiner Seite innerhalb der Gemeinde bezweifelt worden«, Paulus wolle den Korinthern nur – gegen ihre Vollendungsgewißheit – die Notwendigkeit des leiblichen Todes als Bedingung für die Möglichkeit einer wahrhaften Auferstehung klarmachen (H. Riesenfeld, Das Bildwort vom Weizenkorn bei Paulus (1 Kor 15), in: Studien zum Neuen Testament und zur Patristik, E. Klostermann zum 90. Geburtstag, TU 77, Berlin 1961, 45).

gnostische Vorstellungen verursachten – Dualismus[1]. Dem γυμνὸς κόκκος entspricht bei Paulus nicht eine vom Leibe getrennte Geistseele oder ein Pneuma[2], sondern γυμνὸς κόκκος ist, aus der Bildhälfte herausgenommen, der Mensch, der begraben wird, und der – insofern er Mensch ist – auch über den Tod hinaus ein leiblicher Mensch bleibt, wenn er überhaupt bleiben soll[3]. Wenn Paulus das, was ins Grab gelegt wird, also den Verstorbenen, als ein »nacktes Korn« bezeichnet, dann nennt er ihn γυμνός nicht, weil er von der Seele getrennt ist, die dann eventuell einen anderen Leib erhält (oder keinen Leib mehr tragen muß), sondern »nackt« ist der Mensch hinsichtlich dessen, was ihn noch erwartet: er ist noch nicht überkleidet mit dem neuen

---

[1] W. Schmithals vermutet bei den gnostischen Korinthern eine Ablehnung der himmlischen Leiblichkeit und den Wunsch, »nackt« bleiben zu können. Allerdings habe dies Paulus bei der Abfassung von 1 Kor 15 noch nicht erkannt. Auch als er 2 Kor 5, 1–10 schrieb, habe er die Hintergründe dieses Wunsches noch nicht durchschaut und es als unverständlich empfinden müssen, daß man eine himmlische Auferstehungsleiblichkeit ablehnen und »nackt« bleiben möchte nach dem Tode, andererseits aber dennoch an ein Leben nach dem Tode glauben kann (vgl. W. Schmithals, Die Gnosis in Korinth 250f.). W. Schmithals hat wohl recht mit der Feststellung, daß der mythologischen Grundansicht der Gnosis die Erwartung der »Nacktheit« entspricht für die Existenz nach dem Tode. Die Rede vom Himmelsgewand, die in gnostischen Texten ebenfalls nachzuweisen ist, scheint demgegenüber doch als nicht ursprünglich. Belege für die gnostische Hoffnung bei W. Schmithals, a.a.O. 350; vgl. H. Jonas, Gnosis und spätantiker Geist 1, FRLANT 51, Göttingen [3]1964, 209. Anders C. Colpe, in: Verkündigung und Forschung 1958/1959, München 1960, 90–96.

[2] Gegen E. Teichmann, Die paulinischen Vorstellungen von Auferstehung und Gericht, Freiburg und Leipzig 1896, 46. – Der Annahme, dem γυμνὸς κόκκος entspreche die Geistseele des Menschen, widerspricht die Tatsache, daß sich dieser Gedanke in keiner Weise mit dem Bildwort in Einklang bringen ließe: während es vom »nackten Korn« heißt, daß es sterben muß, nachdem es gesät wird, könnte das vom πνεῦμα doch nicht behauptet werden. Ausserdem will Paulus ja den Korinthern antworten auf ihren Zweifel, der davon rührt, daß sie angesichts des begrabenen Toten nicht an eine Auferstehung glauben können, da sie die Gleichartigkeit des irdischen Leibes mit dem Auferstehungsleib voraussetzen. Dem wäre mit dem Hinweis auf das nackt im Hades weilende Pneuma nicht gedient. – Das gilt auch gegen die These von C. Holsten, der unter dem σπέρμα »das dem Menschen durch den Glauben immanent gewordene und zur Auferstehung bestimmte göttliche πνεῦμα« verstanden wissen will (C. Holsten, Zum Evangelium des Paulus und des Petrus, Rostock 1868, 375). Ihm antwortete schon K. Bornhäuser: »Ein Reden vom sterbenden Gottesgeiste wird sich wohl kaum als paulinisch nachweisen lassen« (K. Bornhäuser, Das Recht des Bekenntnisses zur Auferstehung des Fleisches, Gütersloh 1899, 17f.).

[3] Vgl. auch K. Deißner, Auferstehungshoffnung 28–31. – Dem von Paulus verwendeten Bildwort »Same« kann auch nicht der tote Leib entsprechen. Das betont zu Recht M.E. Dahl, The Resurrection of the Body, Studies in Biblical Theology 36, London 1962, 31 Anm. 1: »σπείρειν always refers to the *commencement* of life, not to its end (Soph. Ajax 1293; Eurip. Phoenissae 18; Aischylos Theb. 754; Mk 4,3 to 32; and parallels; Mt 13,31.37.39; 1 Kor 9,11; Gal 6,7f.; Jak 3,18)«.

pneumatischen Leib, er ist ungenügend, unvollständig bekleidet, und insofern »nackt«[1]. Das Bild deutet in keiner Weise auf die Ablegung des Leibes, den der Mensch in seinem irdischen Leben getragen hat, vielmehr setzt es voraus: dieser Leib, der dem Menschen in seinem irdischen Leben wesentlich konstituierender Bestandteil war, wird auch nach dem Tod zur Existenz des Menschen notwendig gehören. Aber er wird überkleidet, neugestaltet durch die Macht des Pneuma, er wird ein neuer, pneumatischer Leib, nicht aber deswegen auch ein total anderer Leib.

Es ist ungerechtfertigt, ausgerechnet aus V. 36f. die Lehre von einem Auferstehungsleib zu postulieren, der radikal ein anderer ist, als jener, der ins Grab gelegt wird, so als ob überhaupt kein Zusammenhang bestünde zwischen dem Auferstehungsleib und dem Leib der irdischen Existenz vor dem Tod[2]. Im Gegenteil: das Samenkorn wird lebendig gemacht, wenn die Voraussetzung des Todes gegeben ist; so wird auch der ganze – und das meint der leibhafte – Mensch, der begraben wurde, lebendig gemacht. Paulus weist hier den Einwand zurück, der Tod verunmögliche eine Auferstehung; gleichzeitig ist implizit die Aussage gegeben: dann aber, wenn der Mensch stirbt, dann kann er – so wie das Korn – wieder zum Leben erweckt werden. Allerdings ist der Auferstehungsleib nicht einfach dem Leibe gleich, der in die Erde gelegt wird. Der Mensch muß eine Verwandlung über sich ergehen lassen, bevor er am Reiche Gottes teilhaben kann. Dieser Verwandlung, ihrer Möglichkeit und ihrer Art, sind die nächsten Verse gewidmet. Gottes Allmacht, die schon so verschiedenartige Möglichkeiten leibhaften Lebens verwirklicht hat, sie garantiert auch die Verwandlung des begrabenen Leibes zu einem pneumatischen Leib der Auferstehung[3]. Mit dieser Antwort hofft Paulus, den Schwierigkeiten der Korinther begegnen zu können: sie hielten offensichtlich eine Auferstehung, die auch nach ihren Vorstellungen ein Leben in erneuerter – wenn auch nicht neuer – Leiblichkeit bedeutete, für unmöglich. Für die Ablehnung einer Auferstehung zugunsten einer leiblosen Unsterblichkeitserwartung von seiten der Auferstehungsleugner, spricht in den behandelten Versen nichts.

---

[1] Ähnlich P. Hoffmann, Die Toten in Christus 251 f.: der neue Leib der Auferstehung fehlt; insofern ist der Mensch einem »nackten Korn« vergleichbar.

[2] Gegen H. Grass, Ostergeschehen und Osterberichte 152 f. – Vgl. dazu unten, Kapitel 5.

[3] Die vielfältigen Möglichkeiten Gottes, andersgeartete σώματα zu schaffen, sind der eigentliche Nerv der Beweisführung bis 1 Kor 15,44 b. So auch J. Weiß, 1 Kor 368; W. G. Kümmel, Römer 7 und die Bekehrung des Paulus 22; A. Sand, Der Begriff »Fleisch« in den paulinischen Hauptbriefen, BU 2, Regensburg 1967, 128 f.

V. 44: Es wird gesät ein psychischer Leib,
es wird auferweckt ein pneumatischer Leib.
Wenn es einen psychischen Leib gibt,
gibt es auch einen pneumatischen Leib.
V. 45: So steht auch geschrieben: Es wurde der erste Mensch Adam zu
einer lebenden Psyche,
der letzte Adam zu einem lebendigmachenden Pneuma.
V. 46: Aber nicht zuerst das pneumatische,
sondern das psychische, darauf das pneumatische.

Diese Verse sind von großer Wichtigkeit für jene Exegeten, welche in Korinth eine durch Gnosis bedingte Auferstehungsleugnung zu erkennen glauben. An dieser Stelle scheint es, als wären die Auferstehungsleugner und ihre gnostische Grundlage deutlich faßbar[1]; hier treten die korinthischen Leugner angeblich in einen direkten Widerspruch zu Paulus, den der Apostel so formuliert: aber nicht zuerst das pneumatische – wie ihr behauptet –, sondern zuerst das psychische, dann erst das pneumatische.

Nun läßt es sich in der Tat nicht einfach ausschließen, daß das ἀλλ' οὐ von V. 46 auf einen nicht ausgesprochenen, aber eben doch vorausgesetzten gegenteiligen Standpunkt zu beziehen ist. Nicht von vornherein aber dürfte es ausgemacht sein, daß dieser gegenteilige Standpunkt den korinthischen Auferstehungsleugnern zugeschrieben werden muß[2]. Das ist erst zu prüfen. Die bisherigen Untersuchungen zu diesen Versen haben wohl deutlich gemacht, daß mit philologischen Mitteln allein eine unangreifbare Erklärung des Abschnittes nicht zu gewinnen ist. So ist es verständlich und unumgänglich, daß zu seiner Erklärung das Gesamtverständnis mit herangezogen wird, das der jeweilige Interpret – auf Grund des gesamten Kapitels 1 Kor 15 oder der ganzen Korintherkorrespondenz – von der zugrunde liegenden Situation in Korinth sich gebildet hat. Bedenklich ist dieses Vorgehen allerdings dann doch, wenn ausgerechnet die hier zur Debatte stehenden Verse die Hauptlast zu tragen haben für das zu ihrer eigenen Erklärung vorausgesetzte Gesamtverständnis.

Einigkeit scheint heute bei den Exegeten weitgehend darüber zu herrschen, daß Paulus mit V. 44 den Punkt seiner Beweisführung erreicht hat, den er seit V. 35 ansteuert: die Behauptung, es gibt ein pneumatisches

---

[1] So E. Brandenburger, Adam und Christus 74f.; J. Schniewind, Die Leugner der Auferstehung 134f.; W. Schmithals, Die Gnosis in Korinth 159f.
[2] Gegen W. Schmithals, Die Gnosis in Korinth 159; E. Brandenburger, Adam und Christus 73.

Soma[1]. Einigkeit besteht auch darüber, daß V.45 die Funktion hat, V.44b mit einem Schriftbeweis zu belegen und zu untermauern[2]. Dieser Schriftbeweis ist recht eigenartig – wenngleich nicht ohne Beispiel in der rabbinischen Tradition[3] –, da Paulus schon in dem Vordersatz (V.45 a), der sich im Wortlaut noch an Gen 2,17 anschließt, zwei für ihn bedeutsame Worte (πρῶτος, ᾽Αδάμ) einfügt und den Nachsatz (V.45 b) sogar völlig frei – als eine notwendige Folgerung aus dem Schriftwort – anfügt, dabei aber sicherlich die ganze Aussage von V.45 als einen mit der Autorität eines Schriftwortes ausgestatteten und damit gültigen Beweis verstanden wissen will. Für die Schlüssigkeit des Beweises ist es dabei für Paulus keinesfalls von Bedeutung, daß die Existenz zweier Adamsgestalten auch bei den Gesprächspartner als selbstverständliches Wissen vorausgesetzt ist[4], sondern die Autorität der Schrift, welche mit V.45 bemüht wird, garantiert für den Apostel die Richtigkeit und Schlüssigkeit seiner Aussage. Mit ausschlaggebend für das Verständnis der Verse ist es nun, was man als Ergänzung zu V.46 annimmt: muß ergänzt werden ἐγένετο? oder σῶμά ἐστιν? oder nur ἐστίν? Mit dieser Frage hängt eng zusammen, ob V.45 als Parenthese verstanden wird, die in den Gedankengang der Verse 44b–46 als eine kurze Unterbrechung eingeschaltet wird: in diesem Falle schließt sich V.46 eng an die Aussage von V.44b an, und es läßt sich nicht umgehen, in V.46 σῶμα zu ergänzen. Es besteht allerdings auch die Möglichkeit, V.46 als Parenthese zu deuten; dann würde sich die korrigierende Aussage auf V.45 beziehen, und, da eine Bezugnahme auf den ersten und den letzten Adam grammatikalisch direkt nicht möglich ist, müßte nur ἐστίν ergänzt werden, was allerdings sinngemäß doch wieder auf die Existenz eines ersten und letzten Adams bezogen werden könnte, aber auch auf die allgemein menschliche Existenzweise, welche dann – nach Paulus – nicht von Anfang an eine pneumatische, sondern eine psychische sei.

Was läßt sich aus diesen verschiedenen Deutungsmöglichkeiten gewinnen für eine Näherbestimmung der korinthischen Auferstehungsleugnung?

1. E. Brandenburger ergänzt zu V.46 »Adam-Anthropos«[5]. Dementsprechend behauptet er bei den korinthischen Auferstehungsleugnern die Lehre von einem präexistenten pneumatischen Erlöser-Anthropos. Die Stelle des

---

[1] So u.a. J. Weiß, 1 Kor 371; E. Brandenburger, Adam und Christus 73.

[2] J. Weiß, 1 Kor 373; H. Lietzmann, 1 Kor 84f.; F. Guntermann, Die Eschatologie des Hl. Paulus 170; W. Schmithals, Die Gnosis in Korinth 160 Anm. 2; R. Scroggs, The Last Adam, A Study in Pauline Anthropology, Philadelphia 1966, 87.

[3] Vgl. J. Weiß, 1 Kor 373; J. Jeremias, Artikel »᾽Αδάμ«, in: ThWNT 1,142; R. Scroggs, The Last Adam 86.

[4] Gegen E. Brandenburger, Adam u. Christus 74.

[5] E. Brandenburger, a.a.O. 75.

Adam-Anthropos habe in der christianisierten Gnosis der Korinther Christus eingenommen[1]. Abgesehen davon, daß eine direkte Ergänzung von »Adam« für V.46 wegen des Neutrums nicht in Frage kommen kann, hat W. Schmithals wohl recht mit der Erwiderung, daß eine Gnosis – und darum handelt es sich ja nach E. Brandenburger in Korinth – mit einem Erlösermythos, bei dem der Erlöser als erster Mensch behauptet wird, nicht nachgewiesen werden kann[2]. Eine Näherbestimmung der korinthischen Auferstehungsleugner als Gnostiker läßt sich auf dem von E. Brandenburger eingeschlagenen Wege nicht erreichen[3].

2. Einige Exegeten bevorzugen es, V.45 als Parenthese zu deuten[4]; dann wäre V.46 eng an V.44b anzuschließen, und Paulus würde hier die Priorität eines psychischen Leibes vor dem pneumatischen Leib betonen. Für die Beurteilung der korinthischen Auferstehungsleugner als Gnostiker ergibt sich jedoch auch so kein günstiger Ausgangspunkt: sollten die Korinther, an die Paulus 1 Kor 15 richtet, tatsächlich die Existenz eines pneumatischen Somas behauptet haben[5], das der Mensch jetzt schon unter seinem psychischen Leibe trage, das ihm wesentlicher und eigentlicher und früher eigne als das psychische Soma? Dann hätten die Korinther nicht nur die Auferstehung Toter nicht bestritten (V. 12), sondern sogar die Auferstehung eines pneumatischen Soma behauptet. Das läßt sich allerdings mit 1 Kor 15 nicht vereinbaren. Aber auch die Meinung, die Korinther hätten ein »schon-vollendet« vertreten, eine Auffassung wie 2 Tim 2,16ff.: die Auferstehung ist schon geschehen – eben mit dem pneumatischen Leib, der uns eigen ist –, läßt sich nicht halten; auch dann ist zumindest die Argumentation des Apostels in V.35–47 unerklärlich. Er bemüht sich in diesen Versen doch darum, die *Möglichkeit* eines pneumatischen Soma nachzuweisen, versucht diese von ihm angeführte Möglichkeit eines Auferstehungsleibes mit einer Schrift-

---

[1] A.a.O. 155f.

[2] W. Schmithals, Die Gnosis in Korinth 133; vgl. auch R. Haardt, Die Gnosis, Wesen und Zeugnis, Salzburg 1967, 27. – Daß Paulus hier in seiner Terminologie auf gnostischen, in Korinth geübten Sprachgebrauch zurückgreife, bestreitet neben W. Schmithals auch R. Scroggs, The last Adam XIX. 85f.

[3] Auch die früher vielfach geäußerte Vermutung, Paulus verwerfe in diesen Versen die von Philo her bekannte Theorie der doppelten Schöpfung zweier Adamsgestalten, ist nicht haltbar. So auch W.G. Kümmel, in H. Lietzmann – W.G. Kümmel, 1 Kor 195; ausführlich R. Scroggs, a.a.O. 87,115–122.

[4] So A.E.J. Rawlinson, The New Testament Doctrine of the Christ, London 1926, 129 Anm. 1; vgl. auch E. Schweizer, Artikel »πνεῦμα«, in: ThWNT 6,418; J. Jeremias, Artikel »Ἀδάμ«, in: ThWNT 1,143; R. Scroggs, a.a.O. 87 (er ergänzt allerdings nicht σῶμα, sondern spricht von »existences«).

[5] So E. Schweizer, a.a.O. – Er versucht zu Unrecht, seine These mit einem Hinweis auf 1 Kor 15,29 zu stützen. Diese Stelle beweist keineswegs die Behauptung eines pneumatischen Leibes auf seiten der korinthischen Auferstehungsleugner. Vgl. oben.

stelle zu beweisen (V.45), – wie läßt sich das vereinbaren mit der Vorstellung, die korinthischen Auferstehungsleugner hätten ihrerseits von Anfang an schon die Existenz eines pneumatischen Leibes behauptet. Paulus geht es ja nur in V.46 um die Frage der Priorität; das eigentliche Thema der V.35 bis 49 ist, die Möglichkeit des Auferstehungsleibes als eines pneumatischen zu erweisen. Das kann nicht schon gemeinsame Basis mit den Korinthern gewesen sein.

3. W. Schmithals ergänzt zu V.46 nur ἐστίν. Demnach verneine Paulus eine These, die besagt, das Pneumatische sei (als Prinzip) älter als das Psychische[1]. Nach W. Schmithals stellt V.46 eine Unterbrechung des Gedankenganges dar[2], einen Einschub zwischen V.45 und V.47. Damit entgeht W. Schmithals der Notwendigkeit, σῶμα zu V.46 ergänzen zu müssen, gleichzeitig nimmt er aber V.46 jede Kraft als eine Aussage, welche genau die korinthische Position, die Paulus bekämpfe, trifft; es sei denn, man nähme an, Paulus streife den eigentlichen Punkt der Auseinandersetzung nur mit einem kurzen Einschub, während er mit seinen übrigen Ausführungen an dem eigentlichen Problem vorbeiredet. Vor allem aber ist auch gegen W. Schmithals geltend zu machen, daß Paulus sich von V.35 an darum bemüht, den Nachweis einer pneumatischen Existenz – und zwar somatischer Art – zu führen. Es geht ihm nicht um die Priorität des Pneumatischen vor dem Psychischen; dieser Gedanke wird in V.46 berührt, dann aber nicht mehr aufgegriffen. So ist es an sich unwahrscheinlich, daß die Korinther selbst eine pneumatische Existenz, wenn auch eine körperlose, ihrerseits behauptet hätten. Paulus kämpft hier erst um die Einführung des Begriffes des Pneumatischen als Existenzweise nach dem Tode (daß diese Existenz somatisch ist, gehört zu seinen Voraussetzungen). W. Schmithals erkennt diese Schwäche seiner Lösung selbst: Paulus wendet sich nach seiner Meinung gegen radikale Jenseitsleugner und zwar aus Unkenntnis der wahren Situation. So sieht W. Schmithals sich genötigt, V.46 als Glosse auszuscheiden, da diese Stelle, im Gegensatz zu den sonstigen Ausführungen des Apostels, die korinthische Situation genau treffe[3]. Erstaunlich ist es dann

---

[1] W. Schmithals, Die Gnosis in Korinth 133.159. – U.a. möchte auch H. Conzelmann (1 Kor 342) nur ἐστίν ergänzen; ohne allerdings deswegen den Satz polemisch zu verstehen.

[2] A.a.O. 160 Anm. 2. – Auch E. Lohse sieht in V.46 eine »Nebenbemerkung zu V.45« und hält ihn für eine antignostische Spitze gegen die Vorordnung des Pneumatischen vor das Psychische (E. Lohse, Imago bei Paulus, in: Libertas Christiana, Festschrift f. F. Delekat, München 1957, 131 Anm. 40).

[3] A.a.O. 160 Anm. 2. – Richtig ist es, wenn W. Schmithals die Umstellung von J. Weiß (der V.46 vor V.45 ziehen möchte) ablehnt. Ein ausreichender Grund dafür ist nicht ersichtlich. Die weitere Begründung von W. Schmithals, diese Umstellung sei nicht durchführbar, »weil dann V.45–47 den in V.46 vorgetragenen Gedanken, daß das Pneumatische älter sei als das Psychische, beweisen würden,

allerdings, wie W. Schmithals dennoch diese Verse als Hauptstütze seiner
Beurteilung der korinthischen Leugner als Gnostiker verwerten kann, wenn
er schreibt: »Denn wenn auch an einzelnen Stellen die Annahme einer hyper-
paulinischen Schwarmgeisterei *vielleicht* zur Erklärung ausreichen würde, so
tritt doch in 1 Kor 15,46 der gnostisch-mythologische Hintergrund der
korinthischen Pneumavorstellung klar zu Tage«[1].

4. Anstelle dieser Versuche, V. 46 als eine direkte Verneinung einer gegenteiligen Ansicht bei den korinthischen Auferstehungsleugnern zu verstehen,
bleibt die Möglichkeit, diesen Vers nicht als direkte Polemik zu begreifen:
Paulus präzisiert in V. 46 seine Aussage von V. 44b; hatte er dort neben der
Existenz des psychischen Soma die Möglichkeit eines pneumatischen Soma
behauptet (und mit der Schrift erwiesen), so stellt er nun in einer Nebenbemerkung fest: der Leib, den wir jetzt tragen, das ist noch nicht der pneumatische Leib, der dann das Reich Gottes erben kann (V. 50), sondern dieser
Leib wird erst gegeben. Es ist im Grunde die nämliche Aussage wie in V. 36:
was du säst, das ist nicht schon der Leib, der sein wird, sondern der wird
erst von Gott gebildet. Ebenso scheint in V. 46 die Aussage nochmals betont zu sein: der jetzige Leib muß erst sterben, denn er ist noch nicht der
pneumatische Leib, der an der Auferweckung teilhaben kann; erst nach dem
Tode des psychischen Leibes wird der pneumatische folgen[2].

An dieser Stelle kann die Einzelexegese von 1 Kor 15 abgeschlossen werden. Die Verse 1 Kor 15,48f. 55–58 zeigen keine polemische Absicht[3] und

---

während sie doch nach dem größeren Zusammenhang offensichtlich das Vorhandensein des Pneumatischen *überhaupt* aus der Schrift belegen sollen«, erscheint
irrig, denn V. 46 trägt ja den Gedanken vor, daß das Psychische älter sei; das allerdings will Paulus in der Tat nicht beweisen, sondern es geht ihm wirklich nur um
die Existenz des Pneumatischen überhaupt. E. Brandenburger, Adam und Christus
74 Anm. 4, schließt sich dieser Begründung von W. Schmithals offensichtlich an.
  [1] A.a.O. 160.
  [2] Ähnlich F.W. Grosheide, Commentary on the First Epistle to the Corinthians 387: »V. 46 first of all clarifies the if in V. 44b«; allerdings hält es F.W.
Grosheide auch für möglich, in Korinth sei schon die Existenz eines pneumatischen Leibes behauptet worden. – Keine polemische Auffassung von V. 46 findet
sich z.B. auch bei Ph. Bachmann, 1 Kor 470; J.Chr.K. von Hofmann, 1 Kor 383;
R. Scroggs, The last Adam 87; vgl. auch H. Conzelmann, 1 Kor 342.
  [3] Der Hinweis auf Christus (V. 48 f.), dessen εἰκών wir tragen werden, muß wohl
so verstanden werden, daß die Gläubigen nach der Auferstehung diesem εἰκών
gleichgestaltet werden. In unserem Zusammenhang, da es um den Nachweis eines
pneumatischen Leibes für die Verstorbenen bei der Auferweckung geht, läßt sich
dieser Stelle am ehesten ein überzeugender Sinn abgewinnen, wenn vorausgesetzt
werden darf, daß Paulus dem auferweckten Christus ebenfalls eine Existenz in
pneumatischer Leiblichkeit zugeschrieben hat: daß nach der Auferstehung ein
Leben in pneumatischer Leiblichkeit möglich, ja sogar für die Christusgläubigen
sicher ist, steht für Paulus deswegen fest, weil wir nach der Auferstehung dem
erhöhten Herrn gleichen werden und dieser eben in pneumatischer Leiblichkeit

tragen auch sonst nichts bei für eine Näherbestimmung der korinthischen Auferstehungsleugnung und deren Urheber[1]. Die Verse 1 Kor 15,50–54 werden ausführlicher im folgenden Kapitel behandelt, in welchem versucht werden soll, die Antwort des Apostels auf die Leugnung der Auferstehung in ihrem positiven Gehalt zu umreißen.

---

lebt (gegen E. Güttgemanns, Der leidende Apostel 264–270: »Daß der Erlöser jedoch selbst ein σῶμα πνευματικόν habe, ›denkt‹ Paulus gerade nicht«, a.a.O. 268. Anders I. Hermann, Kyrios und Pneuma, München 1961, 114–122; vgl. auch E. Käsemann, Leib und Leib Christi 166; F.-W. Eltester, EIKON im Neuen Testament, BZNW 23, Berlin 1958, bes. 165. J. Jervell, Imago Dei, Göttingen 1960, 256–271; dort auch weitere Literatur zur Frage). – Daß Paulus mit εἰκών keine korinthische Sprechweise aufgreift, könnte daraus geschlossen werden, daß dieses Wort schon von der Weisheit als hymnisches Prädikat gebraucht wird (Weish 7,26) und seine Beziehung auf Christus in der hymnischen Verwendung – auch schon vor Paulus – seine Wurzel haben dürfte (vgl. R. Deichgräber, Gotteshymnus und Christushymnus in der frühen Christenheit, Untersuchungen zu Form, Sprache und Stil der frühchristlichen Hymnen, Studien zur Umwelt des Neuen Testaments, Göttingen 1967, 182).

[1] Zu V. 56 (Sünde und Gesetz) vgl. bes. O. Kuss, Nomos bei Paulus, in MThZ 17, 173–227 (»Das Unheil ›Sünde‹ übt seine Herrschaft durch den Tod aus...«; a.a.O. 218). – Zur Schlußparänese (1 Kor 15,58) siehe A. Grabner – Haider, Paraklese und Eschatologie bei Paulus, Münster 1968, 42f.

Fünftes Kapitel

DIE AUFERSTEHUNGSLEIBLICHKEIT NACH PAULUS

I. Die Auferstehungsleiblichkeit nach 1 Kor 15

H. Grass kommt nach einer Untersuchung von 1 Kor 15 zu dem Ergebnis: »Man wird also die Neuschöpfung der Auferstehungsleiblichkeit nicht als eine creatio ex nihilo verstehen dürfen, sie ist, was das Ich anbetrifft, eine recreatio. Nur das folgt nicht aus dieser Kontinuität zwischen sterbendem und wiedererstehendem Ich, daß Gott sich bei der Bildung der neuen Auferstehungsleiblichkeit der Elemente der alten Leiblichkeit bedient«[1]. H. Grass glaubt bei Paulus eine Auferstehungslehre finden zu können, welche von »Auferstehung« spricht, dabei aber für dieses »Auferstehungsgeschehen« ganz auf den begrabenen Leib verzichten kann: die Gräber müssen nicht leer werden[2]; dennoch könne man mit Paulus von »Auferstehung« sprechen. – Diesem Ergebnis stehen die Aussagen von 1 Kor 15 entgegen.

---

[1] H. Grass, Ostergeschehen und Osterberichte, Göttingen ³1964, 154. – H. Grass sucht in den Aussagen des Paulus über die allgemeine Totenauferstehung eine Näherbestimmung der paulinischen Vorstellungen über die Auferstehung des Christus. H. Grass sind die Formen, in denen uns die Osterzeugnisse überliefert sind, problematisch: die Zeit, in der die Frage nach dem Mythischen und Legendären in der biblischen Botschaft noch nicht aktuell war, ist vorbei (a.a.O. 273). Seine Untersuchung ist ein Versuch, hinter die *Osterberichte* zurückzufragen, um dahinter ein *Ostergeschehen* zu finden, das nicht legendären Charakter trägt und nicht mythisch ausgesprochen worden war. Er möchte hinsichtlich der Osterberichte keine Trennung aufkommen lassen zwischen Glauben und Wissen (a.a.O. 3), und er meint, man könne den Auferstehungsglauben ernst nehmen, dabei aber die leibliche Auferstehung – und das heißt die Auferstehung des irdischen Leibes – als überflüssig, weil unannehmbar, fallen lassen. – In der vorliegenden Untersuchung über die Auferstehungsleiblichkeit geht es einzig darum, die Vorstellungen des Paulus in ihrer historisch bedingten Form darzustellen. Sie kommt zum Ergebnis: Paulus erwartet eine Auferstehung, die den irdischen Leib mitumgreift. Damit ist kein Urteil gesprochen über eine Christologie oder Soteriologie, welche den Glauben oder gar das Wissen um ein Leer-Werden der Gräber nicht impliziert; Paulus muß aber als Kronzeuge für derartige »Auferstehungs«-Vorstellungen ausscheiden.

[2] Vgl. a.a.O. bes. 185.

1. Die Möglichkeit einer somatischen Auferstehung

Es spricht nichts in 1 Kor 15 dafür, daß etwa die Gegner des Apostels in Korinth die Unsterblichkeit der Seele vertreten hätten anstelle einer leiblichen Auferstehung[1]. Genausowenig läßt sich – wie oben gezeigt wurde – aus dem Text von 1 Kor 15 die Behauptung stützen, in Korinth sei eine gnostische »Auferstehungslehre« verteten worden, die ebenfalls eine leibliche Auferstehung Toter verneinte, zugunsten der Erwartung einer Befreiung des Geistpneumas aus dem Kerker der Materie: Nirgends im ganzen Kapitel sagt Paulus etwa: eure Hoffnung auf ein Weiterleben des Pneumas oder der Seele nach dem Tode ist unzureichend, es muß eine leibliche Auferstehung geben. Nirgends wird überhaupt von einer Seele oder von einem Pneuma als Teil, und zwar entscheidender und überlebender Teil des Menschen gesprochen in 1 Kor 15. Es ist undenkbar, daß Paulus bei seiner ausführlichen Antwort an die Auferstehungsleugner in Korinth deren Meinung nicht einmal erwähnt. Nirgendwo eine Andeutung dahingehend, als hätten die Korinther, welche behaupteten, es gibt keine Auferstehung aus Toten, in Wirklichkeit sagen wollen: »Auferstehung« gibt es schon, nicht aber eine leibliche Auferstehung. Sondern Paulus kennt und nennt immer nur die Alternative: entweder gibt es Auferstehung aus Toten (und die ist somahafte Auferstehung) – oder nach dem Tode gibt es gar nichts:

entweder Auferstehung – oder die Toten sind verloren (V. 18);
entweder Auferstehung – oder ihr seid noch in euren Sünden (V. 17);
entweder Auferstehung – oder wir sind armseliger als alle Menschen (V. 19);
entweder Auferstehung – oder eure Praxis der Totentaufe ist unsinnig (V. 29);
entweder Auferstehung – oder der ganze Einsatz für das Evangelium, die tägliche Lebensgefahr, alles ist umsonst (V. 30–32);
entweder Auferstehung – oder ihr könnt tun und lassen, was ihr wollt (V. 32).

Alle diese Alternativen wären totale Fehlschläge, hätten überhaupt keine Überzeugungskraft, auch nicht als argumenta ad hominem, wenn die Korinther wohl an ein echtes Weiterleben nach dem Tode glaubten, vielleicht sich sogar zu einer »Auferstehung« bekannten, aber eben nur den Leib von der Auferstehung ausgeschlossen wissen wollten[2]: denn Totentaufe hätte doch

---

[1] Das betonen auch E. Percy, Der Leib Christi 12; W. Gutbrod, Die Paulinische Anthropologie 33; J. Schniewind, Die Leugner der Auferstehung 110–113.
[2] Diese Zielrichtung der Argumentation in 1 Kor 15 wird auch von R. Bultmann so beurteilt. Er kommt allerdings dann zum Ergebnis, Paulus habe hier die Korinther mißverstanden (R. Bultmann, Theologie des Neuen Testaments 172).

einen Sinn, wenn das Pneuma oder die Seele weiterlebt nach dem Tode; wir wären nicht die armseligsten aller Menschen – gerade weil wir im Tode befreit werden von den Fesseln des Leibes; warum sollten wir noch in unseren Sünden sein; warum sollte nur ein leibhaft auferstehender Christus durch seinen Tod für uns die Vergebung von Sünden bewirken können; die Toten sind doch nicht verloren. Im Gegenteil, ihr Geistpneuma ist in seine ewige Heimat zurückgekehrt. Alle Argumentation des Paulus in 1 Kor 15 hat nur Sinn, wenn die gegnerischen Auferstehungsleugner tatsächlich eine Auferstehung Toter schlechthin verneinten und dabei nicht die Alternative eines geistigen Weiterlebens ins Spiel gebracht hatten, sondern die von ihnen vorgelegte Alternative lautete: wer vor dem Eintritt der Parusie verstirbt, kann keinen Anteil am Reiche Gottes erwarten: er ist tot, ohne Wiederkehr.

Den korinthischen Gegnern in der Auferstehungsfrage muß es klar gewesen sein wie Paulus selbst, daß es eine neue Existenz nach dem Tode nicht anders geben könne denn als eine somatische Existenz[1]. Für Paulus und offenbar für seine Leser ebenfalls muß dies so selbstverständlich gewesen sein, daß er etwa 1 Kor 6,14 ohne weiteres davon sprechen« kann, daß Gott, der unseren Herrn auferweckt hat, auch »uns« auferwecken wird, obwohl es

---

Ähnlich W. Schmithals, Die Gnosis in Korinth 146–150; K. Wegenast, Das Verständnis der Tradition bei Paulus 61. Die Tatsache, daß die hier durchgeführte Argumentation des Apostels nicht paßt als Antwort auf eine Hoffnung, welche nur den Leib von der Zukunft nach dem Tode ausgeschlossen wissen will, aber dabei doch an ein Weiterleben der Seele glaubt, wurde vielfach beobachtet: Vgl. z.B. F. Godet, 1 Kor 219: es sei angesichts von 1 Kor 15,32–34 zu fragen, »ob nicht der Apostel in diesem ganzen Passus die Auferstehung des Leibes mit der Unsterblichkeit der Seele verwechsle, und ob er nicht an die Leugnung der ersteren diejenigen praktischen Folgerungen knüpfe, welche sich eigentlich nur aus der Leugnung der letzteren ergeben«; ähnlich A. Bisping, 1 Kor 296; C.F.G. Heinrici, Der erste Brief an die Korinther 434; W.M.L. de Wette, Kurze Erklärung der Briefe an die Corinther, Leipzig ²1845, 129.140. – Um dennoch bei den korinthischen Widersachern in der Auferstehungsfrage einen Glauben an die Unsterblichkeit der Seele annehmen zu können, erklärt man meist die zur Frage stehenden Verse so, daß für Paulus die Fortdauer des Geistes, wenn sie als Erfüllung der Heilserwartung geglaubt wird, die Auferstehung des Leibes zur notwendigen Bedingung habe. Ähnlich P. Hoffmann, Die Toten in Christus 245f.: die Verse 1 Kor 15,18f.32–34 erklären sich daraus, daß Paulus sich keinen leiblosen Vollendungszustand denken könne; er hätte zwar bei den Korinthern eine Jenseitserwartung erkannt, »aber von seiner Jenseitsvorstellung aus, die mit der Auferstehungshoffnung unlöslich verbunden ist, diesen erwarteten Zustand der Leiblosigkeit nicht als Heilsgut anerkannt« (a.a.O. 245f.). Dazu oben S. 89–91.

[1] »Es besteht kein Anhaltspunkt dafür, daß auch nur die Gegner die ›griechische Lehre von der Unsterblichkeit der Seele‹ betont hätten« ... »Von diesem Gedanken spricht Paulus vielmehr gar nicht. Beiden Teilen scheint es vielmehr ganz klar gewesen zu sein, daß es eine neue Existenz des Menschen nach dem Tode nicht gebe ohne Leib« (W. Gutbrod, Die Paulinische Anthropologie 33).

im ganzen Zusammenhang nur um den menschlichen »Leib« geht[1]. – Für Paulus existiert der Mensch nicht ohne Leib. Hat er keinen Leib mehr, so ist er eben tot; soll er wieder leben, dann muß er wieder mit seinem Leib und als sein Leib leben. Daran haben offenbar auch die Auferstehungsleugner in Korinth nicht gezweifelt. Jedenfalls läßt sich dafür kein Beweis aus 1 Kor anführen.

Auch im Abschnitt 1 Kor 15,35–58 finden sich keine Hinweise dafür, daß die korinthischen Auferstehungsleugner eben doch ein leibloses Weiterleben anstelle der leiblichen Auferstehung gesetzt hatten und dies mit dem Satz »Auferstehung Toter gibt es nicht« zum Ausdruck bringen wollten. Die Fragen in 1 Kor 15,35: »es wird einer sagen: wie werden die Toten erweckt? Mit welchem Leibe kommen sie?« sind kein Zeugnis für eine »griechische« oder »gnostische« Unsterblichkeitshoffnung. Und es erfolgt hier in der Darlegung des Paulus kein Übergang zu der neuen Fragestellung, ob etwa die Auferstehung leiblich geschehe oder nicht[2]. Wenn Paulus die Korinther fragen läßt: »Mit welchem Leibe kommen sie?«, dann zeigt das bei den Korinthern nicht die Vorstellung einer leiblosen Auferstehung, sondern die Unfähigkeit sich vorzustellen, daß der begrabene und zerfallende Leib nochmals erweckt werden und auferstehen soll. Die Leiblichkeit der kommenden Auferstehung sieht Paulus von den Auferstehungsleugnern nicht ausdrücklich bestritten; das Problem der Korinther lautet vielmehr: wie soll denn angesichts des Todes und der Verwesung eine Auferstehung (die eine leibliche ist) überhaupt möglich sein. Paulus bemüht sich also in 1 Kor 15,35 ff. nicht darum, zu beweisen, *daß* eine leibliche Auferstehung überhaupt möglich ist, sondern darum: *wie* diese leibliche Auferstehung geschehen kann. Nicht das ist das Problem zwischen Paulus und den korinthischen Auferstehungsleugnern, ob die Auferstehung *leiblich* sein wird oder nichtleiblich, sondern ob *überhaupt* eine Auferstehung möglich sein kann, da Auferstehung natürlicherweise den begrabenen Leib, den vielleicht schon verwesten Leib, mitumgreifen muß.

---

[1] Vgl. U. Wilckens, Der Ursprung der Überlieferung der Erscheinungen des Auferstandenen 74: »Die Vorstellung der Auferweckung von den Toten schloß im früh-jüdisch-palästinensischen Judentum – freilich zumeist ganz unreflektiert und unbetont – die Leiblichkeit der Gestorbenen mit ein. Auch Paulus hat sie so verstanden: als Auferweckung aus dem Grabe. Das ergibt sich besonders – abgesehen von 1 Kor 15,12ff. – welcher Abschnitt nur unter dieser Voraussetzung verständlich ist – aus Stellen wie 1 Kor 6,14 und Rö 8,11 und 29...«. – H. Lietzmann, 1 Kor 28 versteht ebenfalls das ἡμᾶς von 1 Kor 6,14 im Sinne von τὰ σώματα ἡμῶν. Anders J. Weiß, 1 Kor 162: der Wechsel zwischen τὸ σῶμα und ἡμᾶς sei eine notwendige Korrektur: Paulus wolle nicht sagen, daß das σῶμα auferweckt wird. Doch ist unter dieser Voraussetzung nicht zu erklären, wieso Paulus dann auf die Auferstehung zu sprechen kommen sollte, wenn er ausgerechnet den Leib, um dessen Ehre es im Zusammenhang geht, davon ausgenommen wissen will.

[2] Vgl. dazu oben S. 98 f.

2. Identität des Auferstehungsleibes mit dem irdischen Leib

Ferner ist zu berücksichtigen: nach den Vorstellungen der paulinischen Anthropologie *hat* der Mensch nicht einen Leib, sondern der Mensch *ist* σῶμα, und er *kann* deswegen *nicht einen anderen* – einen völlig neuen – *Leib haben*, wenn er noch der Mensch bleiben soll, der er vor dem Tode gewesen ist. Der Mensch ist für Paulus wesensgemäß somatische Existenz und wenn das σῶμα des Menschen abgebrochen wird, dann hört die Existenz des Menschen auf. R. Bultmann betont zu Recht: »Der Mensch hat nicht ein σῶμα, sondern er ist σῶμα«, und: es sei die Intention des Apostels, »daß er das spezifisch menschliche Sein als ein somatisches in jenem grundsätzlichen Sinn auch über den Tod hinaus behauptet«[1]. Für Paulus muß daher das Leben nach der Auferweckung ein Leben in einer somatischen Existenzweise sein[2]. Und auferweckt wird darüber hinaus *der* Mensch, der gelebt hat, der z. B. sich für die Verbreitung des Evangeliums gemüht hat und dafür einen Lohn erwarten darf (V. 30f.), *der* Mensch, für den vielleicht eine stellvertretende Totentaufe gespendet wurde (V. 29), der ein mit Christus Entschlafener ist (V. 18): der leibliche Mensch, der sein irdisches Leben lebte, wird auferweckt werden. Das ist nur möglich, wenn er auferweckt wird in der somatischen Existenzweise, die ihm auch vor dem Tode zu eigen war. Dieser Leib des Menschen und damit der Mensch überhaupt muß allerdings dabei eine Verwandlung über sich ergehen lassen; daß ein Auferweckter aber einen völlig anderen Leib tragen wird, das läßt sich aus den Paulusbriefen nicht entnehmen; dieser Vorstellung widerspricht sogar vieles.

---

[1] R. Bultmann, Theologie des Neuen Testaments 195.199. Vgl. W. Gutbrod, Die Paulinische Anthropologie 31–35: »Der Mensch existiert nicht ohne Leib, hat er keinen Leib mehr, so ist er ganz tot, soll er neu leben, so braucht er einen neuen Leib« (33). – Wie man bei diesem Sachverhalt davon sprechen kann, daß dann der Auferstehungsleib des Menschen dennoch ein radikal anderer Leib ist, der mit dem irdischen Leib keinen Zusammenhang mehr aufweist, ist unverständlich. Wenn zugegeben wird, daß der Leib »die Konkretheit und Tatsächlichkeit des menschlichen Daseins und Lebens« bedeutet (W. Gutbrod, a.a.O. 32), dann wäre – wenn Paulus einen Auferstehungsleib lehrt, der mit dem irdischen Leib total nichts mehr gemein hat – auch die konkrete Existenz des jeweiligen Menschen aufgegeben.

[2] Der Gedanke an eine über den Tod hinaus ohne den Leib weiterexistierende Seele findet sich bei Paulus nicht. Hier steht Paulus auf dem Boden alttestamentlicher Vorstellungen: er gründet den Glauben auf das neue Leben nach dem Tode auf nichts, was im Menschen selbst ist, sondern auf Gottes Schöpfermacht. Vgl. zu den alttestamentlichen Jenseitserwartungen: A. Nikolainen, Der Auferstehungsglauben in der Bibel und ihrer Umwelt, Annales Academiae Scientiarum Fennicae, B. XLIX,3, Helsinki 1944, bes. 105–121; K. Schubert, Entwicklung der Auferstehungslehre von der nachexilischen bis zur frührabbinischen Zeit, in: BZ 1962, 177–214; E. Haenchen, Auferstehung im Alten Testament, in: Die Bibel und Wir, Gesammelte Aufsätze 2, Tübingen 1968, 73–90.

Schon wiederholt wurde bemerkt, daß es bei der Exegese von 1 Kor 15,36f. nicht erlaubt und auch nicht möglich sein kann, alle Züge der Bildersprache, die Paulus hier verwendet, für seine Auferstehungserwartungen auszuwerten. Die Auswertung muß vielmehr von der Aussageabsicht der verwendeten Bilder her versucht werden[1]. Über diese Intention der Bilder gehen die Meinungen weit auseinander.

V. 36 wird der Tod als unabdingbare Voraussetzung hingestellt für das Wieder-lebendgemacht-Werden. Paulus geht so weit, zu behaupten, daß eine Neubelebung zur Auferweckung den Tod als Bedingung hat[2]. Er sagt nicht nur, *obwohl* der Same stirbt, wird Gott ihm einen neuen Leib geben[3], sondern: gerade weil er stirbt, und erst dann, wenn er gestorben ist, dann ist an das ζωοποιεῖσθαι zu denken. Ist aber diese Bedingung erfüllt, ist also der Tod eingetreten, den die Korinther so fürchten, weil er anscheinend die ganze menschliche Existenz vernichtet und somit auch jede Hoffnung auf die Teilnahme am Reiche Gottes, dann kann die Wiederbelebung erfolgen; dann wird wieder lebendig gemacht, was gesät wurde, und das ist der Mensch in seiner somatischen Existenz[4]. Dieser V. 36, der vielfach verwendet wird, um bei Paulus die Lehre von einem Auferstehungsleib zu belegen, der totaliter aliter sei als der Leib, der die menschliche Existenz vor dem Tode prägte[5], besagt das Gegenteil: nach dem Tode, wenn die Zeit der Auferstehung gekommen ist, dann wird der Same, der begraben wurde, wieder lebend gemacht, er wird neugeprägt sein, aber nicht etwas völlig Neues. Der Mensch wird ja nicht so ins Gottes Reich eintreten können, wie er ins Grab gelegt wurde: er muß gewandelt werden. Paulus spricht von der Bekleidung mit einem »neuen Leib«[6].

---

[1] Vgl. in neuerer Zeit, P. Hoffmann, Die Toten in Christus 251.

[2] Dazu oben S. 100f.

[3] So etwa H. Grass, Osterberichte und Ostergeschehen 153. – Paulus will also nicht sagen: wenn auch der menschliche Leib stirbt und zerfällt – das macht ja nichts aus, denn Gott wird ihn ja ohnehin beim Vorgang der Auferweckung nicht benötigen, sondern Paulus greift das Problem der Korinther auf, bejaht es und nimmt ihm dann seine Bedeutung: *weil* der Tod eintritt, wird neues leibliches Leben erweckt durch Gott.

[4] Wenn hier Paulus ζωοποιεῖσθαι zur Bezeichnung des Werdens der Pflanze benutzt, so sicher schon im Hinblick auf die Entsprechung in der Auferweckung des Menschen. Es kommt damit die Vorstellung des Apostels von der Auferstehung »als eine leibgebundene schöpferische Neubelebung« zum Ausdruck (H. Schwantes, Schöpfung der Endzeit 59); A. T. Nikolainen, Der Auferstehungsglaube 184: »Dadurch, daß Paulus das Kennwort ζωοποιέω wählte, brachte er gleichzeitig den Gedanken zum Tragen, daß es sich bei der Auferstehung um das neue leibliche Leben *derselben* Person handelt«.

[5] Vgl. H. Grass, Osterberichte und Ostergeschehen 152.

[6] 1 Kor 15,53f.

V. 37: Und was du säst,–
nicht den Leib, der werden soll, säst du,
sondern ein nacktes Korn, zum Beispiel von Weizen
oder irgend etwas anderem.

Was gesät wird, wenn ein Mensch begraben wird, entspricht einem nackten Korn (γυμνὸς κόκκος); nicht aber ist es einfach das, was schließlich daraus werden soll und wird. Dem »nackten Korn« entspricht der ganze Mensch, der begraben wird, nicht nur seine Seele, erst recht nicht der unbeseelte Leib[1]. »Nackt« kann Paulus den Toten nennen, weil er noch nicht in dem Zustand ist, der notwendig ist für die Teilnahme am Reiche Gottes, weil er noch unvollständig bekleidet ist, noch nicht einen pneumatischen Leib trägt[2].

Die Aussage, »nicht den Leib, der werden soll, säst du«, impliziert nicht die Behauptung: also ist der Leib, der begraben wird, völlig verschieden von dem Auferstehungsleib; es ist hier überhaupt nicht gegenübergesetzt: der Auferstehungsleib einerseits und der irdische Leib andererseits, sondern: »Was du säst« (γυμνὸς κόκκος), das ist ja der *ganze Mensch*, nicht nur der irdische Leib. Und dieser ganze Mensch wird nicht ein neuer, anderer, wenn Gott ihn auferweckt, aber er muß anders werden. Wenn von dem Auferstehungsleib gesagt wird, daß er ein σῶμα γενησόμενον ist, also ein Leib, der erst werden soll, dann ist damit dennoch nicht von Paulus ein Auferstehungsleib gelehrt, der völlig verschieden ist von dem Leib, der dem Menschen zu Lebzeiten konstituierender Bestandteil gewesen ist. Paulus denkt sich nicht einen neuen Leib, der existieren kann neben dem Leib des Menschen, mit welchem er begraben wurde und der also im Grabe bleiben kann oder verwesen kann. σῶμα γενησόμενον bezeichnet vielmehr eine neue Bestimmtheit

---

[1] Siehe S. 101 f.
[2] P. Hoffmann, Die Toten in Christus 250–252. – H. Braun hat wohl recht, wenn er urteilt: »Die Verwendung des Topos vom sterbenden und auferstehenden Saatkorn für die Auferstehung der Toten ist, wie dies Theologumenon selber, nichts typisch Christliches. Sie ist es weder in bezug auf das Daß der Analogie noch in der Verwendung der speziellen Antithese ›wenig–viel‹«. Es ist jedoch eine willkürliche Interpretation unserer Stelle, wenn H. Braun dann als Spezifikum der paulinischen Verwendung des Topos vom Samenkorn im Zusammenhang mit der Auferstehung behauptet: »Die Identität von etwa σῖτος qua Same und qua Pflanze bleibt bei Paulus unberücksichtigt«. Die starke Betonung des vorherigen Sterbens (ἐὰν μὴ ἀποθάνῃ) behauptet ja nicht eine totale, irreparable Vernichtung des somatischen Menschen, sondern steht pointiert der korinthischen Problemstellung gegenüber: wie kann angesichts des Todes und der einsetzenden Verwesung noch eine Auferstehung (die leiblich gedacht wurde) erhofft werden (Gegen H. Braun, Das »Stirb und werde« in der Antike und im Neuen Testament, in: Gesammelte Studien zum Neuen Testament und seiner Umwelt, Tübingen ²1967, 142 f.; zuerst veröffentlicht in: Libertas Christiana, Festschrift für Friedrich Delekat, Beiträge zur evangelischen Theologie 26, München 1957, 15 f.).

des *einen* Leibes der menschlichen Person, der stets für den jeweiligen Menschen konstitutiver Wesensbestandteil ist und bleibt, solange und wenn überhaupt dieser Mensch bleiben soll.

Das gilt auch für die Exegese von 1 Kor 15,44a:

V.44a: Es wird gesät ein psychischer Leib,
es wird auferweckt ein pneumatischer Leib.

Auch hier ist es nicht berechtigt, zwei verschiedene Leiber des einen Menschen als paulinische Lehre anzunehmen, sondern auch an dieser Stelle wird die neue Bestimmtheit des *einen* menschlichen Leibes gelehrt: der eine Leib, den der Mensch nicht einfach *hat* und daher vielleicht auch *nicht haben* kann, sondern der den Menschen erst zum jeweiligen Menschen macht, dieser Leib war vorher bestimmt durch das, was Paulus als ψυχικός bezeichnet, und er wird nach der Auferstehung geprägt sein durch das Pneuma. Dieser Aussage einer neuen Bestimmtheit des menschlichen Auferstehungsleibes dienen auch die Verse 1 Kor 15,42f.47f. Die Aussage: wir werden das Bild des Himmlischen tragen (V.49), impliziert keineswegs die Notwendigkeit, den früheren Leib ablegen zu müssen: »wir« sind es, die das eine Mal dem Bilde des Irdischen, später dem Bild des Himmlischen gleichgestaltet werden. Diese Umgestaltung läßt sich ähnlich verstehen wie jene, die über dem Menschen ergeht, der sich zu Christus bekennt und durch die Taufe umgestaltet wird zu einem neuen Menschen – auch ohne deswegen sich trennen zu müssen von seiner bisherigen (leiblichen) Menschlichkeit[1].

Die Verse 1 Kor 15,38–44 dienen dazu, die Möglichkeit eines pneumatischen Leibes darzulegen; wie die tägliche Erfahrung zeigt, gibt es eine Vielzahl von verschiedenen Leibern, bei Tieren, bei Pflanzen und bei Gestirnen. Der Nerv des Gedankenganges ist es, die Mannigfaltigkeit in der Schöpfung aufzuzeigen und daraus dann die Möglichkeit abzuleiten, daß auch der

---

[1] Die Frage nach der Kontinuität zwischen dem Menschen der Auferstehung und dem Menschen vor dem Tode – sie war für Paulus kein Problem – ist damit deutlich beantwortet. Wenn aber behauptet wird, nach der paulinischen Auffassung habe der Auferstehungsleib nichts mehr gemein mit dem Leibe vor dem Tode, dann wird es unmöglich, von einer Kontinuität zu sprechen; es wäre eine Kontinuität bei völliger Diskontinuität (so mit Recht H. Schwantes, Schöpfung der Endzeit 86); auch der Ausweg über eine »rein geschichtliche« Kontinuität (W.G. Kümmel, Römer 7 und die Bekehrung des Paulus, Leipzig 1929, 23) ist nicht gangbar, wenn zugegeben wird, daß menschliche Existenz nicht nur insofern notwendigerweise somatische Existenz ist, weil sie eben überhaupt von einem Leib getragen oder mitgestaltet wird; wenn dieser Leib ein je und je verschiedener sein könnte, dann wäre der Leib eben doch nur ein beliebig auswechselbarer Teil des Menschen und nicht die immer notwendig gleichbleibende Wesenskomponente. Der Mensch könnte dann diesen Leib haben oder auch einen anderen – dann aber auch unter Umständen gar keinen, da er ja offensichtlich den Menschen nicht wesentlich bestimmt.

Mensch mit einem andersartigen Leib, einem pneumatischen, auferweckt werden kann. Der Ton liegt aber auch in diesen Versen nicht darauf, daß Gott ständig beliebig neue Leiber erschafft oder erschaffen kann und demnach dann auch bei der Auferweckung wieder einen ganz anderen menschlichen Auferstehungsleib schaffen kann und wird, der nichts mehr gemein hat mit dem Leib des Menschen, der zu Grabe getragen worden ist, sondern der Ton liegt auf der Bezeugung der zahlreichen Möglichkeiten, wie ein Leib beschaffen sein kann. Selbst die σώματα ἐπουράνια unterscheiden sich durch eine je verschiedene δόξα voneinander. So vermag Gott auch für den Auferstehungsleib des Menschen eine neue δόξα bereitzuhalten, einen Leib, der geprägt ist durch das πνεῦμα (vgl. Röm 8, 11). Die Erschaffung eines Auferstehungsleibes, der radikal verschieden ist von dem irdischen Leib, ist dazu nicht notwendig und wird – jedenfalls an dieser Stelle – von Paulus nicht gelehrt.

Indirekt bezeugen auch die Verse 1 Kor 15,38–44, daß sich Paulus den Auferstehungsleib als identisch mit dem irdischen Leib vorstellt:

V.42: So ist auch die Auferstehung der Toten:
 es wird gesät in Verweslichkeit,
 es wird auferweckt in Unverweslichkeit;
V.43: es wird gesät in Unehre,
 es wird auferweckt in Glanz;
 es wird gesät in Schwachheit,
 es wird auferweckt in Kraft.

Es ist der ganze (wesentlich somatische) Mensch, von dem Paulus sagt, daß er »gesät« wird (vgl. V.36f.) ἐν φθορᾷ, ἐν ἀτιμίᾳ, ἐν ἀσθενείᾳ; und von dem, was »gesät« wurde, sagt er, daß es auch wieder auferweckt wird ἐν ἀφθαρσίᾳ, ἐν δόξῃ, ἐν δυνάμει. Die menschliche Auferstehung wird also bestimmt und neugeprägt durch die Attribute ἀφθαρσία, δόξα, δύναμις. Damit wird der Leib des Menschen ein »neuer Leib«, nicht aber bekommt der Mensch einen radikal anderen Leib[1].

Die Identität des pneumatischen Auferstehungsleibes mit dem Leib des irdischen Lebens wird auch vorausgesetzt für die Darlegung von 1 Kor

---

[1] Test. Benj. 10,8: καὶ ὅλοι ἀναστηθεῖν, οἱ μὲν εἰς δόξαν (καὶ τιμήν), οἱ δὲ εἰς ἀτιμίαν. Zitiert nach C. Burchard, Neues zur Überlieferung der Testamente der Zwölf Patriarchen, in: NTS 12,258. – R.H. Charles, The Greek Versions of the Twelve Patriarchs, Oxford 1908, Nachdruck: Darmstadt 1960, 229 bietet als Text: καὶ οἱ πάντες ἀναστήσονται (bzw. τότε πάντες ἀλλαγησόμεθα) οἱ μὲν εἰς δόξαν, οἱ δὲ εἰς ἀτιμίαν. Da keine sicheren Anzeigen dafür vorliegen, daß die Schrift hier eine christliche Überarbeitung erfahren hat (vgl. R.H. Charles, a.a.O. L) scheint es möglich, daß Paulus in der Beschreibung der Auferstehungsleiblichkeit auf schon bereitliegende Vorstellungen zurückgreifen konnte.

15,50–54. Der Satz οἱ νεκροὶ ἐγερθήσονται ἄφθαρτοι könnte den Eindruck erwecken, Paulus denke sich die Auferstehung so, als komme der Verstorbene bei der Auferweckung mit einem anderen Leib aus dem Grabe heraus[1]. Dem widersprechen allerdings die folgenden Ausführungen:

V. 53: Denn dieses Verwesliche muß anziehen Unverweslichkeit
und dieses Sterbliche Unsterblichkeit.

V. 54: Wenn aber dieses Verwesliche angezogen hat Unverweslichkeit
und dieses Sterbliche angezogen hat Unsterblichkeit,
dann wird eintreffen das Wort, das geschrieben steht:
Der Tod ist verschlungen im Sieg ...

Hier scheint Paulus der Vorstellung sehr nahe zu stehen, die sogar eine Auferstehung in *unveränderter* Leiblichkeit erwartet: der Tote ersteht mit seinem irdischen – noch unverwandelten – Leib, wird allerdings dann unverzüglich ausgestattet mit Unsterblichkeit, Unverweslichkeit[2]. Wieder ist dabei im Auge zu behalten, daß Paulus nirgends von einer leiblosen Seele spricht, die auferweckt wird, daß er nirgends von einer nichtsomatischen Existenzweise des Menschen redet. Was bekleidet wird mit Unsterblichkeit und Unverweslichkeit, ist wieder der Mensch, der in seinem einzigen und stets demselben Leibe existiert und auch erweckt wird, der dann zwar verwandelt werden muß, aber dadurch nicht ein radikal anderer wird[3].

Diesem Befund entspricht die Tatsache, daß Paulus nach 1 Kor 15 für die Noch-Lebenden zwar auch eine Veränderung, eine Verwandlung voraussagt für den Zeitpunkt der Wiederkunft des Christus, daß er aber an einen Austausch der σώματα bei den Überlebenden offensichtlich nicht denkt:

---

[1] So H. Grass, Osterberichte und Ostergeschehen 152.

[2] Zu den vielfältigen Vorstellungen frühjüdischer Auferstehungserwartungen: P. Volz, Die Eschatologie der jüdischen Gemeinde im neutestamentlichen Zeitalter, Tübingen 1934; A. T. Nikolainen, Der Auferstehungsglaube; K. Schubert, Die Entwicklung der Auferstehungslehre von der nachexilischen bis zur frührabbinischen Zeit, in: BZ 1962, 177–214. P. Hoffmann, Die Toten in Christus 26–174.

[3] K. Bornhäuser verwies schon auf die Vernachlässigung des φθαρτὸν τοῦτο in den Kommentaren, die eine Beteiligung des irdischen Leibes am Auferstehungsleib verneinen: »Was könnte übrigens auch mit dem Hinweis auf *dieses* Verwesliche da anders gemeint sein als σάρξ καὶ αἷμα, wo vorausgesetzt ist, daß lebendige Menschen mit Fleisch und Blut dem wiederkommenden Herrn entgegentreten« (K. Bornhäuser, Das Recht des Bekenntnisses zur Auferstehung des Fleisches, Inaugural-Dissertation, Gütersloh 1899, 11). Auch wenn – mit J. Jeremias – τὸ φθαρτόν auf die Verwandlung der schon Verstorbenen bei der Auferweckung der Toten zu beziehen sein sollte, so ist ebenfalls die Beteiligung *dieses* Verweslichen zum Ausdruck gebracht (J. Jeremias, Flesh and Blood cannot inherid the Kingdom of God (1 Kor 15,50), NTS 2, 151–159).

V. 50: Dies aber sage ich, Brüder, daß Fleisch und Blut das Reich Gottes nicht erben kann,
und auch die Verweslichkeit die Unverweslichkeit nicht erbt.

»Fleisch und Blut« (σάρξ καὶ αἷμα) bezeichnen hier nicht den irdischen Leib des Menschen als einen Teil des Menschen, der von der Teilnahme am Reiche Gottes ausgeschaltet werden muß. Das scheint W. G. Kümmel anzunehmen, wenn er schreibt: »Diese Gewißheit des neuen Leibes aber ist deshalb nötig, weil der alte Leib aus Fleisch und Blut nicht zum Gottesreich gehören kann, sondern der Vergänglichkeit anheimfällt, ein Leben ohne Leib aber für Paulus undenkbar ist«[1]. »Fleisch und Blut« meint erst recht nicht die leibliche Substanz (Materie)[2], oder gar den menschlichen Leichnam[3], der nach 1 Kor 15,50 also von der Auferweckung ausgeschlossen sein müßte. Sondern σάρξ καὶ αἷμα umschreibt den ganzen Menschen, der notwendigerweise immer leiblich existiert, und zwar speziell unter der Rücksicht seiner Hinfälligkeit, seiner Gebrechlichkeit, meist in Gegenüberstellung zum erhabenen Gott[4]. Der paulinische Sprachgebrauch weicht hier nicht ab von der Verwendung des Ausdrucks in alttestamentlichen und (später) rabbinischen Texten[5]. Deshalb wird die Wendung an dieser Stelle wohl auch überbeansprucht, wenn man in ihr den Menschen als in Opposition zu Gott stehend gezeichnet sehen will[6], als in völliger Geschiedenheit vom Geist und der Herrschaft Gottes stehend[7]. V. 50 enthält die Feststellung: der Mensch, so wie er jetzt lebt, muß eine Verwandlung über sich er-

---

[1] W. G. Kümmel. Römer 7 und die Bekehrung des Paulus, Untersuchungen zum Neuen Testament 17, Leipzig 1929, 21.

[2] Vgl. etwa E. Teichmann, Die paulinischen Vorstellungen von Auferstehung und Gericht und ihre Beziehung zur jüdischen Apokalyptik, Freiburg und Leipzig 1896, 51 Anmerkung 1: »σάρξ καὶ αἷμα bezeichnen nichts anderes wie σάρξ an sich auch, nämlich den Stoff, aus dem der Mensch besteht«.

[3] Daran scheint H. Lietzmann, 1 Kor 86 zu denken, wenn er 1 Kor 15,50 nur mit dem Satz kommentiert: »V. 50 stellt als Ergebnis fest, daß der jüdische Gedanke einer Auferstehung dieses fleischlichen Leibes abzuweisen ist«.

[4] Vgl. J. Weiß, 1 Kor 377; O. Kuss, Der Römerbrief, Exkurs »Fleisch«, zweite Lieferung Regensburg 1959, 506–540, bes. 507; J. Jeremias, Flesh and Blood 151–159, bes. 152.

[5] Belege bei H. Strack – P. Billerbeck, Kommentar zum Neuen Testament aus Talmud und Midrasch 1, München ³1961, 730f. – Die Wendung findet sich zuerst in Jesus Sirach (Ecclesiasticus) 14,18; 17,31; dann bei Mt 16,17; Gal 1,16; und mit der Umstellung αἷμα καὶ σάρξ Eph 6,12.

[6] So z. B. J. Jeremias, Flesh and Blood 152.

[7] So W. Gutbrod, Die paulinische Anthropologie 97. Vorsichtig ist E. Schweizer, Artikel σάρξ, ThWNT 7,128: »Es ist also zu vermuten, daß sich für Paulus mit σάρξ auch 1 Kor 15,50 nicht bloß der Gedanke an die Vergänglichkeit, sondern auch an die Versuchlichkeit des Menschen verbindet... Doch ist es im Zusammenhang nicht gesagt, daher läßt es sich nicht beweisen«.

gehen lassen, bevor er der Teilhabe am Reich Gottes fähig ist. Dabei gibt
aber σάρξ καὶ αἷμα nicht eigentlich die Begründung an für die notwendige
Umgestaltung – sie folgt erst in V. 51–54 –, wenngleich die Wahl des Ausdrucks σάρξ καὶ αἷμα natürlich schon signalisiert, warum der Mensch, so wie
er jetzt lebt, nicht einfach unverändert bleiben kann: er ist der Vergänglichkeit unterworfen, steht unter der Macht des Todes, die ja von Paulus als
widergöttlich vorgestellt wird[1]. Erst insofern impliziert σάρξ καὶ αἷμα eine
Distanz von Gott. Diese Bestimmtheit des Menschen wird beendet und geändert bei der Parusie des Christus.

> V. 51: Sieh, ein Geheimnis sage ich euch:
>   alle werden wir nicht entschlafen,
>   alle aber werden wir verwandelt werden.
> V. 52: Im Nu, in einem Augenblick, bei der letzten Posaune;
>   denn die Posaune wird tönen
>   und die Toten werden auferweckt werden unverweslich,
>   und wir werden verwandelt werden.

Auch die Wortbedeutung von ἀλλάσσω verbietet es, an einen Austausch
der irdischen Leiblichkeit beim Eintritt in das Reich Gottes (1 Kor 15,50)
zu denken[2]. Die Verwandlung hat die ἀφθαρσία zur Folge, und sie entspricht
dem Geschehen der Auferweckung bei den Verstorbenen. Das μυστήριον,
das Paulus hier ausspricht, könnte als Inhalt an sich auch nur den Zeitpunkt
der notwendigen Verwandlung der Noch-Lebenden haben (beim Ertönen
der Gerichtsposaune)[3]. Wahrscheinlicher ist es jedoch, daß der Apostel hier
ein Detail der Zukunftserwartung mitteilt, das bisher nicht ausdrücklich
Gegenstand seiner Verkündigung war: eben die Notwendigkeit der Verwandlung auch der Lebenden und zwar schon in dem Augenblick, der die
Endereignisse einleitet[4]. V. 51 könnte nahelegen, daß Paulus die Aussage des
»Auferwecktwerdens« unter die Vorstellung vom »Verwandeltwerden« mit-

---

[1] Mit A. Sand, Der Begriff »Fleisch« in den paulinischen Hauptbriefen 153 f.:
»Nicht weil der Mensch ›Fleisch und Blut‹ ist, ist er vom Reiche Gottes ausgeschlossen, sondern weil er als ›Fleisch und Blut‹ in der Macht des Todes, die von
Paulus als widergöttlich gedacht ist, steht, kann er das Reich Gottes nicht erben«.
[2] Vgl. dazu F. Büchsel, Artikel ἀλλάσσω, ThWNT 1,252.
[3] J. Jeremias, Flesh and Blood 159: »This, then, seems to be the mystery, the
new revelation: the change of the living and the dead takes place immediately at
the parousia«.
[4] H. Lietzmann, 1 Kor 86; J. Weiß, 1 Kor 378. – Im Begriff μυστήριον liegt nicht,
daß hier etwas von Paulus mitgeteilt wird, »das weder den Lesern noch ihm vorher
bekannt war« (J. Weiß, a.a.O.), sondern μυστήριον kennzeichnet die Aussage als
apokalyptische Erkenntnis und sagt von dem kommenden Geschehen, »daß es in
Gottes Rat beschlossen« ... »und mit göttlicher Notwendigkeit sich erfüllen werde«
(mit G. Bornkamm, Artikel μυστήριον, ThWNT 4,829).

einbegreifen konnte: ἀλλαγησόμεθα πάντες[1]. Damit ist genaugenommen eine
Aussage sowohl über die Entschlafenen, wie auch über die Noch-Lebenden
gemacht, und es könnte der Eindruck entstehen, als müßten auch die Verstorbenen nach der Auferstehung noch eine Verwandlung über sich ergehen
lassen. Dem widerspricht jedoch V. 52. Hier ist ja der Prozeß der Verwandlung deutlich abgehoben von dem Geschehen der Auferweckung[2]. Man
muß also doch wohl πάντες etwas ungenau als »alle, die wir übrigbleiben
werden«, fassen[3]. Dabei verbietet es der von Paulus gewählte Terminus
ἀλλαγησόμεθα, dieses Geschehen an den Lebenden bei der Parusie als ein
»Sterben« zu umschreiben[4]. Genau das bestreitet ja Paulus auch schon V. 51:
alle werden wir *nicht* entschlafen! Der Eintritt ins Reich Gottes kann ohne
einen totalen Bruch mit der irdischen Existenz geschehen.

Bestätigt wird diese Auffassung durch V. 53f. Paulus spricht hier nicht
von einem vorherigen Ausziehen der irdischen Leiblichkeit oder dem Ablegen alles dessen, was den Menschen bisher ausmachte. Das liegt weder im
Wortsinn von ἐνδύεσθαι, noch ist es berechtigt, mit den Worten φθαρτόν und
θνητόν einfach die ganze, notwendigerweise somatische, menschliche Existenz umschrieben zu sehen[5].

Aus 1 Kor 15 läßt sich somit für die paulinische Lehre von der Auferstehungsleiblichkeit entnehmen: Der Auferstehungsleib ist nach Paulus
nicht mehr σαρκικός, nicht mehr bestimmt von der Macht der Gottferne,
sondern ist geprägt von dem göttlichen Pneuma. So lehrt Paulus wohl eine
neue Auferstehungsleiblichkeit, nicht aber einen neuen Auferstehungsleib,
der radikal ein anderer ist als jener, der des Menschen irdische Existenz
bestimmte. Die Auferweckung der Toten setzt für Paulus das Leerwerden
der Gräber voraus[6].

---

[1] J. Jeremias, a.a.O. 159: »the change of the living and the deads takes place
immediately at the parousia«.

[2] Hier könnte man höchstens – das wäre dann der Aussage von V. 51 genau entgegengesetzt – das Verwandeltwerden als eine Art der Auferstehung bezeichnet
sehen; mit καὶ ἡμεῖς wäre die Verwandlung der Lebenden dann eng an die Auferweckung der Toten angeschlossen.

[3] Mit J. Weiß, 1 Kor 378.

[4] So etwa A. T. Nikolainen, Der Auferstehungsglaube 200.

[5] Das betont mit Recht F. Guntermann, Die Eschatologie des Hl. Paulus 191.

[6] Nicht mit der gleichen Sicherheit läßt sich diese Feststellung zugegebener-
maßen treffen angesichts von 2 Kor 5, 1–11. Dazu unten, S. 129–160.

1. Die Situation in Thessalonich

Der konkrete Anlaß zur Abfassung von 1 Thess 4, 13–18 ist die Trauer in der Gemeinde über das Schicksal ihrer Toten. Auf welche Weise Paulus davon Kenntnis erhalten hat, läßt sich nicht ausmachen. Nicht mit letzter Sicherheit läßt sich den Worten des Apostels auch entnehmen, welches Los die Thessalonicher für ihre Verstorbenen erwartet haben. Dachten sie, wer vor der Parusie stirbt, für den ist die Möglichkeit, in den Besitz der Heilsvollendung zu kommen, zunichte geworden? Oder fürchteten sie nur, die Verstorbenen könnten in irgendeiner Weise zu kurz kommen, etwa weil sie erst später (durch Auferstehung) der Vollendung teilhaft würden, während die Noch-Lebenden unmittelbar bei der Parusie schon in die Heilsfülle eintreten dürfen?

1 Thess 4, 13 legt nahe, daß bei den Thessalonichern eine vollständige Hoffnungslosigkeit gegenüber dem Schicksal ihrer Toten um sich gegriffen hatte[1]:

V. 13: Wir wollen aber euch nicht in Unkenntnis lassen, Brüder, über die Entschlafenen,
   damit ihr nicht trauert, wie die übrigen, die keine Hoffnung haben.

Andererseits möchte man aus V. 15–17 entnehmen, in Thessalonich fürchtete man nur, die schon Entschlafenen würden bei der Parusie des Christus und beim Beginn der Heilszeit (zeitlich) benachteiligt; die Noch-Lebenden wären ihnen gegenüber (zeitlich) im Vorteil[2]:

V. 15: Denn das sagen wir euch als ein Wort des Herrn,
   daß wir, die wir leben, die wir bis zur Wiederkunft des Herrn übrigbleiben, den Entschlafenen nicht zuvorkommen werden.

---

[1] Vgl. P. W. Schmiedel, Hand-Commentar zum Neuen Testament II, Freiburg–Leipzig ²1893, 29; E. von Dobschütz, Die Thessalonicherbriefe, Meyer K, ⁷Göttingen 1909, 183.187; W. Lütgert, Die Vollkommenen im Philipperbrief und die Enthusiasten in Thessalonich, BFTh XII, 6, Gütersloh 1909, 78–81; W. Hadorn, Die Abfassung der Thessalonicherbriefe in der Zeit der dritten Missionsreise des Paulus, BFTh XXIV, 3.4, Gütersloh 1919, 50–52; F. Guntermann, Die Eschatologie des Hl. Paulus, 36–47; M. Dibelius, Die Thessalonicherbriefe, HNT 11, Tübingen ³1937, 23f.; A. Oepke, Der erste Brief an die Thessalonicher, NTD 8, Göttingen ¹¹1968, 172.

[2] Vgl. z.B. K. Deißner, Auferstehungshoffnung 10–16; J.E. Frame, The Epistles of St. Paul to the Thessalonians, ICC, Edinburgh 1912, 164; P. Hoffmann, Die Toten in Christus 208–212.

Zur näheren Bestimmung der konkreten historischen Situation, in welche Paulus diese Verse schrieb, können einige Beobachtungen dienlich sein:

a) Die Trauer in der Gemeinde bezieht sich auf den – ihrer Meinung nach – zu frühen Tod von Gemeindemitgliedern: Das neutrale κοιμώμενοι von V. 13 wird in V. 16 präzisiert durch οἱ νεκροὶ ἐν Χριστῷ[1]. Daß in Thessalonich auch in der kurzen Zeit des Bestehens dieser Gemeinde bis zur Abfassung des Briefes schon einige (wenige) Christusgläubige verstorben sein können, bereitet keinerlei Schwierigkeiten. Es ist nicht notwendig, wegen der Erwähnung von Todesfällen gleich an Martyrien zu denken[2]; erst recht kann diese Tatsache nicht für eine Spätdatierung von 1 Thess herangezogen werden.

b) Das Problem, mit dem sich Paulus auseinandersetzt, ist nicht der Tod und das Sterben an sich, sondern der für die Gläubigen offenbar akut gewordene und wohl überraschenderweise akut gewordene Fall, daß noch vor der Parusie Gläubige gestorben sind. Die Antwort des Apostels ist ausgerichtet auf die Frage: Was geschieht mit den verstorbenen Gemeindemitgliedern bei der Parusie?

c) Die Haltung der Thessalonicher wird in V. 13 beschrieben: sie trauern, wie die übrigen, die keine Hoffnung haben[3]. Die οἱ λοιποί sind, wie die οἱ ἔξω von 1 Thess 4, 12, die nicht an Christus Glaubenden. Die Gläubigen sind demgegenüber charakterisiert als solche, die Hoffnung haben, und das meint wohl: nicht einfach irgendeine Hoffnung über den Tod hinaus, sondern Hoffnung auf Rettung vor dem drohenden Gericht und Hoffnung auf die Heilsfülle, welche für sie mit dem Tag der Parusie anbrechen wird[4]. Ist

---

[1] Zur Bestimmung der κοιμώμενοι als verstorbene Gläubige kann aber nicht die Gegenüberstellung von ὑμεῖς und οἱ λοιποί (V. 13) dienen, wie P. Hoffmann, a.a.O. 209 anzudeuten scheint; dadurch ist nicht ausgeschlossen, daß Christen um ihre nicht-gläubig verstorbenen Angehörigen trauerten. Dagegen kann V. 15 wohl nur von verstorbenen Christen gesagt werden: »Gott führt sie zusammen mit Christus.« – Zur Frage der Auferstehung von Nichtchristen bei Paulus vgl. H. Molitor, Die Auferstehung der Christen und Nichtchristen nach dem Apostel Paulus, NTAbh XVI, 1 Münster 1933.

[2] W. Hadorn, Die Abfassung der Thess. Briefe 34: »Es müßte ein merkwürdiger Zufall gewesen sein, wenn innerhalb weniger Wochen nach der Gemeindegründung Gemeindemitglieder gestorben wären. Da müßte man beinahe an Martyrien denken«.

[3] Vgl. W.G. Kümmel, Das literarische und geschichtliche Problem des ersten Thessalonicherbriefes, in: Heilsgeschehen und Geschichte, Gesammelte Aufsätze 1953–1964, 416 (zuerst erschienen in: Neotestamentica und Patristica, Freundesgabe für O. Cullmann, hrsg. von W.C. van Unnik, Novum Testamentum Suppl. VI, Leiden 1962, 226).

[4] Vgl. M. Dibelius, 1 Thess 24; P. Hoffmann, Die Toten in Christus 209f. – Die Trauer der Thessalonicher ist *inhaltlich* gleich bestimmt wie die Trauer der »Übrigen«; darauf weist das καθὼς καί, vor allem aber das Fehlen der speziellen

also die Trauer der Thessalonicher in diesem spezifischen Sinn auf den Verlust dieser Hoffnung zurückzuführen, so fürchteten sie, daß die Toten bei der Parusie des Herrn nicht dabeisein könnten, daß sie – eben weil sie tot waren – ausgeschlossen seien von dem Heil; daß sie in diesem Sinne »ἀπολλύμενοι« (1 Kor 15,18) sind.

d) Ob die Thessalonicher gegenüber dieser Erwartung des Heiles bei der Parusie noch eine andere Alternative kannten als eben das totale Vergehen der Toten, läßt sich nicht ausmachen[1]: Jedenfalls war das Schicksal, das sie für ihre Toten fürchteten, Anlaß zu Trauer, wie sie eben den Heiden bei Todesfällen eigen war: entweder erwartete man ein trauriges Schattendasein oder den totalen Untergang[2].

e) Demgegenüber könnte V. 15 darauf hinweisen, daß die Thessalonicher für die Verstorbenen letztlich doch die Erreichung der Heilsvollendung erhofften; daß sie aber sich ängstigten, die Toten könnten verspätet in ihren Besitz gelangen. Diese Auffassung stützt sich auf das οὐ μὴ φθάσωμεν: will Paulus nur versichern, wir, die noch Lebenden, sind zeitlich nicht bevorzugt? V. 15 wäre dann die Korrektur einer falschen Auffassung von der Auferstehung der Toten[3]. Doch würde solcher Glaube der Thessalonicher, der also wohl eine Auferstehung der Toten erwartete, sie nur gewissermaßen zu spät ansetzte, nicht die Charakterisierung von V. 13 berechtigen: Trauer, wie sie denen eigen ist, die nicht die christliche Hoffnung auf Rettung und Heil haben[4]. Wahrscheinlicher ist: die Thessalonicher glaubten, »die Teilnahme am demnächst zu errichtenden messianischen Reiche war ihnen, den zuvor Weggestorbenen, versagt«[5]; das bedeutet nichts anderes als einen Verzicht auf die Erwartung der Auferstehung[6].

---

christlichen Zukunftshoffnung, das die Christen dann in ihrer Trauer um die Toten den Heiden wieder gleichstellt. Vgl. bes. E. v. Dobschütz, Thess 187f.

[1] Auferstehungsloser Tod muß nicht unbedingt mit Annihilation zusammenfallen (P. Hoffmann, a.a.O. 246); doch Paulus fragt in seinen Briefen nicht nach einem Weiterbestehen der Existenz. Vielmehr ist ihm die Verwerfung und der Heilsverlust einfach das Ende jeder Hoffnung. Vgl. dazu unten S. 196f.

[2] Belege bei E. v. Dobschütz, Thess 189 Anm. 2; E. Rohde, Psyche, Seelencult und Unsterblichkeitsglaube der Griechen II, Tübingen ²1907, 379f.

[3] Die Auslegung von W. Lütgert: »Das Zurückbleiben der Verstorbenen hinter den Überlebenden besteht also darin, daß die Verstorbenen überhaupt nicht ins Himmelreich hineinkommen« (Die Vollkommenen 80) wird der Wortbedeutung von φθάνω nicht gerecht. Der Sinn der Aussage ist: wir Lebenden werden nicht an das Ziel kommen vor den Verstorbenen.

[4] So bes. P.W. Schmiedel, a.a.O. 29; W. Lütgert, a.a.O. 78f.; W. Schmithals, Die historische Situation der Thessalonicherbriefe, in: Paulus und die Gnostiker, Theologische Forschung 35, Hamburg-Bergstedt 1965, 117.

[5] H. J. Holtzmann, Lehrbuch der historisch-kritischen Einleitung in das Neue Testament, Sammlung Theologischer Lehrbücher, Freiburg ²1886, 235.

[6] W. Lütgert, a.a.O. 79. – P. Hoffmanns Behauptung, »Aufschluß über die Ur-

Dieser fehlende Glaube an die Auferstehung der Toten bei der Wiederkunft des Christus wurde gelegentlich auf die Unkenntnis der Thessalonicher zurückgeführt: Paulus habe bei seinem kurzen Wirken in der Gemeinde davon nicht ausdrücklich gesprochen; das sei erklärlich, »wenn Paulus in allernächster Zeit die Parusie erwartete, wenn der Tod vor der Parusie und damit die Auferstehung bei derselben nur eine ganz fern liegende Möglichkeit war«[1]. Diese Erklärung muß jedoch daran scheitern, daß für Paulus nach mehrjähriger Missionstätigkeit die Frage der vorzeitig verstorbenen Gläubigen schon zu einem Problem geworden sein mußte, das sich ihm nicht erst durch die Todesfälle in Thessalonich gestellt haben kann. Andererseits ist nicht zu leugnen, daß es mit der Zeit brennender wurde und nach einer besser durchdachten Lösung verlangte[2]. Sonderfälle in dieser Hinsicht waren wohl die möglicherweise vereinzelt vorgekommenen Martyrien; in einzelnen Fällen mag auch der Tod eines Gläubigen als Strafe – die den Verlust des zugesicherten Heils in sich schloß – verstanden worden sein (vgl. 1 Kor 10,8–13; 11,30f.). Dennoch ist es kaum glaubhaft, daß eine Missionspredigt des Paulus, die zur Gründung von Gemeinden führte, nicht auch die Lehre von der Auferweckung der Toten zum Gegenstand hatte. Wahrscheinlicher ist, daß dieser Punkt der apostolischen Verkündigung unter dem Übergewicht der ungläubigen Umwelt und des jeder Auferstehungshoffnung widersprechenden Augenscheins von der Vernichtung des leiblichen Menschen, keinen Platz im lebendigen Glauben der Gemeinde behaupten konnte: hinsichtlich der Trauer um die Verstorbenen waren sie zurückgefallen in den Unglauben der »Übrigen, die keine Hoffnung haben«. Hinweise, die auf eine Spiritualisierung der Auferstehungshoffnung in Thessalonich deuten, lassen sich nicht aufzeigen[3]. Auch wäre unter solchen

---

sachen der Beunruhigung können erst die Verse 14–17, bes. Vers 15 geben; Vers 13 ist nicht als ihnen gleichwertig anzusehen« (a.a.O. 212) ist Willkür. Die Bedeutung von V. 13 kann nicht nur sein, daß »Paulus veranschaulicht an dem für Heiden typischen Trauern, daß dieses nicht zu Christen gehört« (a.a.O. 212), sondern er zeigt, daß die Gemeinde tatsächlich tat, was sie als Christen nicht hätten tun dürfen: trauern um die Toten, wie Heiden. So auch U. Luz, Das Geschichtsverständnis des Paulus, München 1968, 319f.

[1] So z.B. M. Dibelius, 1 Thess 23; F. Guntermann, Eschatologie 43f.; U. Wilkens, Der Ursprung der Überlieferung der Erscheinungen des Auferstandenen 58f.

[2] Insofern ist der Gedanke nicht einfach von der Hand zu weisen, daß mit V. 14–17 eine rudimentäre Unterweisung über das Geschehen einer Totenauferstehung gegeben sein könnte.

[3] W. Lütgert vermutete, hinter der Trauer um die Verstorbenen werden »Verführer der Gemeinde« sichtbar, welche weniger in einer negativen Aussage die Auferstehung Toter verneinten, als vielmehr mit der positiven Behauptung auftraten, die Auferstehung sei schon geschehen. W. Lütgert glaubt, dies 2 Thess entnehmen zu können (Die Vollkommenen 80f.). Ähnlich W. Schmithals, Die histo-

Umständen wiederum die in V. 13 als Situation angegebene Trauer um die Toten nicht verständlich zu machen[1].

2. Die Aussagen von 1 Thess 4,13–18

Diese Situation vorausgesetzt, ist es verständlich, wenn Paulus hier keine ins einzelne gehenden Angaben über den *Vorgang* der Auferweckung gibt. Er spricht von der Beteiligung der Toten am Geschehen der Parusie. Dennoch lassen sich auch aus 1 Thess 4, 13–18 einige vorsichtige Schlüsse ziehen für die paulinischen Vorstellungen vom Vorgang der Auferstehung und von der Auferstehungsleiblichkeit.

a) Die Auferweckung der Toten erfolgt vor der Ankunft des Christus: οἱ νεκροὶ ἐν Χριστῷ ἀναστήσονται πρῶτον. Das πρῶτον steht betont gegen die Hoffnungslosigkeit der Thessalonicher: die Auferstehung wird sogar das erste sein, was sich ereignet, wenn Gott das Zeichen zur Wiederkunft gibt; sogar noch vor den Lebenden werden die Toten für die Einholung des wiederkehrenden Christus bereitgemacht[2]. Gegenüber dem ἀναστήσονται von V. 16 ist die Wendung ἄξει σὺν αὐτῷ in V. 14 allgemeiner und unbestimmter[3]. Es ist ein Ausdruck, der sonst für die Beschreibung der eschatologischen Ereignisse keine Verwendung gefunden hat[4]. V. 14 betont vor allem, daß

---

rische Situation der Thessalonicherbriefe 118: »Innerhalb der Gemeinde konnte die Auferstehungsleugnung darum nur in Verbindung mit einer spiritualistischen Jenseitshoffnung auftreten, und das legt nahe, W. Lütgert recht zu geben, und auch hinter der Auferstehungsleugnung in Thessalonich jene gnostische Agitation zu erkennen, die uns vor allem aus 1 Kor 15 bekannt ist, sich aber mit einiger Wahrscheinlichkeit auch für Philippi und Galatien erschließen läßt«.

[1] W. Schmithals gesteht zu, daß gnostisch verursachte Auferstehungsleugnung nie Anlaß zu einer Trauer sein könnte, wie sie V. 13 signalisiert. Er verfällt auf den Ausweg: so wie Paulus, nach 1 Kor 15 zu urteilen, einmal die gnostische Auferstehungsleugnung als radikale Jenseitsleugnung mißverstanden hat (vgl. dazu aber oben S. 29f), so konnten in diesem Falle die betroffenen Gemeindemitglieder (in Thessalonich) selbst über den eigentlichen Sinn der ihnen von Irrlehrern eingeredeten Auferstehungsleugnung nicht im klaren gewesen sein. So unwahrscheinlich diese Konstruktion in sich selbst auch ist, so würde sich an der Begründung der Trauer dadurch nichts ändern: sie halten ihre Toten für unwiederbringlich verloren.

[2] πρῶτον steht also nicht als Gegensatz zu »später«, sondern als betonte Zurückweisung eines »überhaupt nicht« von Seiten der Thessalonicher.

[3] Mit K. Deißner, Auferstehungshoffnung 13, Anm. 3; P. Hoffmann, Die Toten in Christus 217.

[4] Vgl. W. Bauer, Wörterbuch 27f., s. v.; H.G. Lidell–R. Scott, A Greek-English Lexicon I, 1951 (Neudruck der neunten Aufl.), 17f., s. v. – Der Bruch in der Konstruktion von V. 14 könnte mit E. v. Dobschütz erklärt werden: »Paulus will für die Konsequenz nicht den Eindruck der Ungewißheit aufkommen lassen,

die Auferweckung der verstorbenen Gläubigen zurückzuführen ist allein auf Gottes Macht, so wie auch die Auferstehung des Christus, und er sichert in einer nicht speziell auf die Auferweckung weisenden Formulierung den Thessalonichern zu,»daß Gott den Entschlafenen das Geschick Jesu (nämlich die Auferweckung) widerfahren läßt«[1]. Diese allgemeine Aussage wird verdeutlicht und begründet in den folgenden Versen, schließlich auch mit dem speziellen ἀναστήσονται von V. 16. Der Hinweis auf den auch gestorbenen und dann auferweckten Christus zeigt das Problem der Gemeinde und den Hauptgedanken der paulinischen Antwort: Die Toten sind nicht verloren, sondern in Gemeinschaft mit Christus und auf Grund der gleichen schöpferischen Auferweckung durch Gott werden sie mit Christus teilhaben an der Fülle des Heils (vgl. 1 Thess 5,10).

b) Die Wiederkunft des Herrn erfolgt auf diese Erde herab[2]. Die Auferweckten werden zusammen mit den noch Lebenden dem Herrn entgegenziehen, ihm in den Lüften begegnen und ihn einholen auf die Erde, wo er das Reich Gottes aufrichten wird[3]. Die Beschreibung des Entgegengehens der an Christus Glaubenden mit ἁρπάζειν ist apokalyptischer Sprachgebrauch[4]. Eine Verwandlung der Leiblichkeit der so Entrückten ist damit

---

den die hypothetische Form der Prämisse hervorrufen kann« (E. v. Dobschütz, Thess 190). Denkbar ist es aber auch, daß die Formulierung dadurch verursacht ist, daß Paulus in 14a eine ihm überkommene formelhafte Wendung zitiert (vgl. W. Kramer, Christos, Kyrios, Gottessohn 25.28) und nun in V.14b zu der ihm näherliegenden und für den Anlaß wichtigen Wendung zurückgreift: *Gott* ist es, der auch die Toten auferweckt. – Wenn P. Hoffmann (a.a.O. 217f.) meint: »ἄξει σὺν αὐτῷ sagt Paulus statt ἐγείρει σὺν αὐτῷ, weil es ihm auf die Parusie ankommt« und Paulus damit genau das Anliegen der Thessalonicher treffe, eben ein Zuspät-Kommen der Verstorbenen, dann ist das deswegen nicht überzeugend, weil eine Wendung mit ἐγείρειν nicht weniger auf die Parusie und das Anliegen der Thessalonicher gepaßt hätte, auch unter den Voraussetzungen, die P. Hoffmann für die Gemeinde von Thessalonich annimmt.

[1] K. Deißner, Auferstehungshoffnung 14.

[2] Gegen W. Hadorn, Die Abfassung der Thess. Briefe 53f.: »Die Angehörigen Jesu machen keine Luftreise zur Begegnung des Herrn, um dann wieder mit ihm herabzukommen. Vielmehr kommt er ihnen entgegen, um sie dann nach der Begegnung einzuführen in sein Reich« (a.a.O.54). – Tatsache ist, daß Paulus eine detaillierte Schilderung des Endzustandes unterläßt. Dennoch läßt die Verwendung von ἀπάντησις (einholen) es als sicher erscheinen, daß an eine Rückkehr auf die Erde gedacht ist. Belege für ἀπάντησις als »Einholung« bei B. Rigaux, 1 Thess 548f.; M. Dibelius, 1 Thess 28; P. Hoffmann, a.a.O. 226. Vgl. dazu auch O. Kuss, Der Römerbrief, Erste und zweite Lieferung, Regensburg 1957/1959, Exkurs »Mit Christus«, bes. 320.321.

[3] Vgl. Apg 8,39; Apk 12,5. – Siehe dazu W. Foerster, Artikel ἁρπάζω, in: ThWNT I, 471–474.

[4] Gegen H. Grass, Ostergeschehen und Osterberichte 151: »so mythologisch auch die ganze Vorstellung von der Entrückung der Entschlafenen und der Überlebenden in die Luft dem Herrn entgegen ist, so läßt sie sich doch als Ausdruck der

nicht ausgesagt oder gefordert[1]: 2 Kor 12, 2–4 spricht Paulus ausdrücklich von der Möglichkeit einer Entrückung (ἁρπάζω) im Leibe (ἐν σώματι). Ebensowenig fordert der Hinweis auf die Entrückung auf den Wolken eine vorherige Verwandlung oder Vergeistigung; die Wolken sind einfach *das* Gefährt der apokalyptischen Vorstellungen[2]. Nach der Beschreibung von 1 Thess 4, 13–18 erfolgt die Auferstehung der Toten nicht aus dieser Welt hinaus, sondern wieder zurück auf diese Erde. Auch Christus kommt bei der Parusie auf diese Welt zurück. Wenn diese dann ebenfalls neugestaltet werden muß, so ist doch zu bedenken, daß das Problem, das heute vielfach zur Ablehnung einer Auferstehungsleiblichkeit, welche den irdischen Leib mitumschließt, führt, für Paulus einfach nicht existiert: durch die Auferstehung wird nach seinen Vorstellungen unsere Raum-Zeit-Welt nicht verlassen. Eine Veränderung der Leiblichkeit unter irgendeiner derartigen Rücksicht kann ihm kein Anliegen sein. Da andererseits die sarkische Bestimmtheit des Menschen, die ihn in Widerspruch setzt zu Gott und ihm somit den ungewandelten Eintritt in die βασιλεία τοῦ θεοῦ verwehrt, nicht an den Leib des Menschen geknüpft ist[3], so besteht auch kein Anlaß, den Leib des Menschen auszuwechseln gegen einen anderen Leib. Für Paulus stellt sich das Problem der Verwandlung für den *ganzheitlichen* – nicht aus sündigen und unsündigen Teilen zusammengesetzten – Menschen, und dieser wird neu durch das göttliche πνεῦμα.

Von der Vorstellung der Verwandlung des Leibes wird allerdings gerade in 1 Thess 4, 13–18 nicht gesprochen. Die Toten werden auferweckt, und mit den »Übriggebliebenen« zusammen werden sie mit Christus leben (1 Thess 5, 10)[4]. Damit tritt dieser Text zweifellos in eine gewisse Spannung zu 1 Kor 15 und erst recht zu 2 Kor 5, 1–10. Zur Erklärung verweist man gerne auf die andersgeartete Fragestellung der Gemeinden in Thessalonich, bzw. in Korinth. Jedoch scheint demgegenüber die Grundhaltung der Thessalonicher die gleiche gewesen zu sein wie diejenige der korinthischen Auferstehungsleugner: sie erwarten alles Heil von der Wiederkunft des Herrn. Wer diese nicht erlebt, hat keinen Anteil am Gottesreich, und die Vorstellung einer Totenauferstehung hat in ihrer Zukunftserwartung keinen Platz.

---

völligen Andersartigkeit der eschatologischen Seinsweise verstehen«. Die Auferstehung sei bereits in einem neuen, nicht erst zu verwandelnden Leib geschehen.

[1] Vgl. B. Rigaux, 1 Thess 546.

[2] So auch K. Deißner, Auferstehungshoffnung 15; M. Dibelius, 1 Thess 28; W. Neil, 1 Thess, Torch Bible Commentaries, London 1957, 105; E. Peterson, Artikel ἀπάντησις, in: ThWNT I, 380.

[3] Vgl. dazu W. G. Kümmel, Römer 7 und die Bekehrung des Paulus, Untersuchungen zum Neuen Testament 17, Leipzig 1929; A. Sand, Der Begriff »Fleisch« in den paulinischen Hauptbriefen 299 ff.

[4] Gegen A. T. Nikolainen, Der Auferstehungsglaube in der Bibel und ihrer Umwelt II, 185 f.

Richtig ist dagegen, daß Paulus nicht unbedingt jedesmal, wenn er auf die Auferstehung zu sprechen kommt, alle Einzelheiten entfalten muß, und es läßt sich auch nicht bestreiten, daß sich unter dieser Voraussetzung die Vorstellungen von 1 Kor 15 mit den Aussagen von 1 Thess 4, 13–18 vereinbaren lassen; Widersprüche zwischen beiden Darstellungen sind nicht nachzuweisen[1].

Dennoch dürfte der Hauptgrund für das Fehlen einiger Züge der paulinischen Zukunftserwartung in 1 Thess 4, 13–18 eher anders zu deuten sein: für Paulus war zur Zeit der Abfassung des ersten Thessalonicherbriefes der Gedanke an eine notwendige Auferstehung immer noch die große Ausnahme. Seine Zukunftserwartung richtete sich primär auf das Erleben der unmittelbar bevorstehenden Parusie, die für ihn und die Gläubigen das Heil und die Erfüllung bringen sollte. Demgegenüber nahm die Sorge um die vereinzelten Toten aus den Reihen der Gläubigen relativ wenig Platz in seinem Denken ein[2]. Dafür könnte die Berufung auf ein Herrenwort zeugen (τοῦτο γὰρ ὑμῖν λέγομεν ἐν λόγῳ κυρίου, 1 Thess 4, 15), das zunächst eigene Reflexionen über das Problem ersetzt haben mag[3]. Die Verzögerung der Parusie jedoch, die Häufung der Todesfälle und die dadurch ausgelöste Besorgnis in den Gemeinden, wohl auch das eigene Erlebnis der Konfrontation mit dem Tode vor der Wiederkunft (vgl. bes. 1 Kor 15, 32) zwangen den Apostel zur Durchdenkung und Entfaltung seiner Auferstehungstheologie, deren Ergebnis sich dann in 1 Kor 15 und 2 Kor 5, 1–10 niedergeschlagen hat. Daß diese Entwicklung und Ausreifung dennoch kein Bruch mit den in 1 Thess 4, 13–18 vorgetragenen Gedanken bedeutet, wird zu zeigen sein.

III. 2 Kor 4, 16–5, 10

1. Der Zusammenhang

Schwierigkeiten bereitet seit je die Wertung der anthropologischen Aussagen von 2 Kor 5, 1–10, besonders auch, sobald sie über die Auferstehungsleiblichkeit befragt werden: Schwierigkeiten sowohl wegen der Zusammenordnung der hier gemachten Aussagen untereinander wie auch wegen ihrer Zuordnung zu den anderweitigen diesbezüglichen Äußerungen des Apostels.

---

[1] So bes. K. Deißner, Auferstehungshoffnung 12.
[2] E. v. Dobschütz, Thess 201; W. Hadorn, Die Abfassung der Thess. Briefe 53.
[3] Zur Wendung ἐν λόγῳ κυρίου vgl. neuestens vor allem P. Hoffmann, Die Toten in Christus 218–220.

Der größere Rahmen für 2 Kor 5,1–10 beginnt mit 2 Kor 4,7. Der Abschnitt stellt einen Versuch dar, die Leiden und Verfolgungen des Apostels zu rechtfertigen und zu begründen. Wie weit diese Rechtfertigung herausgefordert war durch Angriffe aus der Gemeinde in Korinth und von dortigen Gegnern des Paulus, läßt sich mit Sicherheit nicht feststellen[1]. Es fällt z.B. schwer, einzusehen, warum etwa V.13f. eine ironisch getönte Formulierung sein sollte[2]. Dennoch – da es offenkundig ist, daß aus Korinth die Legitimation zum Apostelamt dem Paulus abgestritten wurde[3] – ist es naheliegend, 2 Kor 4,7-16 als eine Antwort auf derartige Angriffe zu werten[4]. Als Begründung für die Leiden, denen er ausgesetzt ist, führt Paulus in einer für ihn typischen Verklammerung einesteils die Gemeinde an, ihr Wohlergehen (4,12.15), andererseits aber doch in erster Linie die Ehre Gottes, die dadurch in Erscheinung treten kann, daß der Ruhm nicht dem Menschen Paulus zufällt, sondern der in ihm wirkenden Macht Gottes (4,7.15); diese wird wiederum sichtbar – nach der Formulierung des Paulus –, indem die ζωή τοῦ Ἰησοῦ aufscheint am irdischen Leib des Apostels. Doch auch für Paulus selbst sind die Verfolgungen und Leiden kein Grund zur Aufgabe oder Verzweiflung. Er hat Mut und Zuversicht; die Begründung dafür gibt er in 4,16–5,5.

Die Schwierigkeiten für die Exegese von 4,16–5,10 ergeben sich zu einem

---

[1] W. Schmithals, Die Gnosis in Korinth 150: Polemik legte dem Paulus das Bild vom Gefäß oder dem Haus nahe; der antignostische Tenor von V.7 an sei: Die Schwachheit des Leibes dürfe nicht zum Schluß führen, er sei verwerflich. Allerdings meint W. Schmithals (a.a.O. 152), Paulus sei in seiner Polemik von 2 Kor 4,7ff. vorsichtiger geworden (im Vergleich zu den Ausführungen von 1 Kor 15). – Anders H. Windisch, 2 Kor: der Abschnitt 2 Kor 4,7-10 sei geschrieben im Stil der »religiös-erbaulichen Kontemplation oder Konfession«; »apologetische und polemische Motive treten nicht hervor« (a.a.O, Meyer K, Göttingen [9]1924, 141).

[2] Etwa W. Bousset, 2 Kor 188.

[3] Vgl. 1 Kor 9,1–3; 2 Kor 5,11–6,13; 2 Kor 10,1–18; 2 Kor 11,5.

[4] Das Wort vom σκεῦος ὀστράκινον (4,7) weist allerdings nicht auf direkte Polemik gegen gnostische Korinther (gegen W. Schmithals, a.a.O. 151 Anm. 3); die von W. Schmithals angezogene Stelle, Barnabasbrief 7,3 (τὸ σκεῦος τοῦ πνεύματος), spiegelt eine Bezeichnung des Leibes wieder, die keineswegs genuin gnostisch zu sein scheint, sondern im hellenistischen Denken schon frühzeitig verbreitet gewesen sein dürfte (vgl. E. v. Dobschütz, Der erste Brief an die Thessalonicher, Meyer K, Göttingen [7]1909, 163f.). Auch V.16 mit der Wendung vom inneren und äußeren Menschen ist kaum direktes Eingehen auf gnostische Formulierung und wohl auch nicht eine – wenn auch versteckte – Polemik gegen gnostische Anthropologie. Wenn Paulus mit V.16 eine gegnerische Meinung korrigierend aufgreift, dann kann diese nur gelautet haben: der *ganze* Mensch geht zugrunde! Demgegenüber würde dann Paulus differenzieren: der äußere Mensch – Ja! der innere Mensch aber nicht! Das sehr betont an den Anfang gestellte ἀλλ' ὁ ἔσω darf nicht übersehen werden.

guten Teil daraus, daß von 2 Kor 4,16 an bis 5,5 jeweils der folgende Satz mit γάρ oder καὶ γάρ an den vorhergehenden angeschlossen ist:

V. 16: Deswegen werden wir nicht mutlos,
sondern wenn auch unser äußerer Mensch
vernichtet wird,
aber unser innerer wird erneuert Tag und Nacht.

V. 17: Denn das gegenwärtige Geringe an Bedrängnis schafft uns in überreichem Maße zu überreichem Ertrag
ein ewiges Gewicht an Herrlichkeit,

V. 18: wobei wir nicht Ausschau halten nach dem Sichtbaren,
sondern nach dem Unsichtbaren; denn das Sichtbare ist zeitlich,
das Unsichtbare aber ewig.

V. 17 muß sinngemäß wohl als Begründung zu V. 16a verstanden werden (διὸ οὐκ ἐγκακοῦμεν), denn einen Grund für das stete Wachstum des inneren Menschen (V. 16b) scheint er nicht zu enthalten. Ein gewisser Neuansatz beginnt mit V. 18, was schon dadurch zum Ausdruck kommt, daß das Partizip (σκοποῦντων ἡμῶν) nicht an ἡμῖν angeschlossen[1], sondern selbständig konstruiert ist. V. 18 – mit dem Hinweis auf die »Ewigkeit« des Nichtsichtbaren eigentlich ein Wiederaufgreifen von V. 17, wo der Gedanke negativ ausgedrückt wurde (παραυτίκα) – liefert das Stichwort für den Anschluß von 5,1: ein *ewiges* Haus aus den Himmeln erwartet den Apostel und läßt ihn Ausschau halten und ist gleichzeitig Grund, nicht mutlos zu sein (διὸ οὐκ ἐγκακοῦμεν–οἴδαμεν γάρ...). Insofern bilden die Verse 5,1–5 eine Weiterführung der Gedanken, die mit 2 Kor 4,7 einsetzen, im engeren Sinn eine Verdeutlichung der Aussagen von 4,16–18. Allerdings führen sie auch neue Gedanken ein, und – was noch bedeutsamer ist – diese neuen Gedanken erscheinen eingekleidet in eine Bildersprache, die bei Paulus ebenfalls neu ist und die das Verständnis des von Paulus Gemeinten erschwert, wenn nicht sogar, da sie vielleicht im Einzelfall von ihm selbst nicht ganz passend angewandt wurde, die Aussagen des Apostels verdunkelt[2].

---

[1] Vgl. H. Windisch, 2 Kor 156.

[2] Für die Auslegung von 2 Kor 5,1–10 darf keinesfalls das Gegensatzpaar ἔξω und ἔσω ἄνθρωπος eine Schlüsselrolle spielen (gegen O. Pfleiderer, Das Urchristentum, seine Schriften und Lehren 1, Berlin ²1902 (¹1887), 191 und H. J. Holtzmann, Lehrbuch der neutestamentlichen Theologie 2, Tübingen ²1911, 13), denn dieser Gegensatz hat bei Paulus kaum Bedeutung. Zwar bezeichnet ἔξω ἄνθρωπος auch den irdischen Leib, aber dem steht nicht ein leibloser »innerer Mensch« gegenüber. »Klar ist nur eines, daß nämlich in 2 Kor 4,16 keineswegs der populäre Gegensatz von Leib und Seele vorzuliegen braucht, da weder ausgeschlossen ist, daß der ›innere Mensch‹ ein σῶμα, noch daß der äußere ›seelische‹ Fähigkeiten hat« (W.G. Kümmel, Römer 7 und die Bekehrung des Paulus 15). Ohne Zweifel greift hier Paulus eine Terminologie auf, die ihm aus hellenistischem Denken zugekommen

2. Neue Lehre von den eschatologischen Ereignissen?

Eine Spannung zwischen der Erwartung der Auferstehungsleiblichkeit, wie sie Paulus in 1 Thess 4, 14–18 und 1 Kor 15 formulierte, und den Aussagen von 2 Kor 5, 1–10 andererseits ist unbestreitbar. Umstritten aber ist, ob hier, in 2 Kor 5, 1–10, eine *völlig* andere Auferstehungserwartung (oder vielleicht sogar überhaupt keine Auferstehungserwartung mehr) vorgetragen wird als in den älteren Briefen. Ist in den Vorstellungen des Apostels eine grundlegende Änderung eingetreten? Ist es eine neue, andere Lehre? Oder spricht er noch die gleichen Erwartungen aus über den Abschluß des Lebens, hofft er noch auf die Auferstehung der Toten, und lehrt er noch die Wiederkunft des Christus, wie er das getan hat vor allem in 1 Kor 15, wenn auch vielleicht jetzt in neue Bildworte gekleidet? Oder ist 2 Kor 5, 1–10 eine Weiterentwicklung der früheren Vorstellungen (kein totaler Bruch mit ihnen), die aber nun, besser durchreflektiert, auf eine veränderte Situation hin neu ausgesagt werden?

Nach O. Pfleiderer tritt ab 2 Kor 5, 1–10 eine »ganz andersartige Anschauung« über die eschatologischen Ereignisse jener Darstellung zur Seite, wie sie in 1 Kor 15 und 1 Thess geboten wurde[1]. O. Pfleiderer nennt diese Vorstellungen »hellenistisch«, da sie geographisch im Raum des Hellenismus angesiedelt waren; die Wurzeln dieser Vorstellungen bei Paulus leitet er ab von einer »animistischen Volksmetaphysik«, die ihrerseits auch den volkstümlichen hellenistischen Jenseitserwartungen zugrunde liegen müsse[2]. Den Inhalt dieser neuartigen Vorstellungen charakterisiert O. Pfleiderer: (a) Paulus hat die Hoffnung auf das Erleben der Parusie aufgegeben; (b) er weiß um die Möglichkeit, aus dem Leibe scheiden zu können bei Erhaltung der persönlichen (geistigen) Identität; (c) der Apostel hofft, gleich nach dem Tode mit einem neuen, numerisch von dem irdischen Leib verschiedenen, Himmelsleib weiterleben zu dürfen[3]. Die notwendigen Folgerungen aus dieser veränderten Anschauung habe Paulus selbst noch nicht gezogen (wohl aber später Johannes): nämlich (a) den Verzicht auf die Erwartung der Wiederkunft des Christus, (b) die Aufgabe des Auferstehungsglaubens und (c) des Gerichtes, da ja das ewige Leben unmittelbar nach dem Tode

---

war, doch hat er die übernommenen Ausdrücke seiner Gesamtanschauung – wenn auch hier mangelhaft – angepaßt und umgeformt: das Gegensatzpaar meint nicht Leib und Seele, sondern der »innere Mensch« ist der Beginn der eschatologischen Natur (anders als Röm 7, 22, wo der »innere Mensch«, auch als νοῦς bezeichnet, der σάρξ entgegengesetzt wird), der »äußere Mensch« bezeichnet den Menschen in seiner vergänglichen Leiblichkeit (H.-D. Wendland, 2 Kor 167), oder einfach das »irdische Leben« (so W. G. Kümmel, a.a.O. 14).

[1] O. Pfleiderer, Das Urchristentum 321.

[2] A.a.O. 322.324.

[3] A.a.O. 322.

Wirklichkeit werde[1]. Diese Veränderung in der paulinischen Zukunfts-erwartung sieht O. Pfleiderer ausgelöst durch die Erfahrung höchst akuter Lebensgefahr (2 Kor 1,8)[2]. Die Möglichkeit einer solchen Änderung sei aber in der paulinischen Theologie latent schon vorhanden gewesen, da sich durch seine Theologie von Anfang an heterogene Gedankenreihen zögen, die aus ganz verschiedenen Quellen und Motiven stammten[3]. Eine totale Übernahme der im hellenistischen Bereich weitverbreiteten Hoffnung auf ein Weiterleben nach dem Tode ohne Auferstehung könne man bei Paulus dennoch nicht finden: eine *leiblose* Weiterexistenz nach dem Tode liege für Paulus nirgends im Bereich des Möglichen[4].

Diese von O. Pfleiderer ausführlich begründete Position findet sich fast gleichzeitig auch bei P. W. Schmiedel[5]. Auch nach seiner Meinung erwartet Paulus von 2 Kor 5, 1–10 ab eine sofortige Überkleidung mit dem Himmels-leib beim Tode des Gläubigen; damit werde der Himmel nun zum Ort der ewigen Seligkeit, und das impliziere den Verzicht auf die Wiederkunft des Christus, auf die gemeinsame Auferstehung aller, die zu Christus gehören, und auf das gemeinsame Endgericht. Zu dieser Deutung von 2 Kor 5, 1–10 bekannten sich u. a. H. J. Holtzmann[6] und E. Teichmann[7]; sie wird auch repräsentiert durch den Kommentar zum zweiten Korintherbrief von H. Windisch[8].

---

[1] A.a.O. 325.

[2] A.a.O. 323.

[3] A.a.O. 321.

[4] A.a.O. 324.

[5] P. W. Schmiedel, Die Korintherbriefe 238–240.

[6] H. J. Holtzmann, Lehrbuch der neutestamentlichen Theologie, 2. Band, Tübingen 1897 ([2]1911), 209–229, bes. 218.

[7] E. Teichmann, Die paulinischen Vorstellungen von Auferstehung 59: die ursprüngliche Vorstellung von der Totenauferstehung werde preisgegeben; an ihre Stelle trete nun in 2 Kor 5, 1–10 »die unter hellenistischen Einflüssen zu Stande gekommene Lehre vom πνεῦμα. Die Vermittlung, die Paulus in 1 Kor ver-sucht hat, wird aufgegeben, die Konsequenzen werden gezogen, und das Ergebnis ist die Beseitigung des Begriffs der Totenauferstehung«.

[8] H. Windisch, 2 Kor 174: Paulus gelange offensichtlich in 2 Kor 5, 1–10 zur Hoffnung auf eine sofortige Überkleidung mit einem neuen Leib. – Zur Erklärung dieser Veränderung in der Zukunftserwartung des Paulus verweist H. Windisch ebenfalls auf die ausgestandenen Gefahren, die dem Apostel die Möglichkeit des vorzeitigen Sterbens drängend vor Augen führten, daneben aber auch – ähnlich wie O. Pfleiderer – auf die Eschatologie des Apostels, die »keine Einheit, sondern eine Summe von teils selbständigen Konzeptionen, teils einander ergänzenden Fragmenten ist. Paulus greift bald in dies, bald in jenes Fach der ihm bekannten jüdischen, hellenistischen, christlichen Traditionen, je nach Anlaß und Stimmung« (a. a. O. 174). – Ähnlich wie H. Windisch vermutet auch E. v. Dobschütz für Paulus zwei nebeneinanderlaufende Vorstellungen; und nicht weil Paulus nach der Abfassung von 1 Kor 15 Hellenist geworden sei, tauche in 2 Kor 5, 1–10 die Zukunftshoffnung des Apostels in hellenistischem Gewande auf, sondern veran-

Daneben lief stets eine Exegese, die in 2 Kor 5,1–10 die Zukunftsvorstellungen des Paulus als im Wesen nicht verändert sah. Der Kern dieser Vorstellungen sei auch in diesem Text noch die Erwartung, daß (a) die Mehrzahl der Christen bald die Parusie erleben werden und dann in einem verwandelten Leib in das messianische Endreich eingehen können und (b) daß die verstorbenen Gläubigen bei der Parusie des Christus auferweckt werden in (neuartiger) Leiblichkeit. Diese im Grunde unveränderte Lehre biete Paulus in 2 Kor 5,1–10 allerdings in z.T. neuartigen Bildern vom »Haus aus dem Himmel« und vom »Haus des Leibes«[1]. Als einen neuen Gedanken des Apostels wertet man vielfach die in 2 Kor 5,2f. angeblich ausgesprochene Angst des Paulus vor einem Zwischenzustand der Nacktheit: durch die ausgestandene Todesgefahr in Asien (vgl. bes. 2 Kor 1,8) habe sich Paulus ernstlich mit dem Gedanken vertraut gemacht, vor der Parusie sterben zu müssen. Die Wartezeit zwischen dem Tode und der Parusie schildere Paulus als einen Zustand der »Nacktheit«, vor dem er Grauen empfinde. Diese Deutung von 2 Kor 5,2f. als Erwartung eines schrecklichen Zwischenzustandes fand vor allem auf Grund der Autorität von H. Lietzmann Verbreitung[2]. Gegen die Voraussetzung dieser Annahme

---

laßt wurde der Umschwung auch nach der Auffassung von E. v. Dobschütz durch die Lebensgefahren, von denen in 2 Kor 1,8 die Rede ist (E. v. Dobschütz, Probleme des Apostolischen Zeitalters, Leipzig 1904, 100f.). Auch J. Weiß spricht bei Paulus von zwei Vorstellungsreihen über die Erwartungen nach dem Tode, bzw. bei der Parusie; beide Vorstellungen seien im Grunde sehr verschieden (J. Weiß, Das Urchristentum, Göttingen 1917, 419; diese Seiten sind schon redigiert von R. Knopf). Vgl. auch M. Dibelius, Die Geisterwelt im Glauben des Paulus, Göttingen 1909, 201f.

[1] Ph. Bachmann, 2 Kor 239; W. Bousset, 2 Kor 188–190. W. Bousset hält die Aussagen von 2 Kor 5,1–10 für Weiterentwicklungen der Gedanken von 1 Kor 15, aber für eine »sehr verständliche« Weiterentwicklung (a.a.O. 190); zwar liege der neue Leib schon jetzt im Himmel bereit, doch wird er nicht schon beim Tod, sondern erst bei der Parusie verliehen. H.-D. Wendland, 2 Kor 172 sieht in 2 Kor 5,1–10 keine entscheidenden Veränderungen in den eschatologischen Aussagen des Paulus; ähnlich W. Mundle, Das Problem des Zwischenzustandes 93–109; bes. 94. 109; L. Brun, Zur Auslegung von 2 Kor 5,1–10, 207–229; vgl. auch A. Schweitzer, Die Mystik des Apostels Paulus, Tübingen 1930, 137; P. Hoffmann, Die Toten in Christus 285.

[2] H. Lietzmann, 2 Kor 120f. Vgl. in dieser Hinsicht auch K. Deißner, Auferstehungshoffnung 86–90; F. Tillmann, Die Wiederkunft Christi nach den paulinischen Briefen, Biblische Studien 14, Freiburg 1909, 99–106; F. Guntermann, Eschatologie 63–76 (dort auch ältere Vertreter derselben Ansicht); J.N. Sevenster, Einige Bemerkungen über den Zwischenzustand bei Paulus, NTS 1, 295 ff.; ders., Some Remarks on the γυμνός in 2 Kor 5,3, in: Studia Paulina, Festschrift für J. de Zwaan, Haarlem 1953, 206f.; A. Feuillet, La demeure céleste et la destinée des Chrétiens, RSR 44, 161–192. 360–402, bes. 179–181; H. Grass, Ostergeschehen und Osterberichte 154–163.

– die Todesgefahren hätten Paulus zur Gewißheit gebracht, daß er vorzeitig sterben müsse – haben unterdessen allerdings vor allem W. Mundle[1] und L. Brun[2] starke Gegenargumente beigebracht[3].

3. Exegese von 2 Kor 5, 1–10

Die Aussagen über das, was er nach dem Abschluß des irdischen Lebens erwartet, hat Paulus in 2 Kor 5, 1–10 vorwiegend in Bilder gekleidet. Es sind dies die Bildvorstellungen:

1. vom Haus des Leibes, das abgebrochen werden kann, und vom Haus, das wir in den Himmeln haben (V. 1).

2. Das Reden vom Auskleiden bzw. vom An- und Überkleiden, das von V. 2 ab teilweise die »Haus«-Vorstellungen ersetzt.

3. In V. 3 die Vorstellung des »Nackt-erfunden-Werdens« für den Fall, daß das eine Haus verlassen werden muß.

4. Die Aussage vom »Verschlungen-werden« des Sterblichen (V. 4).

5. Das göttliche Pneuma als Angeld für das Künftige (V. 5).

6. Die Bildrede vom »Auswohnen aus dem Leibe« und dem »Einwohnen beim Herrn« (V. 6–8).

7. Schließlich das »Stehen vor dem Richterstuhl« (V. 10).

V. 1: Denn wir wissen, daß, wenn unser irdenes (irdisches?)
 Haus des Leibes abgebrochen wird,
 wir einen Bau aus Gott haben, ein Haus,
 nicht handgemacht, ewig, in den Himmeln.

V. 2: Denn wir seufzen auch in diesem (Zustand?),
 uns danach sehnend, unsere Behausung,
 die aus dem Himmel, darüber anzuziehen.

V. 3: Wenn freilich wir auch angezogen
 nicht nackt erfunden werden.

V. 4: Denn wir, die wir in diesem Leib sind,
 seufzen auch, weil wir nicht wollen ausziehen,
 sondern darüber anziehen, damit verschlungen
 wird das Sterbliche vom Leben.

---

[1] W. Mundle, Das Problem des Zwischenzustandes 94.
[2] L. Brun, Zur Auslegung von 2 Kor 5, 1–10, 211 f.
[3] Anders in neuerer Zeit wieder W. Grundmann, Überlieferung und Eigenaussage im eschatologischen Denken des Apostels Paulus, NTS 8, 12–26: zwischen dem ersten und dem zweiten Korintherbrief sei, veranlaßt durch das Ephesusereignis, eine Wende bei Paulus eingetreten: er rechnet nun mit dem vorzeitigen Tod, und was 1 Thess noch von der Parusie erhofft wurde, tritt nach der neuen Erkenntnis schon mit dem Tode ein (a.a.O. 26).

1. Für οἰκία fordert der Zusammenhang die Bedeutung »Haus«, als Ort des Sich-Aufhaltens; die an sich mögliche Übersetzung »Familie« oder »Haushalt« kommt nicht in Frage (vgl. jedoch 1 Kor 16,15; Mt 13,57; Mk 6,4; Joh 4,53)[1]; wie die näheren Bestimmungen zeigen, sind mit den verschiedenen Bau-Termini von V. 1f. auch keine ekklesiologischen Aussagen verbunden[2]. Das Haus, von dem Paulus spricht, ist ἐπίγειος. Das kann meinen: es ist *auf der Erde* – damit wäre eine lokale Bestimmung gegeben – oder: das Haus ist *aus Erde* gebildet, ist irden – dann wäre von der qualitativen Beschaffenheit die Rede. Eine sichere Entscheidung läßt sich nicht treffen. Für die Deutung »ein Haus *auf der Erde*« spricht die nachfolgende korrespondierende Ortsangabe: das andere Haus ist *in den Himmeln*. Andererseits könnte aber auch der Gedanke von 2 Kor 4,7 wiederholt sein: der Leib, – das irdene Gefäß. Diese Charakterisierung des Leibes als aus Erde gebildet war offensichtlich verbreitet[3]. Wichtiger ist die zweite Bestimmung des »Hauses« als eine οἰκία τοῦ σκήνους. Als Wortbildung ist σκῆνος wohl eine jüngere Form von σκηνή, und die Bedeutung »Zelt« liegt natürlich zugrunde. Andererseits war σκῆνος im griechischen Sprachbereich so geläufig als Bezeichnung für den Leib, daß man vermuten muß, Paulus habe die Metapher wohl gar nicht mehr empfunden[4]. Das bedeutet, daß σκῆνος einfach mit »Leib« übersetzt werden muß, und V. 1 heißt dann sinngemäß nicht: das irdische Haus, das vom Abbruch bedroht und hinfällig ist *wie* ein Zelt, sondern: das irdische Haus, *das heißt* unser Leib, – wenn er abgebrochen wird...

Für die Annahme, daß Paulus die Metapher gar nicht mehr empfunden hat, daß er also σκῆνος sagt und einfach »Leib« meint (wenn auch unter besonderer Berücksichtigung der Hinfälligkeit), sprechen folgende Beobachtungen: a) in der gesamten griechischen Literatur wird σκῆνος nie in der Bedeutung »Zelt« verwendet; es heißt stets: der Leib[5]; b) wie selbstver-

---

[1] Zur Verwendung der Bau-Termini bei Paulus siehe Ph. Vielhauer, Oikodomae, Das Bild vom Bau in der christlichen Literatur vom NT bis Clemens Alexandrinus, Karlsruhe 1939, 106f.

[2] So auch J. Pfammatter, Die Kirche als Bau, Eine exegetisch-theologische Studie zur Ekklesiologie der Paulusbriefe, Analecta Gregoriana 110, Rom 1960, 71. – Anders etwa K. Barth, Die Kirchliche Dogmatik IV, 2, Zollikon–Zürich 1955, 710 (K. Barth bestreitet nicht jede Bedeutung von 2 Kor 5,1–10 für individuell-eschatologische Aussagen, das Primäre seien aber doch ekklesiologische Bestimmungen).

[3] Vgl. Sap 9,15: τὸ γεῶδες σκῆνος; Job 4,19: οἰκία πηλίνη; Clemens Alexandrinus, Stromata V, 94,3 (als ein Wort Platons): γήινον σκῆνος (in: GCS, Clemens Alexandrinus II, Leipzig 1966, 388).

[4] Mit J. Weiß, Urchristentum 415 Anm. 2.

[5] Vgl. W. Bauer, Wörterbuch s. v. 1496; W. Pape, Griechisch-Deutsches Handwörterbuch s. v. 895; J.H. Moulton–G. Milligan, The Vocabulary of the Greek Testament (Lieferung VII), s. v. 577. – H.G. Lidell–R. Scott, A Greek-English

ständlich die Gleichsetzung σκῆνος = Leib gewesen sein mußte, zeigen Wendungen wie σκῆνος λιπόσαρκον (ein magerer Leib)[1] und die Tatsache, daß σκῆνος ohne nähere Bestimmung einfach der ψυχή gegenübergestellt werden konnte (im Sinne einer dualistischen Anthropologie)[2]; c) daß Paulus diesen Sprachgebrauch kannte und σκῆνος im Sinne von »Leib« verwendete, deutet auch der bestimmte Artikel an unserer Stelle an[3].

Wenn diese Übersetzung von σκῆνος als »Leib« berechtigt ist, so sind damit alle jene Erklärungsversuche von 2 Kor 5,1 ff. hinfällig, die das »irdische Haus« gleichsetzen wollen mit dem »alten Äon« oder die unter der vorliegenden Wendung οἰκία τοῦ σκήνους unser »Dasein auf Erden« gekennzeichnet sehen wollen[4]. Solche Deutung verlangt das ähnlich klingende Zeltwort von Is 38,12: »abgebrochen ist über mir mein Lager und abgedeckt über mir, wie ein Hirtenzelt; wie ein Weber sein Zelt, so rollst du mein Leben auf«. Hier ist das Zelt (σκηνή) nicht der irdische Leib, sondern das Gebet des Ezechias beklagt das Ende der Frist, die ihm für das Verweilen im Lande der Lebenden gesetzt ist[5]. An unserer Stelle – 2 Kor 5,1 – dagegen ist der *Leib* das irdene Haus; er kann abgebrochen werden; und für ihn steht im Himmel ein neues Haus, also doch wohl ein anderer Leib bereit[6].

2. Von der οἰκία τοῦ σκήνους wird nun ausgesagt, daß sie aufgelöst werden wird (καταλυθῇ). Vielfach wird dieses καταλύειν einfach mit »sterben« gleichgesetzt[7]. Paulus würde dann in diesem Vers von seinem (baldigen) Tod vor der Parusie sprechen[8]. Für diese Entscheidung kann man auf Mk 14,58

Lexicon, Oxford 1951 (reprinted), s. v. 1608 (Bd. 2) und W. Michaelis, Art. σκηνή, in: ThWNT 7, 369–396, bes. 383 führen eine zweifelhafte (verderbte) Inschrift aus Teos an, bei der noch die Bedeutung »Zelt« zugrundeliegen könnte: CIG II 3071.

[1] CIG III, 609 (Kaibel ep. Gr. 711). – Weitere Belegstellen bei W. Bauer und W. Michaelis a. a. O.

[2] Sap 9,15: φθαρτὸν γὰρ σῶμα βαρύνει ψυχήν, καὶ βρίθει τὸ γεῶδες σκῆνος νοῦν πολυφρόντιδα.

[3] So auch Ph. Bachmann, 2 Kor 216.

[4] So z. B. E. Ellis, 2 Corinthians 5,1–10 in Pauline Eschatology, NTS 6, 211–224.

[5] Vgl. B. Duhm, Das Buch Jesaja, Göttingen ⁵1968, 280; O. Procksch, Jesaja I, Kommentar zum Alten Testament 9, Leipzig 1930, 464.

[6] Diese Wortbedeutung von σκῆνος macht auch die von J. Héring – allerdings sehr vorsichtig – gezogene Verbindung von 2 Kor 5,1 zu Hebr 8,9 (eine Gegenüberstellung des »tabernacle juif« und des »sanctuaire céleste«) unmöglich (J. Héring, 2 Kor 47 Anm. 2); ebenso ist dadurch eine Beziehung unserer Stelle zu Mk 14,58 ausgeschlossen: οἰκία τοῦ σκήνους kann nicht ναός gleichgesetzt werden (gegen J. Dupont, Σὺν Χριστῷ, L'Union avec le Christ suivant Saint Paul, Paris 1952, 146f.).

[7] So z. B. H. Lietzmann, 2 Kor 117: »daß mit ἐὰν ἡ ἐπ. οἰκία καταλυθῇ der Tod vor der Parusie gemeint sei, ist unbestritten; es wird der allgemeine Fall gesetzt, daß ein Christ stirbt«; ähnlich P. Hoffmann, Die Toten in Christus 263: es sei daran festzuhalten, daß καταλυθῇ tatsächlich den Tod und nicht die Parusie meint.

[8] H. Windisch, 2 Kor 159: »Nur das vorzeitige Sterben ist ins Auge gefaßt und

verweisen[1] und auf gnostischen Sprachgebrauch[2], andererseits sind die (allerdings wenigen) Stellen, an denen Paulus καταλύειν sonst noch verwendet, dieser Interpretation nicht günstig[3]. Es ist auch nicht richtig, daß »das καταλυθῇ als Folge der in Kap. 4 erwähnten Leiden und Mühen erscheint«[4] und deshalb vom Tode vor der Parusie verstanden werden müsse. Sondern der direkte Anknüpfungspunkt für die Aussage vom Abbruch der irdischen Wohnung liegt in V. 18: die Hoffnung auf das Unsichtbare, vor der die jetzt auszustehenden Mühen als »gering« zurücktreten[5]. Sollte 5, 1 wirklich die letzte Zuspitzung der in Kap. 4 besprochenen Leiden, also den Tod, meinen, wäre hier von diesem äußersten Grenzfall die Rede, dem der Apostel sich bei der Ausübung seines Berufes ausgesetzt weiß, dann müßte das Fehlen eines καί (also ἐὰν καί statt ἐάν) als merkwürdig erklärt werden[6].

---

die andere Möglichkeit, das Erleben der Parusie, bleibt, jedenfalls zunächst, außer Betracht«.

[1] H. Windisch, 2 Kor 159.

[2] Corp. Herm. 1, 24 (ἐν τῇ ἀναλύσει τοῦ σώματος); Corp. Herm. 13, 15 (καλῶς σπεύδεις λῦσαι τὸ σκῆνος); die von R. Bultmann angeführte (verderbte) Stelle Corp. Herm. 13, 6 muß wohl mit A. J. Festugière als διαδυόμενον gelesen werden (A. D. Nock–A. J. Festugière, Corpus Hermeticum, Bd. 2, in: Collection des Universités de France, Paris 1945, 202). Das vorausgehende ἀσφίγγωτον (nicht festgebunden) gibt dieser Leseart den Vorzug vor διαλυόμενον (so R. Bultmann, Exegetische Probleme des zweiten Korintherbriefes, Symbolae Biblicae Upsalienses 9, Uppsala 1947, 6; nachgedruckt in: Exegetica, Aufsätze zur Erforschung des Neuen Testaments, hrsg. von E. Dinkler, Tübingen 1967, 298–322).

[3] Röm 14, 20; Gal 2, 18.

[4] Gegen K. Deißner, Auferstehungshoffnung 55 Anm. 2.

[5] Es ist wahrscheinlicher, daß οἴδαμεν γάρ nicht die Gemeinde zum Subjekt hat, sondern den Apostel und wohl auch seine Gefährten im Apostelamt (gegen P. Hoffmann, Die Toten in Christus 268 Anm. 79). Dafür spricht, daß in den umgebenden Abschnitten (4, 1–16 und 5, 11 ff.) sicher Paulus von sich und den übrigen Glaubensboten in der Form des Plurals spricht und nicht von den Adressaten. Auch 4, 16f. geht es um die Ausdauer, die sich bewährt in der apostolischen Arbeit, und es ist keine Nahtstelle zu finden, an der der Plural des apostolischen »wir« plötzlich anfangen sollte, die ganze Christengemeinde miteinzuschließen. Vielmehr faßt er 5, 10 erst die Korinther mit sich und den Aposteln zusammen (τοὺς γὰρ πάντας ἡμᾶς). Auch die Aussage von 5, 6 (θαρροῦντες οὖν) ist keine Aufforderung an die Gemeinde, sondern drückt die Haltung des Apostels aus (So auch R. Bultmann, a. a. O. 4, obwohl er im übrigen den Abschnitt 5, 1–10 auf die ganze Gemeinde bezogen wissen will). Allerdings, wenn Paulus auch in der ersten Person Plural hier zunächst von sich und seinen Berufsgenossen spricht, sagt er das οἴδαμεν und das ἔχομεν nicht nur von sich persönlich oder von sich als eine spezielle Regelung für die Apostel, sondern er äußert sich als an Christus Glaubender (so auch Chr. K. v. Hofmann, 2 Kor 122; Ph. Bachmann, 2 Kor 215; L. Brun, Zur Auslegung von 2 Kor 5, 1–10, 216). Daß für die übrigen Christen eine andere Regelung gelten könne, ist nicht nahegelegt.

[6] Andernfalls wäre H. Windisch recht zu geben: Paulus setze, wenn er ἐὰν καταλυθῇ schreibt, statt ἐὰν καὶ καταλυθῇ voraus, dieser Fall, also das Sterben vor der

L. Brun hat eine neue Lösung vorgeschlagen: καταλύειν bezeichne nicht
den Akt der endgültigen Vernichtung des menschlichen Leibes im Tode,
sondern den langsamen Auflösungsprozeß, der fortschreitet bis zur Parusie
(oder auch einem nicht auszuschließenden vorzeitigen Sterben)[1]. Er kann
sich dabei auf den Gebrauch des Wortes in Apg 5,37; Röm 14,20; Gal 2,18;
Ign. Tr. 4,2 stützen. Diese Deutung würde auch einen guten Sinnzusammenhang mit 2 Kor 4,7–18 gestatten: es wären die Gedanken wieder aufgegriffen, die Paulus vorher mit den Wendungen »wir tragen das Todesleiden Jesu an unserem Leibe« (4,10), »in den Tod werden wir hineingegeben mit Jesus« (4,11), »auch wenn unser äußerer Mensch aufgerieben
wird« (4,16) zum Ausdruck gebracht hatte. Bedenklich gegen diese Deutung
stimmt jedoch, daß es schwer fällt, mit dem Aorist καταλυθῇ etwas anderes
als den Abschluß eines Vorganges ausgedrückt sehen zu wollen[2].

Als weitere Möglichkeit bietet sich der Vorschlag an, der u.a. von Ph.
Bachmann[3], W. Mundle[4], W.G. Kümmel[5] und H.-D. Wendland[6] vertreten
wurde: Paulus reflektiert an unserer Stelle überhaupt nicht über den Zeitpunkt der Auflösung des Leibes; er äußert sich nicht darüber, wann dieser
Abbruch geschehen soll, sondern er spricht nur die Gewißheit aus: auf
jeden Fall, wenn das καταλυθῇ eintreten wird, habe ich die Gewißheit, ein
neues »Haus« zu erhalten. Und diese Gewißheit des Neuen, das dem Alten
weit überlegen sein wird, schafft dem Apostel Mut (4,16–18). Die Aussage
vom Abbrechen des irdischen Leibes schließt die Möglichkeit eines vorzeitigen Sterbens ein, ist aber auch geeignet, um das Geschehen bei der
Parusie zu kennzeichnen[7]. Der Einwand von H. Windisch, V. 1 sei nicht auf
die Parusie beziehbar, da überhaupt in dem ganzen Abschnitt keine Hinweise auf die Wiederkunft zu finden seien[8], überzeugt nicht: 4,14; 4,17f.;

Parusie, sei das normale (H. Windisch, 2 Kor 159; gegen P. Hoffmann, a.a.O.
270 Anm. 84).

[1] L. Brun, Zur Auslegung von 2 Kor 5,1–10, 207–229; ähnlich R.H. Strachan,
The Second Epistle of Paul to the Corinthians, The Moffat New Testament Commentary, London 1935, 99f.

[2] Mit R. Bultmann, Exegetische Probleme 8f.

[3] Ph. Bachmann, 2 Kor 217.

[4] W. Mundle, Das Problem des Zwischenzustandes 93–109, bes. 95ff.

[5] W.G. Kümmel, Ergänzungen zu H. Lietzmann, 2 Kor 202: Paulus betone in
V. 1 ganz allgemein, »daß ihm wie allen Aposteln beim Aufhören des irdischen
Lebens das himmlische ›Haus‹ gewiß ist, gleichgültig, wann dieses Aufhören des
irdischen Lebens und dieses Erhalten des himmlischen Hauses stattfindet«.

[6] H.-D. Wendland, 2 Kor 169.

[7] Vgl. auch R. Bultmann, Exegetische Probleme 9f. R. Bultmann zieht allerdings auch die Möglichkeit in Erwägung, καταλυθῇ könne den Tod vor der Parusie
bezeichnen, wobei dann allerdings Paulus auf den Moment der Überkleidung mit
dem Himmelsgewand gar nicht reflektiert habe (a.a.O. 9).

[8] H. Windisch, 2 Kor 163.

5,10; 5,2–4, bes. auch der für das Parusiegeschehen typische Terminus
καταποθῇ (5,4c) widersprechen dieser Behauptung[1]. Ernster ist der Einwand, ein Wort wie καταλύειν könne nicht zwei in sich so disparate Ge-
schehnisse wie das Sterben und das Verwandeltwerden bei der Parusie
gleichzeitig umfassen; wohl das eine oder das andere, aber nicht beides in
einem[2]. Doch ließe sich darauf antworten: Paulus hat nicht das Ereignis
des Sterbens *und* der Verwandlung im Auge, sondern er blickt bereits auf
das zum Abschluß gekommene Geschehen und dessen Ergebnis, das eben
zeigt, wie belanglos und nur auf Zeit hin das »Sichtbare« (4,18b) eigentlich
ist. Es ist auch nicht ausgeschlossen, mit R. Bultmann hinter der Wahl des
Wortes καταλύειν anstelle des dem Apostel geläufigen und von ihm für
diesen Zweck sonst bevorzugten ἀλλαγῆναι eine Beeinflussung durch eine
dem Apostel eigentlich fremde Anthropologie zu sehen[3]. Die Tatsache, daß
Paulus in 5,1 eine ihm sonst nicht geläufige, dualistisch klingende Leibauf-
fassung (der Leib als Haus) verwendet[4], macht es denkbar, daß er auch hier
eine jenem Vorstellungsbereich entnommene Formulierung wählte.

3. Dem irdischen Leib wird nun in 5,1b eine Wohnstatt aus Gott gegenübergestellt (οἰκοδομὴ ἐκ θεοῦ). Die Vermutung spricht dafür, daß es sich
dabei wieder um einen *Leib* handeln müsse[5]. J. Chr. K. v. Hofmann hat allerdings dagegen eingewandt, schon deshalb, weil Paulus das irdische Haus
erst durch den Zusatz τοῦ σκήνους als den Leib gekennzeichnet habe, sei zu
erwarten, daß das neue Haus nicht wieder ein »Haus« des *Leibes* sein werde[6].
Die neue Wohnstatt sei vielmehr das, was andere Stellen als »das neue Jerusalem« bezeichnen[7], oder, wie Johannes schreibe: »im Hause meines
Vaters sind viele Wohnungen«[8]; jedenfalls habe man sich unter dem »neuen
Haus« nicht wieder einen anderen Leib vorzustellen. Diese Deutung von
V.1b wird scheinbar gestützt von V.6–8: Paulus will lieber aus dem Leibe
auswohnen und beim Herrn sein. Jedoch zwingen die Verse 6–8 nicht dazu,
das Leben beim Herrn als ein leibloses Leben zu deuten; der Wunsch
ἐκδημῆσαι ἐκ τοῦ σώματος läßt sich auch ungezwungen verstehen als die

---

[1] P. Hoffmann, Die Toten in Christus 255 betont zu Recht die ständige Nähe der
Gedankenführung unseres Abschnittes mit den Vorstellungen von der Parusie.
[2] So z. B. L. Brun, Zur Auslegung von 2 Kor 5, 1–10, 209.
[3] R. Bultmann, Exegetische Probleme 10.
[4] Siehe dazu unten S. 166 ff.
[5] Nach Ph. Vielhauer, Oikodomae 106–110 ist οἰκοδομή in 2 Kor 5,1 eindeutig
als anthropologischer Terminus zu verstehen (ebenso wie 1 Kor 3,9). – Anders
E. Ellis, 2 Corinthians 217: Immer wenn Paulus das Wort οἰκοδομή verwende,
außer es hat den Sinn von »Auferbauung«, dann meine es den »Body of Christ,
the Church« (das gelte auch für 1 Kor 3,9).
[6] J. Chr. K. v. Hofmann, 2 Kor 123.
[7] Apk 3,12; 21,2.10; Gal 4,26?
[8] Joh 14,2.

Sehnsucht, *diese* Leiblichkeit hinter sich lassen zu dürfen. Vor allem gestatten die Verse 2–4 die Exegese von J. Chr. K. v. Hofmann nicht: denn das zweite Bildwort vom An- und Überziehen verlangt danach, daß das neue »Haus« ein Ersatz auf der gleichen Ebene ist wie das »Haus« des Leibes, es soll ja über das Alte gezogen werden können. In diese Richtung ließe sich aber das in V. 1 verwendete Bild vom neuen und alten »Haus« nicht umbiegen, wenn das »Haus« aus den Himmeln einfach den Aufenthalt im himmlischen Jerusalem bezeichnen würde. Paulus erwartet also auch für die Zeit nach der Parusie oder nach dem Tode wieder ein menschliches Leben in einem Leib, allerdings in einem Leib ganz neuer Art. Paulus gibt ihm die Prädikate: er ist aus Gott (ἐκ θεοῦ)[1], ist nicht handgemacht (ἀχειροποίητον)[2], ewig (αἰώνιος, vgl. V. 18)[3] und in den Himmeln (ἐν τοῖς οὐρανοῖς)[4].

Über den Zeitpunkt, zu dem der neue Leib gegeben wird, sagt V. 1 nichts aus. Das präsentische ἔχομεν drückt die sichere Gewißheit aus, diese neue Leiblichkeit einst zu erhalten, nicht ist damit die Erwartung oder das Versprechen eines unmittelbar nach dem Tode (vor der Parusie) erfolgenden Umzugs in das neue Leibhaus ausgesprochen[5]. Dieser Gedanke von einem Umzug aus dem einen Leib in das »Haus« der neuen himmlischen Leiblichkeit wird von Paulus, so nahe das nach V. 1 gelegen sein müßte, überhaupt

---

[1] Ob man ἐκ θεοῦ inhaltlich umschreibt als: »von Gott gegeben« oder »von Gott geschaffen« bleibt offen. Auf keinen Fall darf man darin einen Hinweis enthalten sehen, Paulus habe sich also den irdischen Leib als nicht von Gott geschaffen gedacht: dagegen spricht schon 1 Kor 12, 24.

[2] ἀχειροποίητος begegnet hier zum ersten Mal in der griechischen Literatur überhaupt. Wie die späteren neutestamentlichen Stellen zeigen, geht es auch bei diesem Epitheton darum, den neuen Leib als von Gott gewirkt darzustellen; vgl. Mk 14, 58 (ein nicht mit Händen gemachter neuer Tempel) und Kol 2, 11 (nicht mit Händen gemachte Beschneidung); ähnlich Hebr 9, 24 (das nicht mit Händen gemachte (οὐ χειροποίητον) Heiligtum).

[3] Das geläufige Beiwort für alles, was mit Gott oder auch den Eschata in Zusammenhang gebracht wird; nicht zwingt die Bezeichnung des neuen Leibes als αἰώνιος zur Annahme, Paulus habe sich diesen Himmelsleib als seit Ewigkeit her in den Himmeln präexistierend gedacht. αἰώνιος deutet wohl auf die unabsehbare Dauer in die Zukunft hinein, nicht aber notwendig auch auf den anfanglosen Bestand von Ewigkeit her (Die Präexistenz des neuen himmlischen Leibes folgern aus diesem Vers z. B. E. Teichmann, Die paulinischen Vorstellungen von Auferstehung 53 Anm. 1, 62; H. Schmidt, Auferstehungshoffnung im Neuen Testament, Inaugural-Dissertation, Oldenburg 1928, 24). – Zu den Vorstellungen über die Präexistenz eines Abbildes jedes Menschen im Lichtreich bei den Mandäern vgl. K. Rudolph, Die Mandäer, Band 1, FRLANT 56, Göttingen 1960, 127.

[4] ἐν τοῖς οὐρανοῖς gehört nicht zu ἔχομεν, sondern ebenfalls zu οἰκία. Der neue Leib hat seinen Platz in den Himmeln, von dort – so legt es 2 Kor 5, 2b nahe – wird er bei der Parusie gegeben (τὸ οἰκητήριον ἡμῶν τὸ ἐκ οὐρανοῦ.). – Zur Erwartung der Erlösung »aus den Himmeln« vgl. 1 Kor 15, 47; Phil 3, 20f.; 1 Thess 1, 10.

[5] Mit K. Deißner, Auferstehungshoffnung 55–57; H. Lietzmann, 2 Kor 118.

nicht angedeutet. Von V. 2 an tritt vielmehr ein neues Bild auf, das vom »Darüber-anziehen«. Und damit ist der Apostel wieder bei seinen Vorstellungen, die er 1 Kor 15 dargelegt hatte[1]: mit dem neuen Leib und dem irdischen Leib verhält es sich offenbar nicht so, daß der eine verlassen und abgelegt werden muß und dann ein neues Leib-Haus bezogen werden kann, sondern die Umgestaltung erfolgt durch Überkleidung, Verwandlung, nicht in der Form des Austausches.

Warum wählte Paulus in V. 1 die für seine Vorstellungen von der neuen Auferstehungsleiblichkeit eigentlich inadäquaten Bilder vom Haus und Gebäude? Die Möglichkeit, Paulus greife hier Termini einer dualistischen Anthropologie auf, um sich damit verständlicher machen zu können bei seinen Adressaten, ist nicht einfach von der Hand zu weisen[2]. Weniger wahrscheinlich ist eine direkte Polemik hinter den Versen, jedenfalls kaum Polemik gegen eine Anschauung, die ein leibloses Fortbestehen nach dem Tode wünscht und erwartet. Dazu klingen die V. 6–8, in denen Paulus den Wunsch ausspricht, den Leib zu verlassen und beim Herrn zu sein, zu unbefangen[3].

4. Die Verse 2–4 wollen eine Begründung für das in V. 1 ausgesprochene sichere Wissen um einen neuen Leib geben[4]; das καὶ γάρ, das sowohl V. 2 wie auch V. 4 einleitet, fordert dieses Verständnis[5]:

---

[1] 1 Kor 15,51–54.

[2] R. Bultmann, Exegetische Probleme 4.

[3] Gegen W. Schmithals, Die Gnosis in Korinth 246–261: Die polemische Abzweckung dieser Verse sei »so eklatant, daß es schlechthin unverständlich ist, wie sie«... »nicht einmal als Möglichkeit erwogen werden konnte« (247). Allerdings meint auch W. Schmithals, daß diese Polemik »weitgehend und besonders deutlich in unserem Abschnitt mit einer gewissen Zurückhaltung im Ausdruck durchgeführt wird« (248). Er gesteht auch zu, daß die Polemik in 2 Kor 5,1–10 nie Gnostiker treffen konnte, »denn für sie bedeutet das Ausziehen des Soma keineswegs den Tod« (252); W. Schmithals nimmt – wie in 1 Kor 15 – bei Paulus eine völlige Verkennung der geistigen Positionen der korinthischen Gegner an. – Eine gewisse polemische Korrektur irriger Anschauungen könnte in 2 Kor 5,1–10 gleichwohl vorhanden sein: R. Bultmann verweist auf das οὐ–ἀλλά (V.4) und das betonte εἰς αὐτὸ τοῦτο (V.5) (R. Bultmann, a.a.O. 4). D. Georgi erinnert an den »antignostischen Grundsatz« in 2 Kor 5,6: denn im Glauben wandeln wir, nicht im Schauen, sieht aber in 2 Kor 5,1–10 keine eindeutigen polemischen Tendenzen. Vgl. auch unten S. 158–160. (D. Georgi, Besprechung zu W. Schmithals, Die Gnosis in Korinth, in: Verkündigung und Forschung, 1958/59, 90–96, bes. 95).

[4] Mit W. Bousset, 2 Kor 190; H. Lietzmann, 2 Kor 117: »Dies Wissen (οἴδαμεν) wird uns durch das eigene Empfinden bestätigt; wir sehnen uns nach jenem Leben«. Ähnlich W. Schmithals, a.a.O. 249; P. Hoffmann, Die Toten in Christus 270f.

[5] F. Blass–A. Debrunner, Grammatik des neutestamentlichen Griechisch, Göttingen ¹¹1961, § 452, 3: »καὶ γάρ ist ›denn auch‹, – ›ja auch‹, also ohne innere Verbindung der beiden Partikel (= ἐπειδὴ καί)«. καὶ γάρ = etenim sei im neutestamentlichen Bereich am ehesten vielleicht noch für Hebr 5,12 und Hebr 12,29 zuzuge-

Wir wissen um den neuen Leib von Gott,
da wir ja auch sehnsüchtig seufzen, das Haus aus dem Himmel überzu-
ziehen (V. 2),
da wir ja auch bedrückt seufzen, daraufhin,
daß wir nicht ausziehen wollen, sondern darüberziehen.

Die näheren Umstände, unter denen dieses Stöhnen geschieht, werden in
V. 2 angegeben mit ἐν τούτῳ und präziser in V. 4 mit ἐν τῷ σκήνει. Dabei kann
es in V. 2 nicht erlaubt sein, ἐν τούτῳ zu τοῦ σκήνους zu beziehen[1]. Jedenfalls
ist es als grammatikalischer Bezugspunkt nicht möglich. Das Bezugswort
wäre οἰκία und nicht der epexegetische Genitiv τοῦ σκήνους; ferner wäre ein
ἐν τῷ ἐκείνῳ angebrachter, da auf das entferntere von zwei Gliedern verwiesen wäre. Möglich ist allerdings, daß Paulus als logisches Subjekt doch
den »Leib« in seinen Gedankengängen vor sich hatte; dafür spricht die
Formulierung von V. 4 (οἱ ὄντες ἐν τῷ σκήνει)[2]. Doch auch wenn – und das
ist die wahrscheinlichere Lösung – ἐν τούτῳ adverbial zu fassen ist (»daher«),
so ist sachlich doch der Zustand gemeint, der vorher (4, 7–4, 18) charakterisiert wurde als die Zeit der Verfolgungen und Leiden und Mühen, die bedingt ist durch die jetzige Existenz in diesem Leibe.

Für das Verständnis der paulinischen Vorstellung von der Auferstehung
und der Auferstehungsleiblichkeit ist es nun wichtig zu beobachten, daß die
alten, in 1 Kor 15 vorgetragenen Erwartungen nicht aufgegeben oder verändert worden sind, sondern hier – allerdings unter neuen Umständen und
Voraussetzungen – neu ausgesagt werden: der Apostel hofft sehnsüchtig auf
das Darüberziehen der himmlischen Leiblichkeit und auf das Verschlungen-
werden des Sterblichen (ἵνα καταποθῇ τὸ θνητόν, V. 4). Damit bewegt er sich
wieder in den Vorstellungen und Formulierungen, mit denen er in 1 Kor 15
das Geschehen bei der Wiederkunft des Christus schilderte (vgl. 1 Kor 15,
51–54). Zweifellos spricht Paulus auch in 2 Kor 5, 2–4 vor allem in Hinsicht

---

ben. Dagegen stützt sich Ph. Bachmann auf R. Kühner–B. Gerth, Ausführliche
Grammatik der griechischen Sprache, Hannover ⁴1955, die – für den nicht-neu-
testamentlichen griechischen Sprachgebrauch – auch καὶ γάρ = etenim nachweist
(a.a.O. II, 337f.). Ph. Bachmann übersetzt: »und zwar (nämlich) seufzen wir
darob ...«. Sein Einwand, wenn καὶ γάρ hier streng kausal gefaßt werden müßte,
ergebe sich aus dem Verbund von V. 1 mit V. 2.4 kein durchführbarer Gedankengang (wir wissen, ... denn wir seufzen), ist nicht überzeugend. Eine ähnliche
Argumentation findet sich auch Röm 8, 19–23 (vgl. O. Kuss, Römerbrief 622f.).
[1] Mit K. Deißner, Auferstehungshoffnung 58 f.; Ph. Bachmann, 2 Kor 220. –
Ph. Bachmann übersetzt allerdings »darob« und faßt damit ἐν τούτῳ als Gegenstand,
auf den das Seufzen gerichtet ist.
[2] So P. Hoffmann, Die Toten in Christus 271. Er sieht in der Parallelität der
beiden Sätze (V. 2 und V. 4) genügend Grund, um die Bestimmung von V. 4 (οἱ
ὄντες ἐν τῷ σκήνει) auch auf den vorausgehenden V. 2 zu übertragen.

auf die Ereignisse bei der Parusie[1]. Die Möglichkeit der Totenauferstehung wird nicht ausdrücklich abgehandelt – eine Anspielung könnte sich in V. 3 finden –, aber natürlich deswegen auch nicht einfach ausgeschlossen[2]; wie Paulus gelegentlich das Schicksal der Gläubigen summarisch als ein Auferwecktwerden mit Christus bezeichnet[3], so spricht er hier, von seiner Zukunftserwartung bestimmt – Subjekt ist immer noch das apostolische »wir« –, vom Ereignis der Verwandlung der irdischen Leiblichkeit bei der Parusie, die dadurch geschieht, daß eine von Gott gewirkte neue Leiblichkeit die völlige Umgestaltung des jetzigen Leibes wirkt[4].

5. Neu ist – gegenüber 1 Kor 15 und 1 Thess 4,14–18 – die Rede vom »Ausziehen«, die in 2 Kor 5 als Möglichkeit erscheint. Für ἐκδύσασθαι läßt sich keine andere befriedigende Deutung finden als jene, die darunter das Verlassen des irdischen Leibes beim Tode versteht[5]. γυμνός kann hier nicht eine geistig-ethische Bedeutung haben[6]. Wenn die Verben »ausziehen«, »anziehen«, »darüberziehen« und die Rede vom »Haus« anthropologische Termini sind, und das läßt sich kaum bestreiten, dann muß auch die Be-

---

[1] K. Deißner, a.a.O. 60: »Wird aber von vornherein mit dem Besitz eines Kleides, d.i. des irdischen Leibes gerechnet, worüber das neue Kleid, d.i. der himmlische Leib, angezogen wird, so ist deutlich, daß der Apostel sich danach sehnt, noch im Besitz des irdischen Leibes mit dem pneumatischen Leibe bekleidet zu werden. Damit ist als Zeitpunkt des ἐκδύσασθαι die Parusie bestimmt. Paulus sehnt sich also danach, die Parusie zu erleben, um noch als Lebender des himmlischen Leibes teilhaftig zu werden«. Ähnlich H. Lietzmann, 2 Kor 117.

[2] Vgl. P. Hoffmann, a.a.O. 273: Die Rede vom ἐπενδύσασθαι läßt sich als unreflektierte Redeweise verstehen, die eine ungebrochene, lebendige Naherwartung der Parusie voraussetzt. Die Auferstehung sei dabei nicht bewußt ausgeschlossen, sondern nur nicht beachtet.

[3] 2 Kor 4,14 (da wir wissen, daß er, welcher den Herrn Jesus auferweckt hat, auch uns mit Jesus auferwecken und mit euch vor sich hinstellen wird); 1 Kor 6,14 (Gott aber hat den Herrn auferweckt, und er wird auch uns auferwecken durch seine Macht).

[4] Wie sich das Verschlungenwerden vollziehen soll, läßt sich den Worten des Paulus nicht entnehmen (J. Weiß, Urchristentum 419 erinnert an das Nessusgewand, das alles verbrennt, was darunterliegt; ähnlich W. Bousset, 2 Kor 191); Paulus selbst spricht ja in einer ihm überkommenen Formulierung (Jes 25,8), die trotz ihrer Bildhaftigkeit farblos bleibt und keine weitere Ausmalung zuläßt.

[5] Mit A. Titius, Der Paulinismus unter dem Gesichtspunkt der Seligkeit (Die neutestamentliche Lehre von der Seligkeit 2, Tübingen 1900, 61); K. Deißner, Auferstehungshoffnung 61.

[6] Gegen J. Calvin, Der zweite Brief an die Korinther, in: Die Auslegung der Heiligen Schrift, Neue Reihe 16, hrsg. von O. Weber, Neukirchen 1960; H. Ewald, Die Sendschreiben des Apostels Paulus übersetzt und erklärt, Göttingen 1857, 525–529; E. Ellis, 2 Corinthians 5,1–10, 221: »The opposite of being clothes upon by the house from heaven, i.e. the righteous Body of Christ, is not to be disembodied but to stand in the judgement ἐν Ἀδάμ, i.e. in the Body that is naked in guilt and shame«. – Ähnlich J.Chr.K. v. Hofmann, 2 Kor 127.

deutung γυμνός in diesem Bereich zu suchen sein. Der plötzliche Wechsel von anthropologischen Aussagen in V. 2 und dann wieder in V. 4 zu einer ethischen Metapher in V. 3 wäre unerklärlich und für den Leser auch nicht verständlich[1].

Eine andere Deutung erfährt γυμνός durch K. Stürmer: er versteht das »Nacktsein« als Seinslosigkeit und den Tod schlechthin: »Unter Nacktheit ist daher weder eine Leiblosigkeit noch eine Geistlosigkeit zu verstehen, sondern die Seinslosigkeit, die dem Menschen im Tode allein noch die Hoffnung auf Christus läßt«[2]. Diese Interpretation wurde auch von W. Schmithals aufgegriffen: »Der ›Nackte‹ ist der *Tote*. Zu behaupten, daß man als in der Ewigkeit Lebender (ἐνδυσάμενος) nackt sei, kann Paulus nur als paradox empfinden. Der Lebendige kann doch nicht tot, der Seiende doch nicht nichts sein«[3]. Unter dieser Voraussetzung (nackt = nichtseiend) wäre V. 3 wohl ein brauchbarer Sinn abzugewinnen (vorausgesetzt, man akzeptiert die Lesart des westlichen Textes ἐκδυσάμενος)[4]. Paulus würde sagen, auch wenn wir ausgezogen sind, leiblos, dann werden wir doch nicht auch deswegen schon »nackt«, also überhaupt nicht mehr sein, denn unser »innerer Mensch«, (vgl. 2 Kor 4, 16) würde ja den Zustand der »Nacktheit« verhindern, er würde weiterleben. Diese Deutung von γυμνός durch K. Stürmer und W. Schmithals muß jedoch daran scheitern, daß keine überzeugenden Parallelen beigebracht werden können, die γυμνός in diesem Sinn als den Tod schlechthin, als die Seinslosigkeit verstehen[5]. Weder aus dem jüdischen noch

---

[1] So auch F. Tillmann, Die Wiederkunft Christi nach den paulinischen Briefen, BSt 14, Freiburg 1909, 103; Ph. Bachmann, 2 Kor 227: »Es steht allen solchen Deutungen die Unmöglichkeit entgegen, auch nur das leiseste, für den Leser doch unentbehrliche Anzeichen einer solchen Umgestaltung des alten (und hernach wieder aufgenommenen!) Bildes zu einer neuen Metapher nachzuweisen«. Vgl. auch H. Lietzmann, 2 Kor 117; A. Plummer, Second Epistle of St. Paul to the Corinthians, Edinburgh 1915 (reprinted 1925), 147 (»naked, i.e. without either a material or a spiritual body«).

[2] K. Stürmer, Auferstehung und Erwählung, BFTh 53, Gütersloh 1953, 180.

[3] W. Schmithals, Gnosis 251.

[4] W. Schmithals bevorzugt allerdings die Lesart ἐνδυσάμενοι. Paulus drücke – nach W. Schmithals – in V. 3 sein Unverständnis aus gegenüber der korinthischen Zukunftserwartung: einerseits hatte er gehört, daß die Korinther nicht jedes Weiterleben über den Tod hinaus leugnen, andererseits, daß sie diesen Zustand als γυμνότης schildern. Für Paulus mußte eine solche Behauptung widersinnig erscheinen (W. Schmithals, a.a.O. 251).

[5] Für Paulus ist die Gleichung γυμνός = Toter, und ἐνδυσάμενος = Lebender, die W. Schmithals für die Rekonstruktion seiner polemischen Auseinandersetzung zwischen Paulus und den korinthischen Gnostikern voraussetzt, also ebenfalls unwahrscheinlich. Gegen dieses Verständnis von γυμνός spricht ebenfalls die Wendung εὑρεθήσεσθαι. Vgl. J. A. T. Robinson, The Body, A Study in Pauline Theology, SBTh 5, London 1955, 77: »εὑρίσκεσθαι is almost a technical term for being dis-

aus dem hellenistischen oder gnostischen Bereich wurden Belege für ein derartiges Verständnis von γυμνός nachgewiesen[1].

So bietet sich die naheliegende und auch zumeist vertretene Deutung von γυμνός an: es bezeichnet die Möglichkeit einer leiblosen Existenz nach dem Tode[2]. Wie V. 2.4 zeigen, hofft Paulus diesem Zustand zu entgehen, schließt ihn aber auch als sein persönliches Geschick nicht einfachhin aus[3]. Zu über-

---

covered at the parusia«. Für einen, der einfach nicht mehr ist, wäre die Wendung γυμνὸς εὑρεθήσεσθαι nicht am Platz.

[1] Belege für den gnostischen Gebrauch des Terminus γυμνός siehe bei R. Bultmann, Exegetische Probleme 5; die von A. Plummer, 2 Kor 147, H. Lietzmann, 2 Kor 120 und H. Windisch, 2 Kor 164 angeführten Sätze aus den platonischen Jenseitsmythen sprechen wohl von der Seele, die nackt vor dem Richter erscheint, allerdings nicht nackt wegen der – von Platon zweifellos auch vorausgesetzten – Leiblosigkeit, sondern insofern sie dem Gericht völlig offen ausgesetzt ist; immerhin zeigen diese Stellen (Cratyl. 403 b; Gorg. 523 d. e) die Verwendung des Terminus γυμνός in den platonischen Jenseitsmythen angewandt auf die leiblose Seele; weitere Belege für die Verwendung von γυμνός im hellenistischen und jüdischen Vorstellungsbereich bei A. Oepke, Artikel γυμνός, ThWNT 1, 773–775.

[2] Vgl. K. Deißner, Auferstehungshoffnung 62 f.; H. Windisch, 2 Kor 162. – P. Hoffmann, Die Toten in Christus 276 f.: »γυμνός wird seit Plato, besonders häufig bei Philo, gebraucht und bezeichnet die für den griechischen Philosophen erstrebenswerte Leiblosigkeit der Seele. Auch an unserer Stelle scheint der Zustand der vom irdischen Leibe losgelösten Seele gemeint zu sein«. – Ähnlich W. Mundle, a. a. O. 101: »γυμνός ist jemand, der nicht mit dem neuen Leib bekleidet ist, sondern leiblos wie der γυμνὸς κόκκος 1 Kor 15,37 ...«. W. Mundle bezieht dann allerdings die Möglichkeit des »Nackt-erfunden-Werdens« ausschließlich auf das Los der Nichtchristen: »γυμνός ist darum jeder, der im Endzustand den Herrlichkeitsleib nicht erhält, also tatsächlich jeder Nichtchrist« (a. a. O. 101).

[3] Es ist richtig, daß in V. 2 das στενάζομεν nicht als durch die Angst vor der γυμνότης veranlaßt dargestellt ist, sondern durch die Leiden des irdischen Lebens und durch die Sehnsucht nach dem himmlischen Haus. V. 4 läßt es allerdings doch als wahrscheinlich erscheinen, daß Paulus sehr wohl – wenn auch nicht den Zustand der schließlich offenbarwerdenden »Nacktheit« – das »Ausziehen« fürchtet und zu vermeiden wünscht (οὐ θέλομεν ἐκδύσασθαι). – W. Schmithals verdreht den Sinn von V. 4 völlig, wenn er paraphrasiert: »Das Seufzen unter der Last dieses vergänglichen Zeltes zeigt, daß uns ein Haus des Lebens erwartet (V. 2), aber Paulus fügt hinzu: denn wir seufzen ja doch nicht, weil wir ausgezogen, d. h. getötet werden wollen, sondern weil wir auf die Überkleidung mit dem Leibe des ewigen Lebens warten« (W. Schmithals, Gnosis 251 f.).Er erreicht diese Deutung durch die ungerechtfertigte Verschiebung des οὐ (θέλομεν) zu: »wir seufzen ja doch nicht ...« (also: οὐ στενάζομεν ἐφ' ᾧ θέλομεν ἐκδ., ἀλλά...). – Auch P. Hoffmann scheint die klare Aussage von V. 4 (»wir seufzen bedrückt, *weil wir nicht ausziehen wollen*, sondern überziehen«) zu vernachlässigen. Es ist unbefangener Betrachtung kaum möglich, zu verkennen, daß ἐκδύσασθαι nicht nur eine sekundäre Aussage darstellt, neben ἀλλὰ ἐπενδύσασθαι, und daß als Kerngedanke von V. 4 nicht angegeben werden kann: wir seufzen ..., weil wir anziehen wollen. Der Wunsch, nicht ausziehen zu müssen, ist klar ausgesprochen, und durch ἐφ' ᾧ ist dieser Wunsch dem στενάζομεν βαρούμενοι als Begründung zugeordnet (gegen P. Hoffmann, a. a. O. 271 f.).

denken wäre allerdings auch, ob γυμνός an unserer Stelle, ähnlich wie 1 Kor 15,37[1], nicht einfach eine absolute Aussage der »Nacktheit« machen will, sondern einen Zustand andeutet, der nur in Hinsicht auf den Idealzustand als »nackt« gezeichnet wird. γυμνός ist in der Bedeutung »unzureichend bekleidet«, »mangelhaft bekleidet« ausreichend belegt, um diese Übersetzung zu rechtfertigen[2]. Die Möglichkeit, die Paulus in V. 3 ausschließen will, wäre dann die: in einem unpassenden Zustand, nicht richtig gerüstet, vor dem Richterstuhl Gottes erscheinen zu müssen. Die Bezugnahme von γυμνός auf das Gericht ist nicht nur durch 5, 10 gerechtfertigt, sondern auch durch die zahlreichen Belege aus platonischen Jenseitsmythen und aus jüdischen Vorstellungen der »Nacktheit« vor dem Gericht.

6. Für die schwierige Deutung von V. 3 muß wohl ausgegangen werden von der Notwendigkeit, εἴ γε καί als konzessives »wenngleich freilich auch ...« zu übersetzen[3]; ein kausales Verständnis ist nicht zulässig[4]. Unter dieser Voraussetzung bietet sich dann allerdings zunächst die Lesart des westlichen Textes (εἴ γε καὶ ἐκδυσάμενοι οὐ γυμνοὶ εὑρεθησόμεθα) als die überzeugendere, weil sinnvollere, an: »wenngleich wir auch als Ausgezogene nicht nackt erfunden werden«[5]. Allerdings spricht dagegen doch die wesentlich weniger gute Bezeugung durch D, it, Marcion und Chrysostomus, und da der westliche Text gerade zu 2 Kor 5, 1–10 eine Reihe von Varianten anbietet, die deutlich als Erleichterungen kenntlich sind, wird dies auch gegen die Lesart ἐκδυσάμενοι mißtrauisch machen.

Muß unter diesen Umständen an der Lesart ἐνδυσάμενοι festgehalten werden, so verbietet es das Partizip des Aorists, die Wendung ἐνδυσάμενοι auf das Bekleidetsein mit dem irdischen Leibe zu beziehen[6]; es bezeichnet einen

---

[1] Vgl. oben S. 100–102.

[2] Siehe W. Bauer, Wörterbuch s. v. 332 f.; H. G. Lidell – R. Scott, A Greek–English Lexicon 1, s. v. 362 f.

[3] Nach Bl–Debr § 439, 2 leitet εἴ γε καί einen Konzessivsatz ein.

[4] R. Kühner – B. Gerth, Grammatik II, 177 f. führen auch εἴπερ als mögliche Entsprechung für εἴ γε καί an (»sofern es nämlich richtig ist...«). – H. Lietzmann, 2 Kor 120 faßt dagegen das εἴ γε καί unberechtigterweise kausal: »da wir ja (nur dann), wenn wir ausgezogen haben...«. Ähnlich auch H. Grass, Ostergeschehen und Osterberichte 158.

[5] So J. Weiß, Urchristentum 415 Anm. 1; R. Reitzenstein, Die hellenistischen Mysterienreligionen, Darmstadt 1956 (Neudruck der 3. Aufl. v. 1927), 355; R. Bultmann, Exegetische Probleme 11; W. Bousset, 2 Kor 190; F. S. Gutjahr, 2 Kor 601.

[6] Vgl. H. J. Holtzmann, Lehrbuch der neutestamentlichen Theologie 11, 220 f. (Anmerkung): ἐνδυσάμενοι bezeichnet als Partizip des Aorists den Akt des Eintritts und kann nicht gleichbedeutend sein mit ἐνδεδυμένοι, was auf die im irdischen Leibe Lebenden umd somit auf die Ereignisse bei der Parusie an den Noch-Lebenden bezogen werden könnte.

eingetretenen Zustand (wenn wir dann bekleidet sein werden)[1]. Paulus spricht hier von einer möglichen Alternative, vor der ihm bangt und der er das Überkleidetwerden vorzieht, allerdings einer Alternative, die doch auch (εἴ γε καί) den Zustand der »Nacktheit« verhindern würde. Da in 2 Kor 5, 2.4 unter den Bildern vom Darüberanziehen und vom Verschlungenwerden mit Sicherheit von dem Geschehen bei der Parusie die Rede ist und Paulus dort seine Sehnsucht ausspricht, das Überkleidetwerden mit dem himmlischen Leib ohne vorheriges Ausziehen erleben zu dürfen, muß die in V. 3 angesprochene Alternative (ἐνδυσάμενοι) das Bekleidetwerden mit dem Auferstehungsleib sein, das nicht als Darüberanziehen bezeichnet werden kann, das aber doch auch den Zustand der Nacktheit verhindert und ausschließt[2]. Diesem Verständnis von V. 3 kommt es entgegen, wenn unter Nacktheit nicht einfach der Zustand der Leiblosigkeit gemeint ist, sondern eine Verfassung des Menschen, die nicht geeignet ist für das Hintreten vor den Richterstuhl und für das Zusammensein mit Christus. Dieser »Nacktheit« – das weiß Paulus – werden wir auf jeden Fall entgehen, sei es auf Grund der Verwandlung der Parusie, die er sich ersehnt, weil sie das ἐκδύσασθαι (das Sterben) erübrigt, sei es auf Grund der Bekleidung mit dem Auferstehungsleib bei der Auferweckung der Toten[3].

7. Diese Sicherheit des Apostels formuliert auch V. 5: dazu hat Gott uns bereitet, und unsere Sicherheit ist begründet in dem Angeld des Geistes, den wir ja schon empfangen haben.

V. 5: Der aber uns dazu bereitet hat (ist) Gott,
    der uns den Geist als Angeld gegeben hat.

---

[1] Ähnlich auch K. Deißner, Auferstehungshoffnung 64: »Dieses ἐνδυσάμενοι hat, weil es vor einem Futurum steht, die Bedeutung eines futurum exactum: nachdem wir angezogen haben werden«. – Damit ist die Exegese von Ph. Bachmann z. St. unmöglich: er versteht ἐνδυσάμενοι als praedikatives Partizip zu εὑρεθῆναι (ἐνδυσάμενοι οὐ γυμνοί = als bekleidete und nicht als nackte) (gegen Ph. Bachmann, 2 Kor 226).

[2] Zwar ist es möglich, daß das ἐπενδύσασθαι in V. 3 durch das einfache ἐνδυσάμενοι aufgenommen werden kann (vgl. J. H. Moulton, A Grammar of the New Testament Greek 1, Edinburgh [3]1919 (Neudruck), 115: die Präposition kann weggelassen werden, wenn das Verb wiederholt wird, also ἐνδυσάμενοι kann ἐπενδυσάμενοι sein), doch ist es unter dieser Voraussetzung, daß also ἐνδυσάμενοι in V. 3 auf den Prozeß der Überkleidung bei der Parusie geht, nicht mehr möglich, dem εἴ γε καί seinen konzessiven Sinn zu belassen. H. Lietzmann, 2 Kor 120 übersetzt daher auch notgedrungen »da wir ja (nur dann)...«; diese kausale Fassung von εἴ γε καί ist nicht gerechtfertigt (vgl. auch W. G. Kümmel, Ergänzungen zu H. Lietzmann, 2 Kor 203).

[3] H. J. Holtzmann, Lehrbuch der Neutestamentlichen Theologie II, 220 f.: wenn die Lesart ἐνδυσάμενοι richtig ist, kann damit nur der Auferstehungsleib gemeint sein.

Wie schon in 1 Kor 15,35–44 (Gott bereitet das neue σῶμα τῆς δόξης) und 2 Kor 5,1f. (von Gott kommt das neue Haus; er gibt es) zeigt Paulus deutlich, daß er seine Hoffnung auf ein Leben (das ein leibliches sein muß) nach dem Abbruch des jetzigen Lebens – sei es durch den Tod oder durch die Parusie – nicht auf etwas gegründet denkt, das dem Menschen selbst zu eigen ist. Gott ist es, der durch sein πνεῦμα das Leben in einem künftigen Herrlichkeitsleib ermöglichen wird, nicht eine unsterbliche Seele oder die Lebenskraft, die vielleicht als Wesensbestandteil des natürlichen Menschen vorgestellt sein könnte. Es ist dieser Geist Gottes, den Paulus schon – in einem gewissen Umfang – empfangen zu haben sicher ist[1], der das σῶμα τῆς δόξης auch nach 1 Kor 15,44f. und Phil 3,21 prägen und neugestalten wird. Er gibt dem Apostel die hier ausgesprochene Gewißheit auf das Leben im Reiche Gottes (vgl. 1 Kor 15,50–53). Mit den meisten Auslegern ist εἰς αὐτὸ τοῦτο auf ἐπενδύσασθαι (V.4) zu beziehen[2] und auf das durch das Darüberanziehen ermöglichte »Verschlungen-werden« des Sterblichen, also auf den ἵνα-Satz. Damit stellt sich dann die Frage, ob das ἐπενδύσασθαι tatsächlich nur – wie oben angenommen – das Überkleidetwerden bei der Parusie, also die Verwandlung, die an den Überlebenden geschieht, bezeichnen kann[3], oder ob es nicht auch die für den Gläubigen mögliche Alternative, das Bekleidetwerden mit dem Auferstehungsleib – also das Geschehen an den vorzeitig Verstorbenen –, mitumfassen muß, da ja doch alle Gläubigen das Angeld des Geistes empfingen und somit auch alle das Anrecht haben auf das Geschehen, das mit εἰς αὐτὸ τοῦτο gekennzeichnet und eben durch das ἀρραβὼν τοῦ πνεύματος gesichert ist.

Nun ist es zwar nicht völlig auszuschließen, daß Paulus – es ist immer noch das apostolische »wir«, in dem er schreibt – hier für sich die sichere Hoffnung zum Ausdruck gebracht hat, er werde eben doch noch die Parusie als ein »Zurückbleibender« (1 Thess 4,17) erleben. Die Sicherheit, mit der er in 2 Kor 1,10f. die Hoffnung formuliert, er werde auch in Zukunft aus den Gefahren errettet, läßt das als Möglichkeit erscheinen[4]. Größere Wahrscheinlichkeit aber spricht doch dafür, Paulus habe – wie schon oben gesagt – zwar mit ἐπενδύσασθαι ausdrücklich nur das Geschehen im Auge gehabt, das den noch Lebenden widerfährt bei der Parusie, damit habe er aber nicht die andere Alternative – die Auferstehung (ἐνδύσασθαι?) – als eine für

---

[1] 2 Kor 1,22.
[2] So z.B. E. Kühl, 2 Korinther 5,1–10, Königsberg 1904, 15; P.W. Schmiedel, Die Korintherbriefe 238; K. Deißner, Auferstehungshoffnung 67; H. Windisch, 2 Kor 164; W. Mundle, Das Problem des Zwischenzustandes 104; R. Bultmann, Exegetische Probleme 12; P. Hoffmann, Die Toten in Christus 278.
[3] W. Mundle, a.a.O. 104.
[4] Mit Ph. Bachmann, 2 Kor 232.

sich selbst einfachhin auszuschließende Möglichkeit verneint[1]; Paulus hatte eben nur das Geschehen im Auge, das er bei der Abfassung von 2 Kor 5 für sich selbst als das wahrscheinlichere erwartete, von der anderen Möglichkeit spricht er nicht eigens. Ist das richtig, dann müßte die Sicherheit, die aus dem Besitz des Angeldes des Geistes abgeleitet ist, auch auf den Fall der Bekleidung mit dem Leib der Auferstehung ausgedehnt werden, obwohl an unserer Stelle den Worten nach das εἰς αὐτὸ τοῦτο das Geschehen an den bei der Parusie noch Lebenden bezeichnet[2].

V.6: Allezeit nun getrost seiend und wissend, daß wir einwohnend im Leibe fernwohnen von dem Herrn, –

---

[1] Vgl. z.B. O. Kuss: »Die Verzögerung der Parusie nötigt dazu, sich Gedanken über die hier wirksamen hindernden Faktoren zu machen, und schließlich muß man nicht nur eine Antwort auf die Frage nach dem Schicksal der jetzt – also unmittelbar vor der Parusie – Verstorbenen versuchen, sondern es wird immer wahrscheinlicher, daß der eigene Tod noch in die Zeit des gegenwärtigen bösen Äons hineinfällt« (O. Kuss, Die Rolle des Apostels Paulus in der theologischen Entwicklung der Urkirche, MThZ 14, 1–59; 110–187, hier: 137).

[2] C.F.D. Moule (St. Paul and Dualism: The pauline conception of Resurrection, NTS 13, 106–123) möchte das εἰς αὐτὸ τοῦτο auf das ἐκδύσασθαι (V.4) bezogen wissen. Nach seiner Auffassung war Paulus bei der Abfassung von 2 Kor 5, 1–10 zur Erkenntnis gekommen, daß sich seine früheren Hoffnungen nach einem Überkleidetwerden mit dem Auferstehungsleib nicht erfüllen würden. Unsere Sehnsucht gehe nun zwar weiterhin danach aus, Gott aber habe uns dazu bestimmt (V. 5), daß wir erst ausziehen (sterben) müssen. Paulus habe also seine Erwartungen geändert »from an exspectation«, in 1 Kor 15, of »addition«, »to a recognition«, in 2 Kor 5, »of exchange«. Um diese Auslegung begründen zu können, muß C.F.D. Moule στενάζειν verstehen als ein Seufzen, weil wir erkannt haben, daß wir erst ablegen müssen, bevor wir überziehen können. Die Sehnsucht nach dem »Darüberanziehen« und nach dem »Verschlungenwerden« des Sterblichen wären Wünsche, von denen Paulus weiß, daß sie nicht erfüllt werden. Gegen die Interpretation von C.F.D. Moule spricht die Tatsache, daß er V. 3 nicht einordnen kann in seine Auslegung (C.F.D. Moule hält ihn für den Schatten eines letzten Zweifels); der Anschluß mit εἴ γε καί an V.2 ist vernachlässigt. Ebenso ist V.2 nicht mit V.1 verknüpft; καὶ γάρ ist aber ein begründender (zumindest erläuternder) Anschluß an V.1; nach C.F.D. Moule müßte die Aussage von V.2.4 ganz selbständig neben V.1 stehen. Aber nur der begründete Wunsch, die Sehnsucht, die nicht schon von vornherein als unberechtigt und unerfüllbar erkannt ist, kann doch als Begründung für das Wissen um das Himmels-Haus dienen. – Außerdem müßte die Frage gestellt werden, wie Paulus seine bislang vorgetragene Meinung von dem Geschehen der Auferstehung plötzlich gänzlich verändern, aber dennoch mit οἴδαμεν γάρ anfangen konnte; merkwürdig wäre auch die Vorstellung, Paulus glaube, er habe den Geist Gottes als Angeld für sein sicheres Los, »auszuziehen zu müssen«, also vor der Parusie sterben zu müssen, denn der von C.F.D. Moule vorgetragene Gedanke, Paulus wisse nun, daß er erst »ausziehen« müsse, bevor er überkleidet werden kann, wird ja in 2 Kor 5, 1–10 nirgends ausgeführt; εἰς αὐτὸ τοῦτο würde sich dann nur auf ἐκδύσασθαι beziehen; und die Gewißheit, daß ihm *das* widerfahren muß, hätte Paulus aus dem Angeld heiligen Geistes.

V. 7: im Glauben gehen wir nämlich umher,
nicht im Schauen.

V. 8: Aber wir sind getrost und wollen lieber auswohnen aus dem Leibe
und einwohnen beim Herrn.

V. 9: Daher machen wir uns eine Ehre daraus, einwohnend oder aus-
wohnend, ihm gefällig zu sein.

V. 10: Wir alle müssen nämlich vor dem Richterstuhl
des Christus offenbar werden, damit jeder empfange,
für das, was er getan hat mit dem Leibe,
sei es Gutes, sei es Böses.

8. V. 6 ist unvollständig; der Satzbau wurde durch die Parenthese von V. 7
gestört und nicht weitergeführt[1]. V. 8 greift offensichtlich die Konstruktion
wieder auf[2], jedoch bereits mit einer Weiterentwicklung des Gedankens von
V. 6, mit einer neuen Akzentuierung, die ihrerseits wieder durch den Einschub von V. 7 hervorgerufen sein mag[3]. Möglicherweise wollte Paulus
schon an die Feststellung von V. 6 die paränetische Schlußermahnung anfügen, die nun in V. 9 f. ausgesprochen ist; der gleiche Gedanke an das ent-
lohnende Gericht und die daraus resultierende Verpflichtung zu einem ent-
sprechenden Lebenswandel bildet auch den Abschluß des Auferstehungskapitels 1 Kor 15[4].

Problematisch sind vor allem V. 6 und V. 8. Eigentlich wäre in V. 6 eine
konzessive Satzkonstruktion zu erwarten: wir sind getrost, obwohl wir,
noch im Leibe, fern sind vom Herrn[5]. Das Getröstetsein angesichts des

---

[1] Ph. Bachmann, 2 Kor 233; H. Windisch, 2 Kor 165.

[2] So auch K. Deißner, Auferstehungshoffnung 71; O. Kuss, 2 Kor 231f.

[3] P. Hoffmann, Die Toten in Christus 280f. möchte in V. 8 nur einen Zwischen-
gedanken ausgesprochen wissen, der vor allem auf die Vorliebe des Apostels für
streng antithetische Formulierungen zurückzuführen sei; der eigentliche Neueinsatz zu V. 6 sei in V. 9 gegeben. – Dagegen spricht aber doch die Wiederauf-
nahme von θαρροῦντες (V. 6) durch θαρροῦμεν (V. 8) mit dem weiterführenden δέ.

[4] 1 Kor 15, 58; vgl. auch Phil 3, 20-4, 1. Vgl. dazu A. Grabner–Haider, Paraklese
und Eschatologie bei Paulus, Münster 1968, 79–99.

[5] H. Windisch, 2 Kor 166: »καὶ εἰδότες κτλ. schränkt also eigentlich das θαρροῦντες
ein, und der neue Gedanke hätte konzessiv gefaßt werden müssen (etwa θαρροῦμεν
οὖν πάντοτε καίπερ εἰδότες)«. – Nicht wahrscheinlich erscheint die These von W. Schmithals: »Wie in 5, 1 führt Paulus mit εἰδότες eine Tatsache ein, die von den Gnostikern
bestritten wird. Sie leben nur noch scheinbar im Leibe und faktisch schon im
Herrn« (W. Schmithals, Die Gnosis 256). Merkwürdig wäre schon, wenn Paulus
ausgerechnet mit οἴδαμεν γάρ (nicht etwa οἴδαμεν γὰρ ἡμεῖς) und εἰδότες die kontroverse
Auffassung zur Sprache bringt; andererseits kommt für W. Schmithals noch er-
schwerend hinzu, daß nach seiner These Paulus die Position der korinthischen
(gnostischen) Gesprächspartner nur sehr mangelhaft kannte und sich ihren Wunsch
nach einem Auswohnen aus dem Leibe (ohne neues Kleid) nicht vorstellen kann
(vgl. a.a.O. 252f.); um so erstaunlicher wäre es, wenn er nun selbst in seiner
polemischen Antwort ihre Redewendung vom »Auswohnen aus dem Leibe« ohne

Wissens um ein Fernsein vom Herrn ist nicht gut verständlich zu machen[1]. Wahrscheinlich will der Apostel in einer verkürzten Redeweise den Gedanken zum Ausdruck bringen: wir sind guten Mutes, und wir wissen, daß wir, solange wir in diesem irdischen Leibe sind, ja doch nur fern sein müssen vom Herrn. Die Kundgabe guten Mutes und des Getröstetseins (V. 6) knüpft somit an die Formulierungen gleichen Inhalts an, die wir 2 Kor 4,7f. 16f.; 5,1 vorgefunden haben: auch und gerade angesichts der Zerstörung des irdischen Leibes sieht der Apostel keinen Grund zur Verzweiflung. Begründete Paulus allerdings in 5,1 seine Zuversicht mit dem sicheren Wissen um einen Ersatz für den irdischen Leib durch einen von Gott gewirkten neuen Leib, so ist es in V. 6 das Wissen um die Möglichkeit, nahe beim Herrn sein zu können, wenn diese Barriere des jetzigen Leibes abgerissen sein wird, das Trost spendet. Diesen Gedankengang bringt V. 8 in einer verschärften Form unter Wiederaufgreifen der Termini von V. 6 und vielleicht nur deshalb in dieser für Paulus ungewohnten Form: es ist sogar das Bessere, den Leib zu verlassen und beim Herrn zu sein[2].

Über den Zeitpunkt des ἐκδημῆσαι ist damit keine Angabe gegeben, auch nicht über den Zeitpunkt, an dem das ἐνδημῆσαι πρὸς τὸν κύριον statthaben kann[3]. Der Zusammenhang mit V. 1–5 weist auf das Geschehen bei der Parusie[4]. Es liegt zwar nahe, das ἐκδημῆσαι (V. 6.8) dem ἐκδύσασθαι (V. 4) in-

---

Korrektur aufgriffe (daß Paulus, wenn er sagt, »auswohnen aus dem Leibe«, nicht ein leibloses Weiterleben (so auch W. Schmithals, a.a.O. 257), sondern nur das Verlassen des von der Macht der σάρξ geprägten Leibes wünscht), konnte den Korinthern aus dieser Antwort ja kaum klar werden.

[1] καὶ εἰδότες gibt zwar nicht den Grund an für das Getröstetsein; dieser liegt vielmehr in dem vorhergehenden V. 5, auch 4,7; 6,16f. und 5,1. Dennoch überrascht die Koordinierung des εἰδότες zu θαρροῦντες, da es doch das Wissen um einen im Grunde zu bedauernden Zustand aussagt und daher die trostvolle Zuversicht mindern muß.

[2] H. Lietzmann, 2 Kor 121: »Sieht man genauer zu, so steht weder vom Tode noch vom Zwischenzustand etwas da. Die Sehnsucht des Paulus richtet sich durchwegs auf die Parusie...«. Ähnlich W. Mundle, Das Problem des Zwischenzustandes 106.

[3] So z.B. auch K. Deißner, Auferstehungshoffnung 73.

[4] W. Mundle, a.a.O. 107. – Vgl. auch H.-D. Wendland, 2 Kor 171: »Auch hier darf die Sehnsucht nach der Heimat beim Herrn nicht mit einem Verlangen nach dem Tode gleichgesetzt werden, vielmehr nur mit der Sehnsucht nach dem Überziehen des himmlischen Kleides, also der Verwandlung, die bei der Endvollendung stattfindet«. – Paulus wünscht nicht den Leib zu verlassen, um im Tode »ausgezogen« zu sein, sondern er wünscht die Bedingungen abzustreifen, die ihn am Beisammensein mit dem Herrn bislang hindern, – eben diesen Leib; Paulus selbst hatte in den V. 5,1–5 vor allem das Geschehen bei der Parusie im Auge, ohne deswegen allerdings die Alternative der Totenauferstehung auszuschließen. Das scheint auch für 5,6–8 zu gelten. Die dem Paulus nächstliegende Art des ἐκδημῆσαι dürfte eben im ἐπενδύσασθαι liegen.

haltlich gleichzusetzen, aber es ist doch wahrscheinlicher, daß Paulus hier nicht die Möglichkeit des Sterbens im Auge hat, denn dann wäre in der Tat ein unerträglicher Stimmungsumschwung gegenüber V. 2–4 bei Paulus vorausgesetzt, denn V. 3 f. nennt die Vorstellung eines verfrühten Sterbens vor der Parusie eindeutig eine unerwünschte (στενάζομεν βαρούμενοι). Daraus ergibt sich die Notwendigkeit, zu ἐκδημῆσαι ἐκ τοῦ σώματος ergänzen zu müssen: ἐκ τούτου. Daß diese Ergänzung nicht illegitim ist, sondern in der Richtung der Gedanken von 2 Kor 4, 7–5, 10 liegt, sichern V. 1 und V. 4 f.: das Wissen um einen zukünftigen Leib, die Gewißheit, der γυμνότης entgehen zu können, die feste Überzeugung, durch das Angeld des göttlichen πνεῦμα gerüstet zu sein für das ἐπενδύσασθαι. Das alles schließt die Möglichkeit aus, Paulus habe sich das Einwohnen beim Herrn als ein – wenn auch nur vorübergehenderweise – leibloses Einwohnen vorgestellt und ersehnt (εὐδοκοῦμεν μᾶλλον), fordert vielmehr, sich auch das Beim-Herrn-Sein als ein Überkleidetsein mit neuer Leiblichkeit zu denken[1], und fordert damit auch, die Sehnsucht nach dem Auswohnen aus dem Leibe als ein Verlangen nach dem Befreitwerden von der Last dieses σῶμα τοῦ σαρκός zu verstehen[2], nicht aber als den Wunsch nach einem leiblosen Beim-Herrn-Sein.

4. Zusammenfassung

In 2 Kor 5, 1–10 spricht Paulus – im Vergleich zu 1 Kor 15 und 1 Thess 4, 13–18 – in neuen, bei ihm ungewohnten Bildworten von den Ereignissen der Endzeit an den Christusgläubigen. Die Auslegung ist an mehreren Stellen aus sich selbst mit letzter Sicherheit nicht zu erstellen. In solchen Fällen müssen als nächste Richtschnur der Exegese jene Texte beigezogen werden, in denen Paulus selbst sich zum gleichen Themenkreis deutlicher oder eindeutig geäußert hat. Dabei darf allerdings – vor allem wenn es sich um ältere Texte handelt – die Möglichkeit eines Wandels in den paulinischen Vorstellungen über die Endereignisse keinesfalls ausgeschlossen werden[3]. Von vornherein ist selbstverständlich auch eine mögliche Beeinflussung der paulinischen Darstellungen durch gegnerische Terminologie und Vorstellungen zu berücksichtigen, sei es eine Beeinflussung der Art, daß Paulus in direkter oder indirekter Polemik anderslautende Absichten zurückweist, sei

---

[1] Mit W. Mundle, a. a. O. 106 f.; L. Brun, Zur Auslegung von 2 Kor 5, 1–10, 332; P. Hoffmann, Die Toten in Christus 284.

[2] Vgl. Röm 8, 23.

[3] Das Gewicht von 1 Kor 15 und 1 Thess 4, 14–18 als Maßstab für die Exegese von 2 Kor 5, 1–10 wird allerdings dadurch noch wesentlich verstärkt, daß sich die dortigen Anschauungen auch nach 2 Kor 5, 1–10 wieder finden (Röm 8, 23; Phil 3, 10 f.).

es auch nur, daß er – passend oder vielleicht auch unpassend – die Terminologie der Gegner aufgreift, um sich ihnen dadurch überhaupt verständlich machen zu können[1]. Zu beachten ist bei der Beurteilung von 2 Kor 5, 1–10 schließlich auch, daß es sich dabei nicht um einen Traktat über die Endereignisse handelt, sondern es wird nur im Rahmen der Thematik der apostolischen Leiden und des Lebens der Apostel auch der Abschluß dieses Lebens ins Auge gefaßt.

Welches Bild läßt sich nun aus 2 Kor 5, 1–10 über die paulinischen Vorstellungen von den Ereignissen bei der Parusie des Christus und speziell der Auferstehungsleiblichkeit gewinnen?

1. Paulus erwartet weiterhin eine baldige Wiederkunft des Christus. Die ausgestandenen Todesgefahren mögen ihm die Möglichkeit eines vorzeitigen Todes nähergebracht haben, doch zur Zeit der Abfassung von 2 Kor 5, 1–10 spricht er von dem Erleben der Parusie als das für ihn näherliegende.

2. Das Geschehen bei der Parusie an den Überlebenden wird – übereinstimmend mit 1 Kor 15, 51–54 – als Bekleidetwerden geschildert. 2 Kor 5, 2.4 machen dabei noch deutlicher als 1 Kor 15, 53 f., daß dabei kein vorheriges »Ausziehen« der irdischen Leiblichkeit die Voraussetzung für die Neubekleidung mit dem künftigen Leibe bildet, vielmehr wird der Mensch, der bei der Ankunft des Christus noch lebt, überkleidet mit dem Neuen. Die Beteiligung des irdischen Leibes wird nicht als eine »Verwandlung« beschrieben (vgl. 1 Kor 15, 52), es ist auch nicht die totale Vernichtung der irdischen Leiblichkeit unter dem neuen Gewand (etwa durch das Geschehen des »Ver-

---

[1] Ein direkter Bezug von 2 Kor 5, 1–10 auf die Leugner der Auferstehung, die in 1 Kor 15 als Gegner der Verkündigung von der Auferweckung der Toten auftreten, läßt sich nicht ausmachen. Es war überhaupt nicht eine Bestreitung oder Bezweiflung der Auferstehungsgewißheit, die zur Abfassung dieser Verse geführt hat, sondern sie entstanden im Zusammenhang der Rechtfertigung des paulinischen Apostolates. – Zur Frage nach den Gegnern des Paulus in 2 Kor vgl. D. Georgi, Die Gegner des Paulus im 2. Korintherbrief, Neukirchen 1964: er vermutet, daß nach der Abfassung von 1 Kor neue Gegner in die korinthische Gemeinde eingedrungen seien, und zwar judenchristliche Wanderprediger nach der Art hellenistischer θεῖοι ἄνδρες. So auch G. Bornkamm, Die Vorgeschichte des sogenannten Zweiten Korintherbriefes, Heidelberg 1961, 10–16; D. Lührmann, Das Offenbarungsverständnis bei Paulus und in den paulinischen Gemeinden, FRLANT 16, Neukirchen 1965 und E. Brandenburger, Adam und Christus, Neukirchen 1962. – Anders W. Schmithals, Die Gnosis in Korinth (für ihn sind die Gegner des Paulus in den beiden Korintherbriefen dieselben, nämlich judenchristliche Gnostiker); E. Käsemann, Die Legitimität des Apostels, ZNW 41 (er beschränkt seine Untersuchung auf die vier letzten Kapitel von 2 Kor und kommt zum Ergebnis, die Gegner seien judenchristliche Pneumatiker, Visitatoren der urchristlichen Jerusalemer Gemeinde); W. Lütgert, Freiheitspredigt und Schwarmgeister in Korinth 62–86 spricht von libertinistischen Pneumatikern.

schlungenwerdens«) gelehrt: sowenig wie ζωή (2 Kor 5,4) einfach der neuen Leiblichkeit gleichzusetzen ist, kann mit θνητόν (2 Kor 5,4) die Leiblichkeit als etwas total zu Beseitigendes gemeint sein. In Spannung zu diesen Aussagen treten allerdings die Verse 2 Kor 5,6–8: der Apostel wünscht »auszuwohnen« aus dem Leibe, um beim Herrn zu sein. Wenn diese Verse ebenfalls auf die Parusie zu beziehen sind, stoßen sich die beiden Bilder vom »Überkleidetwerden« einerseits und vom »Auswohnen aus dem Leibe« andererseits.

3. Von der Auferstehung der Toten wird nicht ausdrücklich gesprochen.

a) Ein Hinweis auf sie dürfte in V. 3 vorliegen: εἴ γε καὶ ἐνδυσάμενοι οὐ γυμνοὶ εὑρεθησόμεθα. Damit ist die – neben dem »Überkleidetwerden« – andere Alternative, die den Gläubigen vor dem »Nackt«-sein bewahrt, bezeichnet.

b) Paulus weiß um eine neue Leiblichkeit nach dem Abbruch des irdischen Leibes (2 Kor 5,1).

c) Über den Zeitpunkt der Bekleidung mit dem himmlischen Leibe ist nichts gesagt. Eine Beseitigung der früheren Lehre der Totenauferstehung zugunsten der sofortigen Überkleidung mit der neuen Leiblichkeit jeweils nach dem Tode des einzelnen[1] wird jedoch insofern durch 2 Kor 5,1–10 unmöglich gemacht, da Paulus nach 5,3 (γυμνοὶ εὑρεθησόμεθα) und 5,10 das Endgericht erwartet[2]. Dieses Gericht ist seiner Vorstellung nach ein gemeinsames, nicht ein individuelles; und es ist mit der Totenauferstehung verbunden[3].

---

[1] Außer den oben S. 132–134 genannten, wird diese Auffassung vorgelegt u.a. von M. Goguel, La foi a la résurrection de Jésus dans le Christianisme primitif, Paris 1933, 38; G. Vos, The Pauline Eschatology, Grand Rapids 1930 (Neudruck 1952), 187–189; R.F. Hettlinger, 2 Corinthians 5,1–10 SJTh 2,191f.

[2] Gerade das Neue an der Aussage des Apostels über seine Jenseitserwartung, eben die alsbaldige Bekleidung mit dem neuen Leib, könnte überdies nur aus dem Text erschlossen werden; es wäre nicht eindeutig ausgesprochen. Die Einleitung des Apostels mit οἴδαμεν γάρ läßt ebenfalls beim Leser nicht den Gedanken aufkommen, nun mit einer ganz neuen Konzeption der Zukunftsvorstellungen konfrontiert zu werden; schließlich ist auch wieder an die Differenz zu den späteren Stellen Röm 8,22f. und des Philipperbriefes zu erinnern. – O. Michel, Art. οἰκία, ThWNT 5,149 meint, οἴδαμεν und die Parallelität zu Mk 14,58 (οἰκοδομεῖν, καταλύειν, ἀχειροποίητον) legten nahe, daß es hier nicht um ein paulinisches Geheimwissen gehe, sondern um einen Glaubenssatz, auf den sich Paulus – da er auch in der Gemeinde bekannt war – berufen konnte.

[3] Der Hinweis auf die Angst vor der »Nacktheit« ist als Gegenargument nicht brauchbar (gegen K. Deißner, Auferstehungshoffnung 87f.). Zwar würde ein Zwischenzustand in »Nacktheit« die Theorie der sofortigen Bekleidung mit dem Auferstehungsleib nach dem jeweiligen Tod ausschließen, doch ist ja gerade ein solcher Zwischenzustand nicht behauptet. – Gegen die Ansicht, V. 3 spreche von der Angst vor dem Zustand der »Nacktheit« in einem Zwischenzustand, auch E. Brandenburger, Fleisch und Geist, Paulus und die dualistische Weisheit, WMANT 29, Neukirchen 1968, 177 Anm. 1.

d) Ein »Zwischenzustand« zwischen Tod und Endzustand ist damit notwendig vorausgesetzt, in unseren Versen allerdings nicht ausdrücklich angesprochen. Die »Nacktheit« (5,3) ist nicht von einem Zustand in der Zwischenzeit von Tod bis Parusie ausgesagt, sondern nur als eine –allerdings nicht reale – Möglichkeit des Stehens vor dem Gericht (εὑρεθησόμεθα). Das Stöhnen vor der bedrückenden Möglichkeit des vorzeitigen Sterbens ist nicht veranlaßt durch die Angst vor einer möglichen »Nacktheit«, sondern aus der kreatürlichen Furcht vor dem Sterben[1].

4. Von dem Auferstehungsleib ist 2 Kor 5,1 die Rede. Es entsteht der Eindruck, der alte Leib wird ausgetauscht gegen die neue Leiblichkeit. Eine Beteiligung der alten irdischen Leiblichkeit am Auferstehungsgeschehen erscheint als ausgeschlossen.

5. Dieser Eindruck wird allerdings in etwa korrigiert durch die Tatsache, daß V. 1 und V. 8 auch für die Parusie, also den Fall zutreffen, der 5,2.4 als ein Überkleidetwerden geschildert ist[2]; nachdem aber die Vorstellung von V. 1 (Austausch des Hauses) mit denen von V. 2–4 (Darüberanziehen) für den Fall der Parusie nicht zu vereinbaren ist und Paulus offensichtlich von V. 1 auf V. 2 die Bilder gewechselt hat, weil diese der von ihm intendierten Aussage vom Bekleidetwerden nicht angepaßt werden konnten, ist auch hinsichtlich der Alternative »Auferstehung« mit der Möglichkeit zu rechnen, daß Paulus in 5,1 eine Terminologie verwendet, die dem von ihm Gemeinten nicht gerecht werden kann[3]. Doch kommt Paulus jedenfalls in 2 Kor 5,1–10 der hellenistischen dualistischen Auffassung sehr nahe: der Leib ist eine nicht zufriedenstellende Hülle. Und zwar scheint es nicht – wie sonst bei Paulus – der von der σάρξ beherrschte Leib, sondern der von Not und Leiden und dem Tod bedrohte körperliche Leib zu sein, den Paulus verlassen will. Dennoch ist damit nicht der Wunsch ausgesprochen, vom somatischen Sein überhaupt befreit zu werden[4].

6. Die Frage nach der Herkunft der Bildworte und Vorstellungen, die Paulus in 2 Kor 5,1–10 verwendet, bewegt sich weitgehend in Vermutungen. Die Querverbindungen zwischen jüdischem und hellenistischem Welt- und Seinsverständnis waren schon zu stark, als daß nicht in die Sphäre des einen auch Begriffe des anderen Vorstellungskreises übernommen worden wären, wenn auch vielleicht nur angepaßt und im uneigentlichen Sinn verwendet[5]. Tatsache ist jedoch, daß sich keine Belege nachweisen lassen, nach

---

[1] O. Kuss, 2 Kor 213.
[2] Vgl. oben S. 142 ff.
[3] Diese Möglichkeit bekommt noch größere Wahrscheinlichkeit, wenn gezeigt werden kann, daß Paulus hier eine Terminologie aufgreift, die ihm von außen nahegelegt worden ist.
[4] Mit R. Bultmann, Theologie 202.
[5] Natürlich wirkten auch die Einflüsse orientalischer Vorstellungen, der My-

denen in der zeitgenössischen jüdischen Literatur der Leib als »Zelt« dargestellt wird. Das gilt auch für Josephus Flavius[1]. In der Septuaginta kennt nur
die im hellenistisch-alexandrinischen Bereich entstandene Sapientia die me-
taphorische Verwendung von »Zelt« im Sinne von »Leib«[2]. Entsprechungen zu den paulinischen Wendungen finden sich dagegen in den mandäischen Schriften. Dort begegnet sogar die Kombination von »Haus« und
»Kleid«, die unserem Abschnitt (2 Kor 5, 1–5) eigentümlich ist[3]. Ph. Vielhauer meint: »Die mandäischen Parallelen sind zu 2 Kor 5, 1 natürlich nur
Parallelen, allerdings sehr auffällige Parallelen, aber keine Quellen der paulinischen Begriffe«. Da aber auch eine Abhängigkeit der mandäischen Begriffe von Paulus nicht vorliegen könne, müßten beide auf eine gemeinsame
Grundlage zurückgeführt werden, und das sei die »iranische«[4].

Diese Ableitung scheint möglich[5]. Das Nebeneinander der beiden Vorstellungsreihen von Haus und Zelt einerseits und dem Kleid andererseits ist
jedoch gerade bei Paulus nicht erstaunlich und eine direkte Abhängigkeit
in dieser Kombination von (möglicherweise) iranischen Vorstellungen ist
nicht unbedingt anzunehmen. Für die Erklärung genügt es, anzuerkennen,
daß sowohl für die Bezeichnung des Leibes als »Haus« und als »Zelt« wie
auch als »Kleid« bei hellenistischen Autoren genügend Belege nachweisbar

---

sterienreligionen und der aufkommenden Gnosis mit an dem Vorstellungspoten-
tial, das Paulus angeboten war. Neuerdings vertritt E. Brandenburger eine große
Nähe gerade auch der paulinischen Zukunftserwartungen zur dualistischen jüdischen Weisheitslehre, wie sie bei Philo und in Sapientia greifbar wird (E. Brandenburger, Fleisch und Geist).

[1] H. Strack – P. Billerbeck, Kommentar zum Neuen Testament aus Talmud
und Midrasch 3, München 1926 (³1961), 517; O. Michel, Art. οἰκοδομή, ThWNT 5,
149f.; – Flavius Josephus spricht vom Übergang der Seelen nach dem Tode in
einen neuen Leib, allerdings nicht unter Verwendung irgendwelcher Metapher
(De Bello Jud. II, 8, 14, § 163: ψυχήν τε πᾶσαν μὲν ἄφθαρτον, μεταβαίνειν δὲ εἰς ἕτερον σῶμα
τὴν τῶν ἀγαθῶν μόνην (zitiert nach Flav. Josephus, De Bello Judaico, hrsg. v. O.
Michel und O. Bauernfeind, Darmstadt 1959, Bd. 1, 214).

[2] Sap 9, 15; vgl. oben S. 137 Anm. 2.

[3] Ph. Vielhauer, Oikodomae 37–39; O. Michel, a.a.O. 149f.; vgl. auch R.
Reitzenstein, Die hellenistischen Mysterienreligionen 355. – Zu den gnostischen
Bildern (Leib = Haus) vgl. H. Jonas, Gnosis 102; R. Bultmann, Exegetische
Probleme 6. – Die Gnosis bevorzugt allerdings die Bilder vom Kerker oder vom
Gefängnis, die geeigneter erscheinen, ihre Verachtung gegenüber der Materie
auszusagen; vgl. auch W. Schmithals, Die Gnosis in Korinth 249f.

[4] Ph. Vielhauer, a.a.O. 107.

[5] Eine direkte Abhängigkeit des Paulus von der dualistischen jüdischen Weis-
heitsspekulation, wie sie E. Brandenburger zu behaupten scheint, ist schon aus
dem Grunde unwahrscheinlich, weil bei Paulus das himmlische »Haus« nicht wie
dort Motiv für die spekulative Reflexion auf ein ursprüngliches himmlisches Sein
ist. E. Brandenburger erklärt diese Tatsache als eine »teilweise Rückbildung« dieser
Denktraditionen bei Paulus im Sinne apokalyptischer Vorstellungen (E. Brandenburger, Fleisch und Geist 176).

sind[1], die eine reichlich weite Streuung dieser Begriffe in der geistigen Umwelt des Apostels bezeugen[2]. Die eigenartige Kombination der Vorstellungen in 2 Kor 5, 1 f. ist bedingt durch die Aussageintention und durch die Tatsache, daß Paulus die Begriffe »Haus« und »Zelt« als Metapher für »Leib« nicht in ihrer eigentlichen Sinnhaftigkeit, die sie im Zusammenhang dualistischer Anthropologie hatten, verwenden kann. Er spricht vom Leib als »Haus« und verheißt ein neues »Leib-Haus«. Gleichzeitig kann er aber die Weiterführung des Bildes nicht mitvollziehen: er kennt keinen Umzug von einem Haus in ein anderes; wer oder was würde bei Paulus in dem Haus wohnen und umziehen müssen[3]? So ist es verständlich, daß er an dieser Stelle, nachdem er mit Hilfe der dualistischen Anthropologie das Nacheinander zweier verschiedener Leiber dargelegt, zu dem ihm gemäßeren Bild übergeht. Denn einen Umzug (eines Pneuma-Selbst oder einer Seele) kennt Paulus nicht[4], wohl aber kommt das Bild vom Überkleiden oder vom Bekleiden seinen anthropologischen Vorstellungen entgegen, und er greift auf diese Aussagemittel zurück, die schon 1 Kor 15 bei ihm die Bilder sind, mit denen sich am weitesten vorwagt, um das Geschehen bei der Parusie des Christus oder bei der Auferstehung Toter zu beschreiben oder besser zu umschreiben und anzudeuten[5].

Dabei bleibt allerdings noch zu fragen, warum Paulus diese Termini einer dualistischen Anthropologie wählte, obwohl er die damit verbundenen Vorstellungen und vor allem die damit verknüpfte Abwertung des Leibes als »nur« Zelt oder Kleid ja nicht teilt. Denn jene Anthropologie, die genuin

---

[1] Anders P. Hoffmann, Die Toten in Christus 268 Anmerkung 80: »Die Ableitung aus der bei hellenistischen Autoren reichlich verwendeten anthropologischen Bildersprache des Baues und Zeltes« ... »kann gerade dieses Nebeneinander nicht verständlich machen«.

[2] Belege bei H. Windisch, 2 Kor 158, 164–166; H. Lietzmann, 2 Kor 119f.; O. Michel, Artikel οἰκοδομή, ThWNT 5, 149f. J. Dupont, Σὺν Χριστῷ, L'Union avec le Christ suivant Saint Paul, Paris 1952, 142 f.

[3] Die Redeweise vom ἔσω ἄνθρωπος (2 Kor 4, 16) darf nicht in diesen Zusammenhang gezogen werden; vgl. oben Anm. 2. S. 131.

[4] H. Lüdemann, Die Anthropologie des Apostels Paulus und ihre Stellung innerhalb seiner Heilslehre, Kiel 1872, 148 f. denkt sich das πνεῦμα als das Bleibende, das aus dem einen Leib auszieht und (alsbald) einen neuen Leib erhält, andernfalls aber »nackt« dastehen müßte. Doch ist ja gerade 2 Kor 5, 5 πνεῦμα die göttliche Gabe, nicht ein Wesensbestandteil des natürlichen Menschen.

[5] Zur Vorstellung einer »Nacktheit« nach dem Tode vgl. oben Seite 144ff.; außerdem J. Dupont, a.a.O. 144f.; E. Brandenburger, Fleisch und Geist 176 Anm. 4. – Bei E. Brandenburger a.a.O. 175 auch Parallelen zu 2 Kor 5, 6–8 (ἐκδημέω–ἐνδημέω) bei Philo. – Zu ἐκδύσασθαι–ἐνδύσασθαι vgl. R. Reitzenstein, Hellenistische Mysterienreligionen 48.175.154.159; F. Cumont, Religions Orientales dans le Paganisme Romain, Paris 1929, 391f.; H.-D. Wendland, Die hellenistisch-römische Kultur in ihren Beziehungen zu Judentum und Christentum, Tübingen 1912, 168.

den Leib als »Haus« und »Kleid« und »Zelt« wertete, wünschte sich ja für
das Leben nach dem Tode nicht wieder – wie eben Paulus – ein neues Haus
oder eine neue Bekleidung[1]. Am wahrscheinlichsten läßt sich dieser Tatbestand damit erklären, daß der Apostel hier Bilder aufgreift, die ihm aus seiner Umwelt bekannt waren und die er offenbar auch in Korinth als geläufig
voraussetzt; daß er dies tat, obwohl die Bildsprache nicht seinen eigenen
Zukunftserwartungen angepaßt werden konnte, mag darin begründet sein,
daß er korrigierend Vorstellungen in Korinth beeinflussen wollte. Hinweise auf eine – allerdings sehr indirekte – Polemik könnten in V.4f. zu
finden sein: das betonte εἰς αὐτὸ τοῦτο und die Gegenüberstellung von οὐ
ἐκδύσασθαι und ἐπενδύσασθαι (ἀλλ᾿ οὐ)[2]. Eine direkte polemische Abzwek-
kung des Abschnittes 2 Kor 5, 1–10 gegen eine anderslautende Zukunftserwartung für das Leben nach der Parusie oder nach dem Tode läßt sich
jedenfalls mit Sicherheit nicht ausmachen[3]. Tatsache ist allerdings auch, daß
der Abschnitt gerade wegen der Übernahme von Vorstellungen, die den
paulinischen Auferstehungs- und Parusie-Erwartungen nicht gemäß sind,
für die Bestimmung der dem Apostel eigenen Zukunftserwartung nur mit
Vorsicht und mit Vorbehalt Verwendung finden kann[4]. Es dürfte gleich

---

[1] Ein strittiger Punkt der Gnosisforschung ist, wie weit schon frühe Gnosis die
Erwartung nach einem Himmelskleid hegte. Vgl. dazu W. Schmithals, Die Gnosis
in Korinth 350f.; H. Jonas, Gnosis 324f.
[2] Vgl. R. Bultmann, Exegetische Probleme 4; W. Schmithals, a.a.O. 246–261;
Polemik für möglich hält auch L. Brun, Zur Auslegung von 2 Kor 5, 1–10, 227;
P. Hoffmann, Die Toten in Christus 285.
[3] So auch D. Georgi, Verkündigung und Forschung, Theologischer Jahres-
bericht 1958/59, München 1960/62, 95; vgl. auch W. Mundle, Das Problem des
Zwischenzustandes, 104 Anm. 1; W.G. Kümmel, Ergänzungen zu H. Lietzmann
Kor 203 (zu S. 119). – Zu dem Ergebnis, Paulus habe in 2 Kor 5, 1–10 nicht *gegen*
die Korinther, sondern *mit* den Korinthern argumentiert, kommt auch U. Luz.
Seiner Ansicht nach sei zwar 2 Kor 5, 3 als indirekte Polemik zu erklären, aber
nicht gegen seine Gemeinde in Korinth: »Denn daß Paulus um die Existenz solcher
wußte, die sich nach der Nacktheit nach dem Tode sehnten, kann angesichts der
Verbreitung solcher Vorstellungen bis hinein ins Judentum nicht verwunderlich
sein« (U. Luz, Das Geschichtsverständnis des Paulus 366).
[4] W. Schmithals, Gnosis 258: »Für die Feststellung der paulinischen Anthropologie, namentlich für die paulinische Somavorstellung darf der Wortlaut unserer
Stelle auf keinen Fall herangezogen werden«. Das ist richtig; allerdings nicht deswegen, weil – wie W. Schmithals meint – Paulus hier den Gnostikern in Korinth
ein Gnostiker wird, sondern weil er, durch seine Aussageabsicht (vgl. 2 Kor 4,
7–18!) veranlaßt, hier eine Terminologie aufgreift, welche dafür brauchbar erschien.
Auf die große Freiheit, die Paulus sich in der Wahl seiner eschatologischen Vorstellungen gestattete, hat mit Recht U. Luz (a.a.O. 367.357f.) hingewiesen. Er
spricht von einer »Kontaktlosigkeit« der paulinischen eschatologischen Aussagen
untereinander. Dies trifft auf das Verhältnis der eschatologischen Aussagen von
2 Kor 5, 1–10 zu denen von 1 Kor 15 und 1 Thess 4, 14ff. sicher zu. Richtig ist auch,
daß Paulus nirgends ein vollabgerundetes Konzept seiner Jenseitserwartungen

verfehlt sein, zu sagen, in 2 Kor 5,1–10 finde sich die wahre paulinische
Auferstehungslehre[1], oder zu sagen, an dieser Stelle habe Paulus seine eigentliche Meinung verfälscht[2].

IV. Die Lebendigmachung der σώματα nach Röm 8,10.11

Die Beteiligung des menschlichen Leibes an dem zukünftigen (leiblichen)
Leben in der Vollendung ist deutlich ausgesprochen in Röm 8,11:

V. 10: Wenn aber Christus in euch,
     ist der Leib zwar tot wegen der Sünde,
     der Geist aber Leben wegen der Gerechtigkeit.
V. 11: Wenn aber der Geist des Erweckenden den Jesus aus Toten
     in euch wohnt, –
     der Erweckende den Jesus Christus aus Toten
     wird auch lebendig machen eure sterblichen Leiber
     durch seinen in euch wohnenden Geist.

1. Eine gewisse Schwierigkeit für die Exegese von V. 11 bereitet sein Verhältnis zu V. 10; während in V. 10 die schon in der Jetzt-Zeit wirksame
Lebensmacht des πνεῦμα Thema ist[3], erfolgt in V. 11 die Ausweitung auf die
künftige Entfaltung des geistgewirkten Lebens auf das zukünftige Leben,
das auch die σώματα der an Christus Glaubenden mitumfassen soll[4]. V. 11a
greift (εἰ δέ) die von Paulus in V. 9a (πνεῦμα θεοῦ οἰκεῖ ἐν ὑμῖν) sowie V. 9b

---

entworfen hat, daß vielmehr alle seine Aussagen – in gewissem Sinn zufälliger-
weise – durch je verschiedene historische Situationen hervorgerufen worden sind
und auch in ihren Darstellungen als situationsbedingt bezeichnet werden können.
Nicht darf die »Kontaktlosigkeit« der paulinischen eschatologischen Aussagen
untereinander so verstanden werden, als hätte Paulus tatsächlich sehr verschiedene
Vorstellungen von den Endereignissen und der Zukunft der an Christus Glaubenden. Einige Fixpunkte der paulinischen eschatologischen Erwartungen (Auferstehung der σώματα, Wiederkunft des Christus, Verwandlung der Noch-Lebenden
und Gericht) lassen sich bei Paulus immer wieder nachweisen, in ihren Grund-
zügen auch im Abschnitt 2 Kor 5,1–10.

[1] Vgl. z.B. H. Grass, Ostergeschehen und Osterberichte 165.
[2] H. Schmidt, Auferstehungshoffnung im Neuen Testament, Oldenburg 1928,
26: »Auch hier (sc. 2 Kor 5,1–10) hat Paulus in dem Bemühen, verständlich zu
machen, was doch unanschaubar und unvorstellbar ist, seine eigentliche Meinung
verfehlt, zumindest ist er in Gefahr, es zu tun«.
[3] Auch das πνεῦμα in V. 10 meint das göttliche. Vgl. dazu O. Kuss, Der Römerbrief 501–504. So auch R. Bultmann, Die Theologie des Neuen Testaments 209;
W.G. Kümmel, Römer 7 und die Bekehrung des Paulus 32; O. Michel, Der Brief
an die Römer 193; E. Güttgemanns, Der leidende Apostel 274; A. Sand, Der Begriff Fleisch in den paulinischen Hauptbriefen 205 f.
[4] Vgl. zum folgenden vor allem O. Kuss, a.a.O. 504f.

(πνεῦμα Χριστοῦ ἔχειν) und V. 10 (Χριστὸς ἐν ὑμῖν, τὸ δὲ πνεῦμα ζωή) als unbestreitbar dargestellte Voraussetzung neu auf und verwendet sie für die Zusicherung der künftigen ζωοποίησις: Gott, der an Jesus die Vollendung der ἀνάστασις ἐκ νεκρῶν wirkte, wird auch τὰ σώματα ὑμῶν lebendig machen. Dabei ist zwischen der Auferweckung des Jesus aus Toten und der ζωοποίησις der Christusgläubigen kein kausales Verhältnis angedeutet[1], sondern der von Paulus intendierte Gedanke betont die sichere Verheißung einer eschatologischen Heilsvollendung, welche die Glaubenden auch in ihrer Leiblichkeit umfassen wird. Diese Vorstellung, daß die Auferstehung des Jesus auch für die eigene Auferweckung Bürgschaft und Vorbild bedeutet, findet sich auch 1 Kor 6,14; 2 Kor 4,14; Phil 3,21; 1 Thess 4,14[2]. Gesichert wird dieses Wissen um die ζωοποίησις durch den Besitz des πνεῦμα des Gottes, der auch Jesus aus den Toten erweckte. Gegenstand der ζωοποίησις sind die σώματα der an den Christus Glaubenden; σῶμα meint hier den ganzen Menschen in seiner wesentlichen Leiblichkeit[3]. Die Erklärung, Paulus spreche hier nur von einer Auferstehung in (neuer) Leiblichkeit, und von der Beteiligung des jetzt den Menschen prägenden Leibes sei abgesehen, wird durch die Näherbestimmung der σώματα als θνητά verhindert: diese jetzige Leiblichkeit, die dem Tode verfallen ist, die vom Sterben betroffen wird, ist Gegenstand der ζωοποίησις durch Gottes Geist[4]. Diese Charakterisierung des menschlichen Leibes, der für die Auferstehung bestimmt ist, als θνητόν gebraucht Paulus auch Röm 6,12; vgl. auch 1 Kor 15,53.54; 2 Kor 4,11[5].

2. Verschiedentlich wurde die Bedeutung von Röm 8,11 als Aussage über die Auferstehungsleiblichkeit bestritten[6]. Als Stütze dafür diente eine Exe-

---

[1] So auch O. Kuss, a.a.O. 505; E. Güttgemanns, a.a.O. 277.

[2] Das gilt auch für 1 Kor 15,20. Auch dort ist durch ἀπαρχὴ τῶν κεκοιμημένων keine kausale Begründung unserer Auferstehung beabsichtigt.

[3] Vgl. O. Kuss a.a.O. 504f.; W. Gutbrod, Die paulinische Anthropologie 206.

[4] Vgl. R.C. Tannehill, Dying and Rising with Christ, BZNW 32, Berlin 1967. 79: »In contrast to the deadness of the body, the new reality of ›life‹ is already present (vs. 10). However, this does not mean that man's redemption is fully accomplished, that he has been saved apart from his body«...»Paul adds in vs. 11 that the present of the Spirit is also the guarantee of the resurrection of the body. God will redeem the body also, although at present the body still feels the power of the old world«.

[5] Vgl. A. Sand, Der Begriff »Fleisch« in den pln. Hauptbriefen 205, Anm. 8.

[6] J. Weiß, Urchristentum 406: »Die in diesem Satz ausgesprochene Gewißheit bezieht sich nicht etwa auf die Auferstehung bei der Wiederkunft des Herrn, sondern auf einen schon gegenwärtig sich vollziehenden Vorgang. Durch das Einwohnen des Geistes wird unsere Körperlichkeit von innen heraus umgewandelt zur Unsterblichkeit«. Ähnlich H. Grass, Ostergeschehen und Osterberichte 165 f.: Die Stelle besage nicht mehr, »als daß der sterbliche, den Mächten der Sünde und des Todes unterworfene Mensch – denn das ist mit den θνητὰ σώματα gemeint, vgl. Röm 6,12 – durch Christi Auferstehung und durch die Gabe des heiligen Geistes Teilhaber des neuen Lebens wird...«.

gese der Verse, wie sie etwa von H. Lietzmann vorgelegt wurde: »das ζωοποίησις wird man nach V. 10 ζωή zu interpretieren haben: sie werden zu einem Leben in Gerechtigkeit erweckt; von Eschatologie und Auferstehung der Leiber ist hier nicht die Rede«[1]. Für den unmittelbaren Kontext ist diese Beobachtung richtig, obwohl dann V. 18–30 eine längere eschatologische Gedankenfolge bringt[2]. Doch ist die Ausweitung des Blickes vom jetzigen Zustand auf das Kommende gerade im Zusammenhang sehr naheliegend: die in V. 10 schon als wirksam beschriebene Tätigkeit des Gottesgeistes wird in der Endzeit auch die Leiber in sein lebenschaffendes Wirken miteinbeziehen[3]; diese Art, von der Betrachtung und Beurteilung der gegenwärtigen Situation den Blick auf die Zukunft der Vollendung zu wenden, ist für Paulus ja durchaus nicht einmalig[4].

H. Grass verneint die Beziehung von V. 11 auf die eschatologische Totenauferweckung vor allem mit Berufung auf V. 11 c: die Vorstellung, die Auferweckung geschehe »*durch* den in euch wohnenden Geist«, sei singulär und eine »schwer auszudenkende Vorstellung«[5]. Zwar wird an der Lesart διὰ τοῦ... πνεύματος festzuhalten sein[6], sie steht jedoch einer eschatologischen Deutung keinesfalls im Wege: »Daß Gott den heiligen Geist gibt, damit die Menschen wieder lebendig werden, ist ein Glaubenssatz des apokalyptischen Bildes Ez 37,14«[7]. Zwar wird durch die Lesart διὰ mit Genitiv dem Geist eine »größere personale Selbständigkeit«[8] zugesprochen, es bleibt aber gleichwohl *Gott*, der Jesus auferweckte, auch hier der eigentlich Wirkende; die größere Verbundenheit zwischen Geist und Auferstehung, die mit Hilfe der Genitiv-Konstruktion angedeutet ist[9], wird wohl bedingt sein durch die Rolle des πνεῦμα in den vorhergehenden Versen. Gegen die nicht-eschatologische Deutung von Röm 8,11 spricht außerdem das καί hinter ζωοποιήσει. Es verlangt danach, in der Tat Gottes, die als ζωοποίησις bezeichnet ist, ein

---

[1] H. Lietzmann, An die Römer, HNT 6, Tübingen ³1928, 80.

[2] Vgl. O. Michel, Römerbrief 200; A. Nygren, Der Römerbrief, Göttingen ²1954, 240. – V. 11 hat V. 10 gegenüber die nämliche Funktion wie V. 18–30 gegenüber dem vorhergehenden Abschnitt.

[3] So z.B. neben den oben S. 160 Anm. 3 Genannten auch P. Althaus, Der Römerbrief, NTD 6, Göttingen 1954, 76; W. Schmithals, Gnosis 52; A. T. Nikolainen, Der Auferstehungsglaube in der Bibel und ihrer Umwelt 2, Helsinki 1946, 204.

[4] 1 Kor 1,5–8; 1 Kor 6,13–15; 2 Kor 4,13f.

[5] H. Grass, Ostergeschehen und Osterberichte 165.

[6] Zur Diskussion über die Variante διὰ τοῦ ἐνοικοῦν αὐτοῦ πνεῦμα vgl. O. Kuss, a.a.O. 505; dort auch Vertreter der beiden Ansichten. In neuerer Zeit sprach sich E. Schweizer für die Lesart διὰ mit Akkusativ aus (Art. πνεῦμα, ThWNT 6,419).

[7] O. Michel, Römerbrief 193f. Vgl. bes. auch Ez 37,10f.

[8] O. Kuss, a.a.O. 505.

[9] O. Michel, a.a.O. 194.

der Auferweckung des Jesus vergleichbares Werk zu sehen[1], nicht aber eine ethische Aussage über das Leben in der Gerechtigkeit. Darauf verweist auch die starke Hervorhebung des ἐγείρειν durch die Wiederholung in V. 11b[2]. Ferner ist das θνητόν (V. 11) nicht einfach in seiner Bedeutung dem νεκρόν (V. 10) gleichzusetzen[3]; θνητόν heißt nach paulinischem Sprachgebrauch der dem Tode verfallene, zum Sterben bestimmte Leib im Zusammenhang mit eschatologischen Aussagen[4]. Schon das θνητόν verweist also auf ein zukünftiges Geschehen[5]. Das gilt erst recht von dem »eschatologischen« Futur ζωοποιήσει[6]. Es ist nicht möglich, diese Form als ein logisches Futur zu werten in dem Sinne, als ob nicht doch noch eine zukünftige Tat Gottes an den menschlichen Leibern damit behauptet sei[7].

3. Als Ergebnis ist für Röm 8,11 also festzuhalten: Paulus kennt nicht nur die Auferweckung des leiblichen Menschen zu einem Leben der Vollendung in der Zukunft; er denkt sich offensichtlich auch die menschliche Leiblichkeit, die den Menschen im jetzigen Leben prägt und wesentlich bestimmt, beteiligt an dem Geschehen, das er als Auferweckung bezeichnet. Der Wortlaut legt sogar die Auferstehung in einer unverwandelten, unveränderten Leiblichkeit nahe[8]. Dies als paulinische Lehre anzusehen wird jedoch durch 1 Kor 15 und 2 Kor 5,1–10 unmöglich gemacht[9]. In Übereinstimmung mit jenen Stellen ist sicherlich auch in Röm 8,11 an eine Belebung gedacht, die zugleich Verwandlung bedeutet. Vom Geschehen an den bei der Parusie noch Lebenden ist nicht eigens gesprochen[10]. Daraus schließen zu

[1] Mit E. Güttgemanns, Der leidende Apostel 274.
[2] Vgl. W.G. Kümmel, Römer 7 und die Bekehrung des Paulus 23 Anm. 1.
[3] Vgl. R. Bultmann, Art. θάνατος, ThWNT 3,22; A. Sand, Der Begriff »Fleisch« in den paulinischen Hauptbriefen 205 f.
[4] Röm 6,12; vgl. 1 Kor 15,53.54; 2 Kor 5,4.
[5] So mit Recht auch F. Guntermann, Eschatologie 189f.
[6] Gegen H. Grass, Ostergeschehen und Osterberichte 165 f.
[7] E. Güttgemanns, Der leidende Apostel 274: »... kann das Futur nicht in dem Sinne ein ›logisches‹ sein, daß das logisch erschlossene Handeln Gottes nicht als noch ausstehend verstanden würde. Es kann also nicht bezweifelt werden, daß Paulus in Röm 8,11 die Auferweckung Jesu und die Auferweckung der Christen als ›parallele‹ Taten Gottes nebeneinanderstellt«.
[8] Vgl. W.G. Kümmel, Römer 7 und die Bekehrung des Paulus 23.
[9] Allein von dem Verhältnis zu diesen Stellen und Röm 8,11 her, muß die an sich im Textbefund nicht eindeutige Formulierung von Röm 8,23 (ἀπολύτρωσις σώματος) übersetzt werden: Erlösung unseres Leibes (nicht: Erlösung von unserem Leibe). Gegen H. Lietzmann 84f.; mit C. Lüdemann, Die Anthropologie des Apostels Paulus und ihre Stellung innerhalb seiner Heilslehre, Kiel 1872; W.G. Kümmel, Römer 7 und die Bekehrung des Paulus 23f.; O. Kuss, Der Brief an die Römer 76; P. Althaus, Der Brief an die Römer 83; O. Michel, Römerbrief 206; A. Nygren, Römerbrief 243; E. Schweizer, Art. σῶμα, ThWNT 7, 1959.
[10] F. Guntermann, Eschatologie 190 meint, Paulus habe bewußt statt τὰ νεκρὰ σώματα die Formulierung σώματα θνητά gebraucht, da erstere zwar genau auf das

wollen, Paulus habe nun, zur Zeit der Abfassung des Römerbriefes, auch für sich nicht mehr das Übrigbleiben bis zur Wiederkunft des Christus erhofft, ist nicht gestattet[1]. Wie 1 Kor 6,14; 2 Kor 5,5–10 ist nur die *eine* Möglichkeit bei der Parusie ausgesprochen, in diesem Falle jene, die durch die Parallele mit dem σῶμα νεκρόν (V. 10) und dann durch das ὁ ἐγείρας (V. 11 b) nahegelegt war, eben die Auferweckung der Verstorbenen durch Gott zu einem Leben in einer neuen Leiblichkeit[2], die aber – so Paulus in Röm 8,11 – nicht als eine von der jetzigen Leiblichkeit total verschiedene, sondern als eine auf dieser gründenden Leiblichkeit zu erwarten ist[3].

Geschehen der Auferweckung passen würde, Paulus aber auch an die Verwandlung der Lebenden bei der Parusie gedacht habe, die ja nach Röm 13,11 f. unmittelbar bevorstehe. Vgl. auch A. Jülicher, Der Brief an die Römer, SNT 2, Göttingen ³1917, 282.

[1] Wenngleich natürlich die Möglichkeit eines frühzeitigen Todes für den Apostel als immer größere Wahrscheinlichkeit in den Vordergrund treten mußte.

[2] H. Grass, Ostergeschehen und Osterberichte 165 und E. Güttgemanns, Der leidende Apostel 274–279 bestreiten, daß es gestattet sei, von dieser Stelle aus eine Stellungnahme des Apostels über den Auferstehungsleib Jesu gewinnen zu wollen. H. Grass, in der Absicht, nachzuweisen, daß das Grab Jesu bei der »Auferweckung« nicht leer sein mußte, beurteilt Röm 8,11 nicht als eine eschatologische, sondern als ethische Aussage, kann aber dadurch nicht vermeiden, daß Gott als der Erwecker des Jesus (ὁ ἐγείρας) dargestellt wird (und ἐγείρω ist im Neuen Testament nie als ein nicht den Leib betreffendes Sicherheben oder Aufgerichtetwerden, sondern stets auf die (leiblich) verstandene Auferstehung Toter verwendet). – E. Güttgemanns gesteht zwar zu, daß in Röm 8,11 von der eschatologischen Auferweckung der menschlichen Leiber die Rede ist, auch, daß hier die Auferweckung Jesu und die Auferweckung der Christen als parallele Taten Gottes nebeneinandergestellt sind, glaubt aber dennoch, beweisen zu können, Paulus habe sich die Auferstehung des Jesus nicht als somatisch vorgestellt, jedenfalls sei aus unserer Stelle nicht das Gegenteil ersichtlich. Die dafür vorgebrachten Gründe können aber nicht überzeugen. Seine Folgerung, wenn Paulus an eine leibliche Auferstehung Jesu denke, dann müßte »der Auferstehungsleib Jesu durch den Geist der Auferstehungsleib der Christen werden« (a.a.O. 275), ist keinesfalls begründet.

[3] Unbillig ist das Verlangen, Paulus müßte, gerade wegen der Parallelität der Tat Gottes an Jesus und an den Gläubigen auch von einem σῶμα bei *Jesus* reden, da gerade in V. 11 σῶμα von Paulus verwendet werde, um die Individuen konkret unterscheidbar zu machen. Diese Forderung läßt sich aus dem Wechsel von σῶμα zu σώματα (also Plural) keineswegs rechtfertigen. An der Bemerkung von E. Güttgemanns, Paulus interessiere hier nicht die Auferstehungs*zuständlichkeit*, sondern der Auferweckungs*akt*, (a.a.O 275 Anmerkung 28) ist soviel falsch, daß Paulus im Zusammenhang über den bloßen Akt der Auferweckung hinaus gerade das Betroffensein auch der *Leiber* von der Heilsmacht des Geistes Gottes bei der Vollendung behaupten will, wie auch E. Güttgemanns (a.a.O. 274), soweit es um die Auferweckung der Christen in Röm 8,11 geht, zugesteht. – Die Formulierung ὁ ἐγείρας τὸν Ἰησοῦν ἐκ νεκρῶν könnte eine bewußte Rückbeziehung auf Röm 4,24 sein. Vgl. O. Michel, Römerbrief 193 f.: »Die auf Gott bezogene Prädikation ὁ ἐγείρας τὸν Ἰησοῦν ἐκ νεκρῶν weist ausdrücklich auf Röm 4,24 zurück. In Gebeten und Be-

1. Der Bezug der Verse Phil 3, 20f. auf die Parusie des Christus ist gesichert durch den Relativsatz ἐξ οὗ (sc. οὐρανοῦ) ἀπεκδεχόμεθα... Ἰησοῦν Χριστόν[1], vor allem durch ἀπεκδεχόμεθα[2], das bei Paulus stets für die Hoffnung auf die endgültige Heilsvollendung steht[3]. Der vom Himmel erwartete σωτήρ wird dann eine Umformung des σῶμα τῆς ταπεινώσεως bewirken. Σῶμα τῆς ταπεινώσεως ist der Leib, der dem Tod entgegengeht, der der Erniedrigung durch den Tod verfallen ist[4]. Es steht für das sonst bei Paulus in diesem Zusammenhang bevorzugte σῶμα θνητόν[5]. Man kann mit J. Gnilka V. 21 a auch umschreiben: die leiblich-irdische Existenz des Menschen, die auf den Tod zutreibt, wird durch den erwarteten Retter umgestaltet werden[6]. Doch ist zu beachten, daß eben der durch die *Leiblichkeit* bestimmten menschlichen Existenz die Umwandlung zugesichert ist; an ihr wird sie sich auswirken; hinsichtlich der Leiblichkeit ist die Fülle der Erlösung noch ausständig. Man darf also den Sinn von V. 21 nicht einfach in dem Sinn einebnen, als stünde hier, Christus wird uns (ἡμεῖς etwa statt σῶμα) sich selbst gleichgestalten gemäß der ihm zuteil gewordenen δόξα. Es geht Paulus offenbar doch gerade um das noch zu erwartende Übergreifen der σωτήρ-Tat des Christus auch auf die Leiblichkeit des Menschen[7], die jetzt noch nach wie vor ge-

---

kenntnissen findet sich dieser beschreibende und preisende Stil des Judentums und Christentums. Offenbar gehört auch die Wiederholung der Prädikation (ὁ ἐγείρας ἐκ νεκρῶν) als Verstärkung zur feierlich hymnischen Redeweise«.

[1] So auch J. Gnilka, Der Philipperbrief, HThK, Freiburg-Basel-Wien 1968, 207; H. Grass, Ostergeschehen und Osterberichte 166.

[2] Röm 8, 19.23.25; 1 Kor 1, 7; Gal 5, 5.

[3] ἐξ οὗ muß zu οὐρανοῖς gehören, nicht zu πολίτευμα, das streng genommen allerdings der grammatikalisch richtigere Bezugspunkt wäre. Vgl. H. Bietenhard, Die himmlische Welt im Urchristentum und Spätjudentum, Tübingen 1951, 199; auch J. Gnilka, a.a.O. 207; W. Michaelis, Der Brief an die Philipper, ThHK, Leipzig 1935, 63; vgl. E. Güttgemanns, Der leidende Apostel 243, bes. Anm. 19; anders z.B. E. Lohmeyer, Der Philipperbrief, Meyer K, Göttingen [8]1928 ([11]1956), 158f.

[4] So z.B. W. Grundmann, Art. ταπεινός, ThWNT 8, 22. – Zur Gesamtauslegung von W. Grundmann a.a.O. vgl. die Kritik von R. Leivestad, Ταπεινός-ταπεινόφρων, NovT 8, Leiden 1966, 36-47: ταπεινός ist – vor allem von der Septuaginta her – scharf zu trennen von ταπεινόφρων. Es bezeichnet nicht eine Tugend (sich verdemütigen), sondern einen Mangel. Auch im Neuen Testament habe ταπείνωσις stets die Bedeutung Elend, Schwachheit, Niedrigkeit (a.a.O. 46). – Sicher ist an unserer Stelle weder an das Sich-selbst-Erniedrigen (vgl. dagegen Phil 2, 6–11) gedacht, noch auch an einen sündigen Charakter der jetzigen menschlichen Leiblichkeit.

[5] Röm 6, 12; vgl. 1 Kor 15, 53.54; 2 Kor 4, 11; 5, 4.

[6] J. Gnilka, Phil 208.

[7] Diese Zuversicht gilt für alle, die an den Christus glauben. Die Einschränkung durch E. Lohmeyer auf die Märtyrer (a.a.O. 159–163) ist nicht gerechtfertigt (vgl. z.B. W. Michaelis, Phil 63).

prägt ist durch die ταπείνωσις[1]. Der Gedanke der Beteiligung der jetzt den Menschen prägenden Leiblichkeit (Wie weit das bei Paulus von der Materialität der Leiblichkeit zu trennen war, läßt sich mit Sicherheit kaum entscheiden. Gleichwohl ist ja bei Paulus nicht ein Dualismus der Art konstatierbar, der den Leib des Menschen auf Grund seiner Materialität von der Teilnahme am Reiche Gottes ausschließen müßte. 1 Kor 15,50: »Fleisch und Blut können das Reich Gottes nicht erben« ist nicht in diesem Sinne zu verstehen[2]) ist durch den Wortlaut gefordert. Die Vorstellung einer totalen Neuschöpfung des Herrlichkeitsleibes ist aus μετασχηματίσει nicht zu erheben[3].

Doch an welches Geschehen denkt Paulus? An die Auferstehung der Toten oder an die Umwandlung der bei der Parusie noch Lebenden, also an das Geschehen, das er 1 Kor 15 und 2 Kor 5,1–10 als »Überkleidetwerden« zu schildern versucht? W. Michaelis vertrat die Meinung, Paulus habe hier bewußt die Wendung μετασχηματίσει gewählt, um die Veränderung bezeichnen zu können, die an den Menschen gewirkt wird, sowohl durch die Auferweckung wie auch durch die Verwandlung der Überlebenden[4]; wahrscheinlicher ist jedoch, daß der Apostel hier direkt nur das Geschehen bei der Parusie an den noch Lebenden angesprochen hat, ohne deswegen die Alternative der Auferweckung (in neuer Leiblichkeit) ausschließen zu wollen[5]. Eine sichere Entscheidung darüber wird sich jedoch kaum gewinnen lassen.

2. Nun liegen allerdings einige Anhaltspunkte vor, die vermuten lassen, Paulus habe in Phil 3,20.21 ihm schon vorgegebenes Material verwendet[6];

---

[1] Die Schlußfolgerung von J. Gnilka »weil auch das Herrlichkeitssoma das gesamte menschliche Sein umgreift, nicht bloß seinen leibhaftigen Teil, ergibt sich, daß die Verwandlung kein substantial Beharrendes kennt«, (a.a.O. 208) scheint dieses Anliegen des Paulus zu übergehen im Interesse einer neuzeitlichen Problemstellung; im Vordergrund steht für Paulus nicht nur die Machttat des kommenden Heilands, wie J. Gnilka meint, sondern die Vollendung seines schon begonnenen Heilswerkes.

[2] Sh. oben. – Die Vermutung etwa, mit 1 Kor 15,50 wende sich Paulus bewußt von »der materiellen Kontinuität der Geschichte ab« (G. Greshake, Auferstehung der Toten, Beitr. z. ökumenischen Spiritualität und Theol. 10. Essen 1968, 285) belastet die paulinischen Gedanken doch wohl zu sehr mit Problemen heutiger dogmatischer Fragestellungen.

[3] Gegen H. Grass, Ostergeschehen und Osterberichte 167: »Ob es sich um eine neue Schöpfung des Auferstehungsleibes, um eine Bekleidung des Selbst mit dem bereits im Himmel bereiteten Leib handelt oder um eine Umschaffung der alten Leiblichkeit, ist nicht mit Sicherheit zu entscheiden, so gewiß das zweite Verständnis dem Wortlaut näher liegt«.

[4] W. Michaelis, Phil 63 f.

[5] So auch J. Gnilka, Phil 209.208.

[6] Vgl. dazu bes. E. Güttgemanns, Der leidende Apostel 240–247; G. Strecker, Redaktion und Tradition im Christushymnus Phil 2, ZNW 55,63–78; bes. 76–77; J. Gnilka, Phil 207 ff.

manche sprechen auch von einem vorpaulinischen Hymnus in diesen beiden Versen[1]. Man verweist dafür auf das Wortmaterial und die verwendeten Motive, die denen des Christusliedes Phil 2,6–11 nahestünden, auf den formalen Aufbau der beiden Verse und auf die zugrunde liegende Theologie, welche der des Paulus fremd sei[2].

a) Zum Wortmaterial:

Zur Begründung für den angeblich vorpaulinischen Ursprung von Phil 3,20 verweist man auf folgende Parallelen zu Phil 2,6–11:

2,6.7: μορφή	– 3,21: σύμμορφος
2,6: ὑπάρχων	– 3,20: ὑπάρχει
2,7: σχῆμα	– 3,21: μετασχηματίσει
2,10: πᾶν γόνυ κάμψῃ κτλ.	– 3,21: τοῦ δύνασθαι αὐτὸν καὶ ὑποτάξαι κτλ.
2,11: κύριος Ἰησοῦς Χριστός	– 3,20: κύριον Ἰησοῦν Χριστόν

Von vornherein ist dazu festzustellen, daß die Parallelität zu Phil 2,6–11 natürlich nur dann auf vorpaulinisches Material in Phil 3,20f. schließen läßt, wenn diese Motive oder Wörter nicht auch in ähnlichem Zusammenhang bei Paulus nachweisbar sind. Unter dieser Bedingung scheiden die Wendungen κύριος Ἰησοῦς Χριστός und auch ὑπάρχει als Belege aus. Auch σύμμορφος findet sich Röm 8,29 in eschatologischem Zusammenhang und läßt damit nur bedingt einen Schluß auf die Verwendung von vorpaulinischem Material in Phil 3,20f. zu. Zum Unterwerfungsmotiv (Phil 2,10 bzw. 3,21) vergleiche man etwa 1 Kor 15,23–28[3]. Als singulär erweist sich dann μετασχηματίσει[4]. Daneben sprechen die Hapaxlegomena σωτήρ, πολίτευμα, ἐνέργεια in ihrer Häufung auf engstem Raum für die Annahme, Paulus verwende hier von ihm schon vorgefundenes Material. Größere Schwierigkeiten bereitet es, anzuerkennen, daß es sich bei den Versen 20f. um einen vorpaulinischen *Hymnus* handeln solle[5].

---

[1] Neben G. Strecker, a.a.O. und E. Güttgemanns, a.a.O. auch N. Flanagan, A Note on Phil 3,20–21, CBQ 18,8–9.

[2] Zum folgenden vgl. bes. E. Güttgemanns, a.a.O. 241–247.

[3] J. Gnilka, Phil Anm. 138 verweist mit Recht darauf, daß darüber hinaus zwischen den Aussagen 2,10 und 3,21 keine echte Parallelität bestehe.

[4] Nicht in eschatologischem Zusammenhang findet sich μετασχηματίζω in 1 Kor 4,6; 2 Kor 11,13.14.15. Immerhin steht zumindest hinter 2 Kor 11,14 eine verwandte Vorstellung wie Phil 3,21: αὐτὸς γὰρ ὁ σατανᾶς μετασχηματίζεται εἰς ἄγγελον φωτός. Vgl. J. Schneider, Art. σχῆμα, ThWNT 7,954–959.

[5] J. Gnilka, a.a.O. 209: τὸ πολίτευμα ἡμῶν ἐν τοῖς οὐρανοῖς ὑπάρχει sei ein eigenartiger Beginn für einen Hymnus. – Die Begründung E. Güttgemanns, das Relativpronomen (V.21) sei typisch für den Einsatz eines (zitierten) Hymnus, ist nicht am Platz, wenn (nach E. Güttgemanns) auch schon 3,20 Bestandteil des vorpaulinischen Hymnus wäre.

b) Was den formalen Aufbau der Verse angeht, meint auch E. Güttgemanns, man *könne* natürlich auch Paulus selbst diese hymnische Satzbildung
zutrauen[1]. Dieser Ansicht war auch E. Lohmeyer, der V. 20f. als hymnische
Gebilde des Paulus beurteilte[2]. Daß die Sprachgewalt des Apostels für derartige Bildungen ausreichend war, beweisen z. B. 1 Kor 13; 1 Kor 9, 19–23[3].

c) Ausschlaggebend ist jedoch für die Beurteilung von Phil 3, 20f. die da-
hinterstehende theologische Konzeption, denn selbst wenn anzunehmen ist,
daß Paulus hier (hymnisch geformtes) Traditionsgut aufgenommen hat, so
könnten doch nur dann diese Verse von der Beurteilung der paulinischen
Anschauungen und Erwartungen über die Leibhaftigkeit des zukünftigen
Lebens (bzw. über die σῶμα-haftigkeit des Jesus nach paulinischer Auffassung)[4] mit Recht ausgenommen werden, wenn nachgewiesen werden könnte, daß sie in ihrer theologischen Konzeption sich einfach nicht mit der
sonstigen paulinischen Lehre vereinbaren lassen. Andernfalls müßte man
annehmen, Paulus greife ihm vorgegebenes Traditionsgut auf, weil es seiner
Aussageabsicht genau (oder wenigstens weitgehend) entspricht. Die Über-
prüfung der theologischen Gründe kann aber keine – jedenfalls keine wirklich wesentlichen – Unterschiede zwischen den sonstigen paulinischen Auf-
fassungen und den Gedanken von Phil 3, 20f. erbringen:

α. Im Gegensatz zu sonstigen paulinischen Aussagen über das Geschehen
der Totenauferweckung sei diese in Phil 3, 20f. als Werk des Christus dargestellt[5]. – Richtig ist, daß nach paulinischer Darstellung stets Gott es ist, der
die Toten auferweckt. Diese Aussage ist allerdings auch Röm 8, 11 nicht
ganz durchgehalten, da dort das πνεῦμα als die auferweckende Kraft dargestellt ist (διὰ τοῦ ἐνοικοῦντος αὐτοῦ πνεύματος), wenngleich dahinter natürlich
Gott steht, dessen πνεῦμα es ja ist[6]. Eingeschränkt muß die oben genannte
Behauptung auch werden hinsichtlich von 1 Thess 4, 14–18: durch Christus
führt Gott die Toten herbei (διὰ τοῦ Ἰησοῦ ἄξει σὺν αὐτῷ)[7]; man vergleiche
auch 1 Thess 1, 10: der Retter vom Zorn ist Christus in eschatologischer
Funktion. Die Vollendung der Umformung des Leibes bei der Ankunft
des Christus, und darum handelt es sich ja Phil 3, 20f., ist in ähnlicher Weise

---

[1] E. Güttgemanns, a.a.O. 244.
[2] E. Lohmeyer, a.a.O. 156f.
[3] Vgl. J. Weiß, 1 Kor 311f. 242; ders., Beiträge zur paulinischen Rhetorik,
Göttingen 1897, z.B. 52f.
[4] Der Nachweis, Paulus spreche nicht von einem individuellen σῶμα des auferstandenen Jesus, ist eines der Anliegen von E. Güttgemanns, vgl. a.a.O. 247–282.
[5] E. Güttgemanns, a.a.O. 244.
[6] Vgl. oben S. 162f.
[7] διὰ τοῦ Ἰησοῦ läßt sich grammatikalisch richtig auch auf κοιμηθέντας beziehen –
das ergäbe dann die gleiche Bedeutung wie das οἱ νεκροὶ ἐν Χριστῷ (4, 16) –, allerdings
sprachlich hart und ungewöhnlich. So auch U. Wilckens, Der Ursprung der Überlieferung der Erscheinungen des Auferstandenen 60 Anm. 8.

eschatologische Tätigkeit des vom Himmel kommenden Retters; so fällt die Aussage, daß er »umformen wird«, keinesfalls aus dem Rahmen paulinischer Theologie; das um so weniger, wenn – was zumindest naheliegt – mit dem μετασχηματίσει nicht primär (oder überhaupt nicht) an die Auferweckung gedacht ist, sondern an die Verwandlung, die an den noch Lebenden geschehen soll[1]. In diese Richtung weisen auch 1 Kor 15, 22 (wie in Adam alle sterben, werden auch *durch Christus* alle lebend gemacht werden) und 1 Kor 15, 25–28 (die eschatologische Unterwerfung aller Feinde, zuletzt des *Todes* durch den Christus).

β. Diese Verse würden nicht, wie die sonstigen paulinischen Aussagen, differenzieren zwischen dem Geschehen der Totenauferweckung und dem der Verwandlung der Lebenden[2]. – Dazu ist, wie schon oben bemerkt, zu sagen, daß es keineswegs mit Sicherheit auszumachen ist, ob hier Paulus tatsächlich neben der Verwandlung auch von der Totenauferweckung spricht. Im übrigen aber ist diese Nichtberücksichtigung der beiden Möglichkeiten (Auferweckung *und* Verwandlung) auch in anderen Zusammenhängen bei Paulus belegt: vgl. Röm 8, 11; 2 Kor 5, 1–10. Auch hier ist jeweils explizit nur von *einem* Geschehen (der Verwandlung) die Rede[3].

γ. Diese Verse (Phil 3, 20f.) würden die Auferweckung – entgegen dem sonstigen paulinischen Verständnis – nicht als völlige Neuschöpfung zeichnen, sondern als eine Umschaffung der alten Leiblichkeit[4]. – Vgl. dazu oben S. 109–164.

δ. Paulus könne nicht sagen, das σῶμα der Christen sei ein σῶμα ταπεινώσεως. Er kenne zwar ein σῶμα τοῦ θανάτου oder ein σῶμα τῆς ἁμαρτίας, aber das sei gerade nicht das σῶμα der Christen[5]. – E. Güttgemanns beurteilt Paulus nicht richtig, wenn er hinter σῶμα ταπεινώσεως die Behauptung eines »sozusagen ›heillosen‹ Zustandes« sieht, um den sich der σωτήρ erst im Eschaton kümmern werde[6]. Σῶμα ταπεινώσεως entspricht nicht dem σῶμα τῆς ἁμαρτίας, sondern dem σῶμα θνητόν (Röm 8, 11; 6, 12). Um die noch ausstehende Erlösung dieses σῶμα hat Paulus immer gewußt[7].

---

[1] Mit J. Gnilka, Phil 209.
[2] E. Güttgemanns, a.a.O. 244.
[3] Vgl. Röm 8, 23.
[4] E. Güttgemanns, a.a.O. 245. E. Güttgemanns beruft sich hier auf den Nachweis durch H. Grass, Ostergeschehen 146–173. Vgl. dazu oben S. 109 Anm. 1.
[5] E. Güttgemanns, a.a.O. 245f.
[6] Vgl. auch J. Gnilka, a.a.O. 209. – Unserer Stelle verwandt ist Röm 8, 23: Paulus erwartet die ἀπολύτρωσις τοῦ σώματος, die Erlösung unseres Leibes (nicht die Erlösung von dem Leib).
[7] Die Wortbedeutung von ταπεινός läßt nicht auf eine Nähe zur Heillosigkeit oder zur Sünde schließen: 2 Kor 7, 6; 10, 1; 11, 7; 12, 21; Phil 4, 12. Vgl. W. Grundmann, Art. ταπεινός ThWNT 8, 20.22.

3. Da die angeführten Gründe nicht davon überzeugen können, daß Phil 3,20f. nicht paulinischer Denkweise entspricht und daß diese Verse nicht der (sonstigen) Intention des Apostels gerecht werden, muß ihnen entnommen werden, daß Paulus also in der Tat »die Auferweckung nicht als eine völlige Neuschöpfung, sondern als eine Umschaffung der alten Leiblichkeit« verstanden hat[1]. Daß Paulus hier nicht in der bei ihm gewohnten Wendung vom Überkleidetwerden oder von der Verwandlung spricht, mag bedingt sein durch die Aufnahme fremder Formulierungen[2]; seiner Theologie ist die zugrunde liegende Anschauung der Umgestaltung nicht fremd, sie entspricht vielmehr den an den oben besprochenen Stellen vorgefundenen Darstellungen[3]. Andererseits bedeutet Phil 3,20f., da hier der gleiche Sachverhalt mit neuen Worten ausgedrückt wird, eine Bestätigung für die Richtigkeit der oben gegebenen Deutung der sonstigen Aussagen des Apostels über die Beteiligung der irdischen Leiblichkeit am Auferstehungs- und Verwandlungsgeschehen.

---

[1] So umschreibt E. Güttgemanns selbst den Inhalt der Verse (a.a.O. 245).

[2] Vgl. J. Gnilka, a.a.O. 200; E. Güttgemanns, a.a.O. 244f. (mit Berufung auf R. Reitzenstein, Hellenistische Mysterienreligionen, Stuttgart ³1927, 39f.). Während die Genannten die verwendeten Termini in den Bereich hellenistischer Religiosität verlegen, betonen A. Brandenburger, Fleisch und Geist 177 Anm. 3 und G. Strecker, Redaktion u. Tradition die Nähe der Aussage zu (dualistisch-) apokalyptischem Denken; ähnlich H. Koester, The Purpose of the Polemic of a Pauline Fragment, NTS 8,317–332, bes. 329–331.

[3] Vgl. auch U. Wilckens, Der Ursprung der Überlieferung der Erscheinungen des Auferstandenen 74 Anm. 48: 1 Kor 15,53f., 2 Kor 5,1–10 und Phil 3,21 bringen eine durchgehende Linie in der eschatologischen Erwartung des Apostels zum Tragen, »nach der der gestorbene Leib zwar nicht einfach wiederbelebt, wohl aber verwandelt wird«. In diesem Sinn auch E. Schweizer, Artikel σῶμα, ThWNT 7, bes. 1059: Paulus wisse, daß Gott eben diesen menschlichen Leib, der unter Sünde und Tod stehe, auferwecken und verwandeln wird. – Ähnlich J.C.K. Freeborn, The Eschatology of 1 Corinthians 15, Studia Evangelica 2,557–568; H. v. Campenhausen, Der Ablauf der Osterereignisse und das leere Grab 20 Anm. 67 und Ergänzung dazu Seite 60.

SECHSTES KAPITEL

DER HINTERGRUND DER AUFERSTEHUNGSLEUGNUNG

I. GNOSIS ALS URSACHE DER AUFERSTEHUNGSLEUGNUNG?

1. Gnosis und Auferstehung

Waren die korinthischen Auferstehungsleugner Gnostiker? Steht hinter dem Satz von 1 Kor 15,12 »Auferstehung Toter gibt es nicht« die Überzeugung des (christlichen?) Gnostikers: den Zustand des Heils, des allumfassenden und vollgültigen Heils, den Paulus erst für das Leben nach dem Tode, bzw. nach der Umwandlung der bei der Parusie des Christus noch Lebenden verheißt, – diesen Zustand des Heils haben wir schon erreicht? Drückt also 1 Kor 15,12 die Ablehnung künftiger Auferstehungs- und Vollendungshoffnung aus, zugunsten einer Gewißheit, schon im Zustand der Vollendung zu sein? Und formulierten korinthische Gnostiker diese Überzeugung, indem sie (wenigstens sinngemäß) sagten: die Auferstehung ist schon geschehen (ἀνάστασις ἤδη γέγονεν: vgl. 2 Tim 2,18)? Wie kommt es dann zur Wendung »ἀνάστασις νεκρῶν οὐκ ἔστιν« (1 Kor 15,12)? Und läßt sich die Argumentation des Apostels in 1 Kor 15 unter dieser Voraussetzung sinnvoll interpretieren? Gnostische Auferstehungsleugner, welche für sich behaupteten, schon zur Vollendung gelangt zu sein, und eine erst zukünftige heilbringende Auferstehung Toter verneinten, vermuten hinter 1 Kor 15 in neuerer Zeit W. Lütgert[1] und H. Weinel[2]. Sie brachten diesen Gedanken wieder neu in die Diskussion[3]. Unterdessen wurde diese Deutung der historischen Situa-

---

[1] W. Lütgert, Freiheitspredigt und Schwarmgeister in Korinth, Gütersloh 1908.

[2] H. Weinel, Die Echtheit der paulinischen Hauptbriefe im Lichte des antignostischen Kampfes, Festschrift für J. Kaftan zum 70. Geburtstag, Tübingen 1920, 376–393.

[3] Zur Geschichte dieser Auslegung siehe oben Seite 12–19. – Um 1930 vertraten kurz nacheinander diese Deutung der Situation in Korinth: H. v. Soden, Sakrament und Ethik bei Paulus, in: Marburger Theologische Studien 1, hrsg. von H. Frick, Gotha 1931, 1–40; heute leichter zugänglich in: Urchristentum und Geschichte, Gesammelte Aufsätze und Vorträge, Band 1, hrsg. von H. v. Campenhausen, Tübingen 1951, 239–275. H. v. Soden schreibt: »Ebenso handelt es sich m.E. 1 Kor 15 nicht um die Leugnung der Auferstehung – so formuliert Paulus von seinem eschatologischen Verständnis der Auferstehung aus –, sondern um die Behauptung, daß die Auferstehung schon erfolgt sei (in der γνῶσις, im πνεῦμα). Ge-

tion von 1 Kor 15 vielfach übernommen[1], wenn auch mit manchen Modifi-
kationen[2].

An sich ist eine solche Situation für die korinthische Gemeinde des Paulus
durchaus möglich. Daß gnostische Elemente und Gnosis in frühe Christengemeinden eingedrungen sind, läßt sich nach dem Stande heutiger Gnosisforschung schlechthin nicht ausschließen[3]. Mit dem Versuch, Elemente

---

leugnet wird in Korinth der somatische und eschatologische (beides gehört wesentlich zusammen) Charakter der Auferstehung..« (a.a.O. 259f. Anmerkung 28).
Ähnlich urteilt K. Heim, Die Gemeinde des Auferstandenen, Tübinger Vorlesun-
gen über den ersten Korintherbrief, München 1949 (Es handelt sich hierbei um die
von F. Melzer herausgegebene Nachschrift einer Vorlesung aus dem Jahre 1932).
Vgl. auch H.-D. Wendland, Der erste Korintherbrief, Das Neue Testament
Deutsch 7, Auflage Göttingen 1932, 81.

[1] Eine ausführliche Exegese von 1 Kor 15 unter dieser Rücksicht versuchte
J. Schniewind, Die Leugner der Auferstehung, Berlin 1952. Nach den Angaben
des Herausgebers entstand dieser Aufsatz um 1945, wurde aber vom Verfasser
(gestorben 1948) nicht (nicht mehr?) selbst veröffentlicht. Schon vor der Veröffentlichung dieser Studie sprachen sich in ähnlichem Sinne über die historische
Situation in Korinth aus: W.G. Kümmel, in: H. Lietzmann, 1 Kor 192 (Tübingen
1949); E. Käsemann, Anliegen und Eigenart der paulinischen Abendmahlslehre,
EvTh 7,274 (unterdessen auch in: Exegetische Versuche und Besinnungen 1,
Göttingen 1960, 23); ders., Eine Apologie der urchristlichen Apologetik, ZThK 49
(1952), 274f.; ders. neuerdings in: Der Ruf der Freiheit, Tübingen 1968, bes. 86f.
– Ähnlich J. Moffat, The First Epistle of Paul to the Corinthians, London 1938
([8]1954), 241.

[2] Z.B. W. Schmithals, Die Gnosis in Korinth 148f.: die Korinther formulierten
ihre Haltung wohl nicht mit dem Satz, die Auferstehung sei schon geschehen,
doch ihre Haltung müsse entsprechend gewesen sein, denn der Gnostiker könne
auf jede Hoffnung verzichten, weil er von Natur das Heil schon besitzt. – E. Güttgemanns, Der leidende Apostel 70f.: die korinthischen Gnostiker lehnten eine
ἀνάστασις νεκρῶν ab, behaupteten aber eine schon geschehene allgemeine (spiritualistisch umgedeutete) Auferstehung (ἀνάστασις). Vgl. dazu oben S. 31–35. – J.H.
Wilson, The Corinthians who say there is no resurrection of the Dead, ZNW 59,
90–107: die Korinther hätten noch nichts gehört von einer allgemeinen Totenauferstehung; da sie aber die Auferstehung des Christus als Erhöhung verstanden,
glaubten sie auch an eine Erhöhung derer, die zu dem Christus gehören, in der
Teilnahme an den Sakramenten.

[3] Vgl. E. Haenchen, Gab es eine vorchristliche Gnosis? ZThK 49,316–349
(unterdessen auch in: E. Haenchen, Gott und Mensch, Gesammelte Aufsätze,
Tübingen 1965, 265–298); H.-M. Schenke, Die Gnosis, in: Umwelt des Christen-
tums, Berlin 1965, 371–415. – Eine vollständig befriedigende Erforschung der
Entstehung der Gnosis steht freilich noch aus. Erst recht ist die Existenz einer
vollausgebildeten Gnosis für das neutestamentliche Zeitalter noch nicht mit
Sicherheit erwiesen. Eine ausführliche Literaturangabe über die Erforschung der
Probleme der Gnosis findet sich bei H.-M. Schenke, a.a.O. – Für die Möglichkeit
einer vorchristlichen Gnosis sprechen u.a. auch H.-J. Schoeps, Urgemeinde –
Judenchristentum – Gnosis, Tübingen 1956, 31; R. Haardt, Die Gnosis, Wesen
und Zeugnisse, Salzburg 1967; E. Haenchen, Neutestamentliche und gnostische

christlicher Verkündigung mit den Mitteln des gnostischen Selbst- und Welt-
verständnisses zu interpretieren, gnostischen und christlichen Lehrgehalt
zu assimilieren und zu absorbieren, muß gerechnet werden. Auch die Vermutung, Paulus selbst sei, vielleicht schon zu Beginn seiner Verkündigungs-
tätigkeit, mit gnostischem Gedankengut vertraut gewesen und habe Teile
davon in seine Verkündigung mitaufgenommen, ist durchaus denkbar[1].
Gnosis wird dabei im folgenden verstanden als »eine religiöse Erlösungsbe-
wegung der Spätantike, in der die Möglichkeit einer negativen Welt- und
Daseinsdeutung in besonderer und unverwechselbarer Weise ergriffen ist
und sich zu einer konsequent weltverneinenden Weltanschauung verfestigt
hat, die sich ihrerseits wieder in Wortprägungen, Bildersprache und Kunst-
mythen charakteristischen Ausdruck verleiht«[2]. Zum Grundbestand gnostischen Seins- und Daseinsverständnisses gehört der unbedingte Dualismus
zwischen Materie und Pneuma und das Wissen um die Abkunft des Pneumas im Menschen aus der Welt des Lichtes, die Lehre vom Abstieg oder
Fall dieses Pneumas und seiner Einkerkerung in die Welt der Materie sowie
die Hoffnung auf einen Wiederaufstieg des Pneumas durch die Planeten-
sphären in die himmlische Heimat[3]. Der Mensch, der zur Erkenntnis seines
göttlichen Pneumas gelangte, ist grundsätzlich schon erlöst. Die vollständige Erlösung geschieht allerdings erst durch die Rückkehr des Pneumas in
das himmlische Lichtreich nach dem irdischen Tod, dem somit die Rolle der
letztgültigen Befreiung zukommt.

Evangelien, in: Christentum und Gnosis, hrsg. von F.-W. Eltester, BZNW 37, Berlin 1969, 19–45. Ablehnend oder kritisch gegen die Annahme einer vorchristlichen
Gnosis äußern sich z.B. F. V. Filson, A New Testament History. London 1965;
J. Munck, The New Testament and Gnosticism, Studia Theologica 15, Uppsala
1961; G. van Groningen, First Century Gnosticism, Its Origin and Motifs, Leiden
1967.
   [1] H.-M. Schenke, a.a.O. 402 denkt an Antiochien als Kontaktstelle für Paulus
mit gnostischen Gedanken.
   [2] H.-M. Schenke, a.a.O. 374; ders., Hauptprobleme der Gnosis, in: KAIROS,
Zeitschrift für Religionswissenschaft und Theologie 7, Salzburg 1965, 116.
   [3] In einem uneigentlichen Sinn kann auch Gnosis von einem Lichtleib oder
Lichtgewand reden, mit dem das menschliche Pneuma bekleidet nach dem Tode
seinen Weg nach oben antritt. Es ist dies aber wohl eine der Gnosis im Grunde
fremde Vorstellung (W. Schmithals, a.a.O. 149). Das gilt erst recht von Formulierungen, wie sie in einem parthischen »Glied«-Hymnus begegnen: »wer wird von
mir wegnehmen diesen Körper und mir anziehen einen neuen Körper..?« (zitiert
nach C. Colpe, Die religionsgeschichtliche Schule, Göttingen 1961, 82). Zur Vorstellung der Bekleidung der Seelen vgl. W. Bousset, Hauptprobleme der Gnosis,
Göttingen 1907, 303, bes. Anmerkung 2; eine entschiedene Bestreitung des gnostischen Charakters des »Perlenliedes« der Thomasakten, das vielfach als Haupt-
beleg für die gnostische Erwartung eines Lichtleibes angeführt wird, siehe bei
G. Quispel, Makarius, das Thomasevangelium und das Lied von der Perle,
Supplements to Novum Testamentum 15, Leiden 1967, bes. 39–64.

Der Glaube an eine leibliche Totenauferstehung hat naturgemäß in diesem dualistischen Welt- und Seinsverständnis keinen Platz: der Leib, als das Charakteristikum des Reiches der Finsternis, muß von dem Zustand der vollen Erlösung ausgenommen werden[1]. Die Behauptung: wir sind schon erlöst, schon zur Vollendung gelangt, ist für das Bild des Gnostikers ebenso typisch wie die Verneinung einer leiblichen Auferstehung nach dem Tod. Ob jedoch ein derartiger gnostischer Einfluß für die historische Situation in Korinth, welche zur Abfassung von 1 Kor 15 führte, angenommen werden kann oder vorausgesetzt werden muß, dafür ist im weiteren Sinn Kriterium die Korrespondenz zwischen Paulus und der Gemeinde und im engeren und hauptsächlichen Sinn 1 Kor 15[2].

2. *1 Kor 15,23.44b–46. – Hinweise auf Gnosis?*

Angenommen, die korinthischen Auferstehungsleugner vertraten die Meinung: wir sind schon auferstanden, sind schon zur Vollendung gekommen durch die Gnosis (durch die Taufe, die Sakramente, die Annahme des christlichen Glaubens), dann wäre 1 Kor 15,12 doch wohl nur als eine verkürzende Wendung zu verstehen, die besagen will: wir verneinen eine zukünftige Auferstehung Toter, denn Auferstehung – als Vollendung und Erlösung – ist an uns schon geschehen; wir sind schon in der Heilsvollendung.

Unter dieser Voraussetzung lassen sich in der Tat einige Passagen von 1 Kor 15 gut als Polemik auslegen:

V. 23 : Jeder aber an seiner Stelle:
   als Erstling Christus,
   dann die des Christus bei seiner Ankunft;
V. 24 : dann das Endziel,
   wenn er die Herrschaft dem Gott und Vater übergibt,
   wenn er vernichtet jede Obrigkeit, jede Macht und jede Kraft.

Die Aufgliederung des Auferstehungsgeschehens in zwei τάγματα, zuerst der Christus, dann die, welche zu ihm gehören, läßt die Vermutung auf-

---

[1] Es wäre erstaunlich, wenn korinthische Gnostiker dann für den Christus eine leibliche Auferstehung nicht auch hätten leugnen müssen. Das nimmt konsequenterweise W. Schmithals, a.a.O. 150.324 an.

[2] 1 Kor 15 ist als ein in sich geschlossenes Stück zu werten (Vgl. oben S. 20f.). – Der Ausgangspunkt, mit dem etwa J. Schniewind an 1 Kor 15 herangeht, müßte erst durch die Exegese von 1 Kor 15 gerechtfertigt werden, nicht kann er aber dafür Voraussetzung sein. J. Schniewind, a.a.O. 114: »Die Gegner des Paulus in Korinth sind Gnostiker. Alles, was Paulus in den Korintherbriefen bekämpft, läßt sich als Kampf gegen die Gnosis einheitlich verstehen«.

kommen, in Korinth habe man eine zeitliche Staffelung in der Ordnung des Auferstehungsgeschehens verneint. J. Schniewind interpretiert V. 23:

»Die Korinther denken, sie seien in der βασιλεία τοῦ Χριστοῦ schon mitten drin! ... Aber – und nun wird Paulus' Argumentation verständlich – : V. 23 dies alles hat seine τάγματα! Zuerst wird der Christus vom Tode erweckt; dann die Seinen bei Christi Parusie«[1]. – Hier gelingt unter der Voraussetzung, die Korinther hätten eine künftige Totenauferstehung geleugnet, aber eine schon geschehene Vollendung als »Auferstehung« behauptet, eine brauchbare Deutung dieses Verses. Doch läßt sich diese Stelle ebensogut verstehen als Antwort auf die Behauptung: es gab nur die eine Auferstehung des Christus; für alle anderen Verstorbenen gibt es keine Hoffnung. Sie sind verloren. Die Antwort des Paulus lautet dann: wenn die Verstorbenen auch noch nicht – wie der Christus – schon auferstanden sind, dann bedeutet das doch nicht, sie werden überhaupt nicht auferstehen! Denn in der Auferstehung gibt es eine Ordnung: bisher ist nur Christus auferweckt worden von Gott, später wird dies an allen Verstorbenen geschehen, die zu ihm gehören. Doch auch wenn man V. 23 f. überhaupt nicht als polemisch ausgerichtet verstehen möchte, läßt er sich befriedigend gut verstehen als Explikation zu den vorausgegangenen Aussagen (V. 20–23)[2].

Ähnliches gilt für V. 44 b–46. Es liegt nahe, V. 46 als die Zurückweisung einer zwar nicht ausgesprochenen, aber eben doch vorausgesetzten gegenteiligen Meinung zu verstehen. Der nächste Gedanke wird auch sein, diese gegenteilige Meinung in Korinth zu suchen. Wozu auch sonst die Korrektur einer falschen These, wenn sie nicht in Korinth wenigstens bekannt gewesen sein sollte? Doch gestaltet sich die Exegese von V. 44 b–46 unter der Voraussetzung, die Korinther hätten im Gegensatz zu Paulus behauptet »πρῶτον τὸ πνευματικόν«, nicht einfach: weder die Behauptung eines Anthropos-Erlösers als erster Adam noch die Annahme eines pneumatischen Leibes, welcher dem jetzigen psychischen Soma vorgegeben sei, passen in den Rahmen einer gnostischen Anthropologie oder Erlösungslehre[3]. Schwierig-

---

[1] J. Schniewind, a. a. O. 124 f. – Immer wieder wird zur Charakterisierung dieser Haltung auf 1 Kor 4, 8 verwiesen: »Schon seid ihr satt, schon seid ihr reich geworden, ohne uns seid ihr zum Herrschen gekommen«. – Läßt sich aus diesem Vers wirklich mit Sicherheit entnehmen, die Korinther selbst hätten behauptet: wir sind schon Könige, wir sind schon Vollendete (so E. Haenchen, Neutestamentliche und gnostische Evangelien 25 ff. mit dem Hinweis auf ähnlich lautende Stellen im gnostischen Thomasevangelium)? Auch wenn man diese Frage bejahen will, genügt zur Erklärung dieser Haltung der Korinther die Annahme eines pneumatischen Schwärmertums, etwa nach dem Entwurf von W. Lütgert, Freiheitspredigt und Schwarmgeister in Korinth.

[2] Vgl. dazu oben S. 75–78.

[3] Sh. oben S. 103–108. – Zum Mythos von Seth als dem Ur-Mensch-Erlöser (Urmensch allerdings nur für den Gnostiker) in der Apokalypse Adams vgl.

keit bereitet es auch, wenn man zu ἀλλ' οὐ πρῶτον τὸ πνευματικόν nur ein ἐστίν ergänzt wissen will, denn im Zusammenhang bemüht sich Paulus eben darum, die Vorstellung einer pneumatischen Existenzweise als eine Möglichkeit für das Weiterleben nach dem Tode zu erweisen (V. 35–45); damit ist es doch wohl ausgeschlossen, daß auch die korinthischen Auferstehungsleugner ihrerseits schon eine pneumatische Existenz (wenn auch eine der jetzigen psychischen vorgeordnete) behauptet haben sollten. Das beste Verständnis von V. 46 scheint gegeben, wenn man diesen Vers als Präzisierung der Aussagen von V. 44 f. versteht, obwohl auch eine Polemik gegen eine anderslautende Anthropos- oder Somaspekulation (wie sie etwa bei Rabbinen oder bei Philo vorausgesetzt wird) nicht auszuschließen ist.

3. Ergebnis

Gegen die Annahme, die korinthischen Auferstehungsleugner hätten eine zukünftige Totenauferstehung geleugnet mit dem Hinweis auf die schon eingetretene Vollendung, in der sie als Christen, welche Gnosis besitzen, schon leben, müssen jedoch schwerwiegende Einwände bedacht werden:

1. Wenn V. 12 nur eine Verkürzung der Behauptung ist: wir verneinen eine Totenauferstehung, aber eine schon geschehene Auferstehung geistiger Art behaupten wir, dann vermißt man in ganz 1 Kor 15 den Gegensatz zwischen schon geschehen und zukünftig[1]. Nirgendwo spricht Paulus davon, der jetzige Zustand sei noch nicht der Zustand endgültigen Heiles; nirgendwo geht er auf die Problemstellung ein, daß die spiritualistisch verstandene Auferstehung der Gnostiker nicht das erfüllt, was nach christlicher Verkündigung von der zukünftigen Auferstehung erwartet werden darf. Vielmehr steht für den Apostel doch immer in 1 Kor 15 nur die Alternative zur Debatte: die Toten werden auferweckt werden, oder νεκροὶ οὐκ ἐγείρονται bzw. ἀνάστασις νεκρῶν οὐκ ἔστιν. In V. 29 formuliert er den Einwand aus Korinth: εἰ ὅλως νεκροὶ οὐκ ἐγείρονται. Der Gegensatz zu der von ihm vorgetragenen Auferstehungsverkündigung lautete für ihn also nicht: »wir sind schon auferstanden«, sondern »Tote werden überhaupt nicht auferweckt«. H.-M. Schenke zeigte, daß es in der Tendenz christlicher Gnostiker offensichtlich stets lag, den Begriff und die Vorstellung von »Auferstehung« soweit wie möglich »und gelegentlich noch ein bißchen weiter«[2] positiv zu überneh-

---

L. Schottroff, Animae naturaliter salvandae, Zum Problem der himmlischen Herkunft des Gnostikers, in: Christentum und Gnosis, hrsg. von F.-W. Eltester, BZNW 37, Berlin 1969, 65–97, bes. 79.

[1] Ausgenommen u. U. V. 23.
[2] H.-M. Schenke, Auferstehungsglaube und Gnosis 123–126.

men. Die Verwendung und die Spiritualisierung des Begriffes und des Sachverhaltes »Auferstehung« ist typisch gnostisch; nicht typisch gnostisch erscheint die Ablehnung des Begriffes und des Wortes ἀνάστασις.

2. Auffallend ist die unbekümmerte Formulierung des Apostels in 1 Kor 15,21: ἐπειδὴ γὰρ δι' ἀνθρώπου θάνατος, καὶ δι' ἀνθρώπου ἀνάστασις νεκρῶν. Diese Aussage würde genau der korinthischen These entsprechen: wie der Tod als Folge der Sünde des ersten Adam schon eingetretene Tatsache ist, so – das könnte man aus V. 21 entnehmen – ist die durch Christus gegebene Auferstehung schon für alle Wirklichkeit geworden. Das futurische ζωοποιηθήσονται von V. 23 wäre demgegenüber eine verspätete und schwache Korrektur, wenn in V. 21 die Tatsache des grundsätzlich schon geschehenen Heils ausgesagt wurde. Vorausgesetzt, Paulus arbeite mit 1 Kor 15 gegen eine Theorie, welche die schon geschehene ἀνάστασις behauptet, läßt sich die arglose Formulierung von V. 21 nicht verstehen[1].

3. 1 Kor 15 spricht auf weite Strecken eindeutig vom Schicksal der schon Verstorbenen, Thema ist nicht das Los der noch Lebenden (vgl. V. 12–23; 29–34; 35–48). Und für die schon Verstorbenen waren sich die Gnostiker wohl im klaren, daß die Behauptung: »Auferstehung ist schon geschehen« die Folgerung einschloß: und ein Weiterleben leiblicher Art kommt nicht in Frage; eine Auferstehung mit einem irgendwie gearteten Leibe scheidet als Möglichkeit aus. Zwischen der Auferweckungsleugnung hellenistisch gebildeter Griechen und Gnostiker ist wohl in der Motivierung und in ihrem geistigen Ursprung ein Unterschied, nicht aber im Effekt, der am Ende geleugnet wird: beide erwarten vom Tode eine Befreiung aus dem Kerker der Materie und verneinen eine erneute Ver-Leiblichung. Es muß daher zugegeben werden, daß viele der Argumente, welche man dagegen anführt, die korinthischen Auferstehungsleugner seien griechisch-hellenistisch beeinflußte Leugner der Auferstehung des Leibes gewesen, auch gegen die Annahme sprechen, es seien Gnostiker gewesen, mit denen Paulus sich in 1 Kor 15 auseinandersetzt[2].

---

[1] Vgl. auch 1 Kor 15,57: τῷ δὲ θεῷ χάρις τῷ διδόντι ἡμῖν τὸ νῖκος διὰ τοῦ κυρίου ἡμῶν Ἰησοῦ Χριστοῦ. Auch hier wird unbekümmert der Sieg als schon gegeben dargestellt. Paulus hält es nicht für erforderlich, einschränkend (gegen Gnostiker) zu betonen: doch dieser Sieg ist noch nicht zur vollen Auswirkung gekommen, wir sind noch nicht im vollen Sinn im Besitz der Vollendung!

[2] Das scheint J. Schniewind bei seiner Beurteilung der Situation in Korinth nicht beachtet zu haben. Er stellt fest, herkömmlicherweise vermute man hinter den Auferstehungsleugnern eine Haltung, welche zwar ein Weiterleben der Seele erwarte, aber keinen neuen Leib nach dem Tode, und bemerkt dazu: »Aber wenn dies die korinthische These war, so wäre Paulus' Gedankengang unverständlich« (a.a.O. 111). Die von ihm in Korinth vermutete gnostische Auffassung stimmt damit inhaltlich aber überein: für das Leben nach dem Tode wird eine Befreiung des Pneuma erwartet, das natürlich weiterlebt, während der Leib zerfallen soll.

4. Ein ἀνάστασις ἤδη γέγονεν auf seiten der korinthischen Auferstehungsleugner vorausgesetzt, wäre der Gedankengang des Apostels in 1 Kor 15
folgender: V. 12 ff.: Wenn es zukünftige Totenauferweckung nicht gibt,
aber eine allgemeine (spiritualistisch umgedeutete) Auferstehung schon geschehen ist, dann wurde auch Christus nicht auferweckt ... Warum, müßte
man fragen, verunmöglicht die Behauptung einer schon allgemein geschehenen Auferstehung auch die Auferweckung des Christus? Weil sie keine
somatische sein kann? Dann vermißt man allerdings durch das ganze Kapitel
hindurch jeden Hinweis, daß eine geistig verstandene Auferstehung nicht
genügt, daß es vielmehr eine leibliche Auferstehung sein muß. Das setzt
Paulus doch offensichtlich voraus, und dann kann es nicht der eigentliche
Streitpunkt gewesen sein.

V. 17: Wenn es eine (leibliche) Auferweckung des Christus nicht gab,
dann ist töricht euer Glaube, dann seid ihr noch in euren Sünden! – Wieso?
wenn doch eine allgemeine Auferstehung behauptet wird. Kann nur eine
leibliche Auferstehung des Christus heilwirkend gewesen sein? Wenn ja,
warum fehlt dazu jede Aussage von seiten des Apostels[1]?

V. 18: Die in Christus Entschlafenen sind verloren! Wie kann das Paulus
einfach sagen, wenn doch eine Auferstehung (als schon geschehen) von den
korinthischen Gnostikern auch behauptet wurde? Wieso würde eine spiritualistisch gedeutete Auferstehung notwendig zur Folge haben, daß die
Toten verloren sind[2]?

V. 19: Wieso sollten die Gnostiker Leute sein, welche nur in diesem Leben
auf Christus allein hoffen? Sie erwarten doch gerade für das Leben nach dem
Tode die Heimkehr in ihre eigentliche Heimat.

V. 29: Wieso ist die Totentaufe ein sinnloses Tun? Wenn durch die Taufe
Gnosis vermittelt wird, warum sollten dann die noch Lebenden nicht versuchen, den schon Verstorbenen, etwa durch eine stellvertretende Taufe,
diese Gnosis nachträglich zuteil werden zu lassen[3]. Paulus kann die Praxis der
Totentaufe im Zusammenhang mit der Auferstehungsleugnung nicht einfach dadurch als sinnlos hinstellen, daß er sagt: was soll diese Taufe, wenn
doch Tote überhaupt nicht auferstehen, vorausgesetzt den Fall, die Korinther hätten ein Weiterleben nach dem irdischen Tode – sogar das eigentliche
Leben – behauptet.

V. 30: Wieso sollten die Anstrengungen des Apostels sinnlos sein und
vergeblich, wenn er doch – nach der Ansicht der Gnostiker – sagen könnte
oder müßte: für das Leben nach dem Tode werde ich für meine Mühen be-

---

[1] Vgl. zum folgenden die Exegese des Textes S. 63–95.
[2] Zu ἀπόλλυμι unten S. 196 f.
[3] Dabei ist es für die Argumentation des Paulus in diesem Zusammenhang an
sich zweitrangig, ob die korinthischen Auferstehungsleugner wirklich auch jene
waren, welche stellvertretende Totentaufe praktizierten.

lohnt, wenn auch nicht mit einem Leben in erneuerter Leiblichkeit, so doch mit einem Leben in der eigentlichen Heimat.

Alle diese Argumente und Hinweise des Apostels würden gnostische Auferstehungsleugner nicht treffen, müßten Verwunderung bei ihnen hervorrufen, da sie ihr eigentliches Anliegen nicht einmal berühren, ja sogar stets von falschen Voraussetzungen bei ihnen ausgingen und ihnen Behauptungen unterstellen würden, die sie in Wirklichkeit nicht vertraten.

5. Speziell gegen die Annahme, die Korinther hätten ihre Ablehnung der paulinischen Auferstehungsverkündigung und ihre eigene Heilsgewißheit mit der Wendung ἀνάστασις ἤδη γέγονεν zum Ausdruck gebracht, spricht die einheitliche Verwendung des Terminus ἀνάστασις in den paulinischen Schriften und im ganzen Neuen Testament: er bezeichnet in allen Fällen, in denen er im Zusammenhang mit der Vollendung des Christenlebens Verwendung findet, das Verlassen des Totenreiches und das Sich-Erheben aus dem Zustand des Todes; nie kennzeichnet er eine spiritualisierte Auferstehungshoffnung, eine Erhöhung, die schon in diesem Leben etwa stattgefunden hätte[1]. Es ist ausgeschlossen, daß Paulus diese Formulierung ἀνάστασις ἤδη γέγονεν bewußt hingenommen hätte, ohne sie zu korrigieren oder wenigstens zu sagen, daß *diese* Vorstellung einer ἀνάστασις nicht dem entspricht, was christliche Auferstehungsverkündigung unter ἀνάστασις verstanden wissen will.

6. Nicht zu vereinbaren mit der Annahme, die Korinther hätten aus gnostischer Motivierung eine zukünftige Totenauferstehung geleugnet, dagegen aber behauptet, Auferstehung sei schon geschehen, ist die Tatsache, daß nach der Darstellung des Paulus in 1 Kor 15 – und erst recht in anderen Abschnitten von 1 Kor – die Gemeinde in Korinth als einen wesentlichen Bestandteil ihrer Glaubenserwartung die Hoffnung auf eine Wiederkehr des Christus zu einem Gericht und zur endgültigen Vollendung des verheißenen Heilszustandes hegte. Diese Erwartung des Herrn zur Aufrichtung des Zustandes der Heilsfülle nimmt Paulus bei den Korinthern offensichtlich an: vgl. 1 Kor 15,50–58. Von Polemik ist nichts zu spüren; daß die Korinther selbst keine Wiederkunft des Herrn Jesus Christus erwartet hätten, läßt sich aus den Versen nicht entnehmen. Aber es kann kaum verständlich gemacht werden, wie die Korinther eine Wiederkunft des Herrn erwarten konnten, wenn ihrer Meinung nach die Zeit der Heilsfülle für sie schon angebrochen ist[2]. Demgegenüber zeigt V. 58, daß die Korinther um eine wirkliche Erfül-

---

[1] Vgl. oben Kap. 3. – Darüber hinaus ist zu beachten, daß 1 Kor 15 durchwegs von »Auferstehung *Toter*« die Rede ist; wenn auch eine spiritualisierte Auferstehungserwartung als ἀνάστασις bezeichnet wurde, so doch nicht als ἀνάστασις νεκρῶν.

[2] Richtig bemerkt W. Schmithals, a.a.O. 149: der Gnostiker kann auf alle Hoffnung verzichten. – Er erwartet kein neues Heilsereignis, das ihm letzte Vollendung sichern könnte. Wenn auch die endgültige Heimkehr aus der Welt der

lung ihrer Heils-*Hoffnungen* bangten. Denn Paulus versichert abschließend (und er greift damit positiv den Gedanken von V. 29–34 wieder auf): eure Mühe ist nicht umsonst! Diese Sorge kann nicht die Sorge von Gnostikern sein, die sich ihrer Belohnung und ihrer Vollendung schon sicher sind[1], aber es ist die Sorge von Christus-Gläubigen, die angesichts der immer noch ausstehenden Wiederkunft des Herrn bangen um ihre Toten, daß sie nicht mehr in den Genuß der Heilszeit kommen könnten; es ist auch die Sorge, vielleicht selbst ebenfalls sterben zu müssen vor der Ankunft des Herrn. Auch sie selbst wären dann der Frucht ihrer Mühen beraubt, wenn Tote nicht auferstehen.

7. Zusammenfassung: Der Text von 1 Kor 15 erlaubt es nicht, hinter den Auferstehungsleugnern von Korinth Gnostiker zu vermuten, welche die Ansicht vertraten: »die Auferstehung ist schon geschehen«, oder: »wir sind schon zur Vollendung gelangt«. Eine derartige Beurteilung der korinthischen Auferstehungsleugner wäre nur tragbar in Verbindung mit der These, Paulus habe die Bestreitung der Auferstehung in seiner Gemeinde

---

Finsternis noch aussteht, so hat er dennoch das Heil von Natur aus schon. Er erwartet keine Wiederkehr des Herrn und erst recht kein Gericht. – Vgl. auch E. Schweizer, Gegenwart des Geistes und eschatologische Hoffnung bei Zarathustra, spätjüdischen Gruppen, Gnostikern und den Zeugen des Neuen Testaments, in: The Background of the New Testament and its Eschatology, in Honour of C. H. Dodd, hrsg. von W. D. Davies and D. Daube, Cambridge 1956, 428–508, bes. 496–501: »Die Gnosis kennt also auch eine ›Eschatologie‹ – darin ist sie ganz ungriechisch. Aber es ist eine ganz andere Eschatologie. Sie ist bestimmt durch das Zu-sich-selbst-Finden des Geistes, nicht durch das eine, alles entscheidende, alles vollendende Handeln Gottes... ›Gott‹ zieht sich nur von der Welt zurück auf sich selbst, und der Abschluß dieses Rückzugs ist das ›Eschaton‹« (a. a. O. 500f.).

[1] Vom endgültigen Heil als einem kosmischen Heil für Mensch und Kosmos scheint die Schrift »Kore Kosmu« zu sprechen. Nach H.-D. Beetz, Schöpfung und Erlösung im hermetischen Fragment »Kore Kosmu«, ZThK 63,185 rühren die Spuren dieser Anschauung her von den verarbeiteten Mysterientraditionen. Der gnostische Redaktor der Schrift habe das Material umgedeutet; ihm komme es nur an auf das Schicksal der Seele und ihre Erlösung. – Nicht von einer Parusie, wohl aber von einer künftigen Auferstehung des »Fleisches« spricht anscheinend die Schrift »De Resurrectione – Epistula ad Rheginum«. Diese der valentinianischen Gnosis nahestehende Abhandlung (der vorhandene koptische Text könnte Nachschrift eines griechischen Urtextes sein, der verlorenging, und ist etwa in das vierte nachchristliche Jahrhundert zu datieren) spricht daneben von der durch die Annahme der »Wahrheit« schon geschehenen Auferstehung. – Text der Schrift bei: M. Maline (Herausgeber in Zusammenarbeit mit H.-Ch. Puech, G. Quispel, W. Till), De Resurrectione (Epistula ad Rheginum), Zürich-Stuttgart 1963. Eine deutsche Übersetzung mit Verbesserungsvorschlägen zur Ausgabe von M. Maline bei: R. Haardt, »Die Abhandlung über die Auferstehung« des Codex Jung, in: KAIROS, NF 11,1–5. R. Haardt hält die Rede von der Auferstehung des Fleisches in der gnostischen Schrift für möglich, weil, nach der Ansicht des Verfassers, das »Fleisch« zum Menschen gehöre seit der Inkarnation des Geistes (a. a. O.).

zu Korinth falsch verstanden und daher auch mit falschen Mitteln bekämpft. Diese Position impliziert jedoch die Notwendigkeit, die einzige Quelle, die uns zur Verfügung steht, über die korinthische Auferstehungsleugnung als unzuverlässig abtun zu müssen, ja als notwendigerweise die historische Situation verzerrend. So wäre es noch weniger möglich, aus 1 Kor 15 sichere Schlüsse auf den tatsächlichen Inhalt der Leugnung und den Personenkreis, der sie vertrat, zu ziehen[1]. Sichere Informationen über die Auferstehungsleugnung wären dann nur aus dem Rest des ersten Korintherbriefes (Kapitel 1–14) und vielleicht noch aus dem zweiten Korintherbrief zu gewinnen. Voraussetzung für diese Möglichkeit, aus den beiden Korintherbriefen, ausgenommen Kap. 15, ein sicheres Urteil über die tatsächlichen Hintergründe der Auferstehungsleugnung zu gewinnen, wäre dann aber der Glaube an eine einheitliche Frontstellung in den Korintherbriefen[2], mehr noch: Voraussetzung wäre die Überzeugung, daß Paulus in seinen Briefen keine Mängel am Glauben und an den Glaubensvorstellungen seiner Gemeinden zu korrigieren hätte, die nicht in direktem Zusammenhang mit dieser einzigen vermuteten Gegnerschaft in ursächlichem Zusammenhang stünden. Voraussetzung wäre weiterhin die seltsame Annahme, daß Paulus zwar die gnostische Einheitsfront in Korinth so hinreichend gut erkannte, daß er seine beiden Briefe an diese Gemeinde als Bekämpfung dieser Häresie gestaltete, daß er aber an dem einen Punkt, eben der Auferstehungsleugnung, plötzlich diese eine, in den Kapiteln 1–14 ihm ständig vor Augen stehende gnostische Gegnerschaft verkannte, ja überhaupt nicht erkannte, und einen anderen Gegner oder ein sonstiges Versagen einiger Korinther annehmen zu müssen glaubte[3].

---

[1] Auch die Berufung auf die Totentaufe als Praxis der Auferstehungsleugner ist, wie oben gezeigt wurde, nicht berechtigt.

[2] Wobei so gegensätzliche Verhaltensweisen wie Aszetismus und Libertinismus, Verachtung der Sakramente (Herrenmahl!) und Überbewertung von Sakramenten (Taufe!) gleichzeitig bei den nämlichen Gegnern vorausgesetzt werden müssen: vgl. 1 Kor 1,14–17; 1 Kor 10,14–22 (vgl. dazu K. Maly, Mündige Gemeinde, Stuttgart 1967, 123–174); 1 Kor 15,29.

[3] Das wäre umso erstaunlicher, da es zweifellos richtig ist, daß eine entwickelte Gnosis notwendigerweise eine (leibliche) Auferstehung verwerfen *muß* (vgl. W. Schmithals, a.a.O. 148).

II. Exkurs über 2 Tim 2, 16–18

1. Die Irrlehrer der Pastoralbriefe

Ein Gegensatz zur apostolischen Verkündigung der Auferstehung von Toten erscheint – neben 1 Kor 15 – auch 2 Tim 2, 16–18. Der Verfasser des Briefes warnt vor heillosem, nichtigem Geschwätz von Leuten, welche zu immer größerer Gottlosigkeit fortschreiten. Als Beispiel werden Hymenaios genannt und Philetos, die von der Wahrheit abgewichen seien, indem sie behaupteten, die Auferstehung sei schon geschehen (ἀνάστασιν ἤδη γεγονέναι):

V. 16: Aber von den nichtigen, leeren Geschwätzen halte dich fern; denn sie werden zu immer größerer Gottlosigkeit fortschreiten,

V. 17: und ihre Lehre wird um sich fressen wie ein Krebsgeschwür. Und zu ihnen gehören Hymenaios und Philetos,

V. 18: die von der Wahrheit abgeirrt sind, indem sie sagen, die Auferstehung sei schon geschehen, und die den Glauben mancher Leute zerstören.

Eine sachliche Übereinstimmung zwischen der Auferstehungsleugnung in Korinth (1 Kor 15, 12) und dieser Behauptung, die Auferstehung sei schon geschehen, wird nun einerseits immer wieder behauptet, andererseits aber auch bestritten[1]. Was besagt eigentlich die Behauptung von der schon geschehenen Auferstehung genau? In welchen Kreisen wurden derartige Thesen vertreten? Neben diesen Fragen wird vor allem zu klären sein, welche Vorstellung der Verfasser des Briefes selbst mit dieser von ihm zitierten Behauptung verbunden hatte.

Über die Namen der beiden genannten Personen – Hymenaios und Philetos – läßt sich jedenfalls eine Beantwortung dieser Fragen nicht erreichen. Philetos wird nur an dieser einen Stelle erwähnt. Auch von Hymenaios läßt sich keine sichere Spur weiterverfolgen, jedenfalls nicht über 1 Tim 1, 20 hinaus. Durch eine Gleichsetzung des Hymenaios von 2 Tim 2, 17 mit dem Widersacher gleichen Namens in 1 Tim 1, 20 würde zwar eine Nähe zum

---

[1] Vgl. dazu oben S. 16–18 und 171–174. Von den neueren Kommentaren zu den Pastoralbriefen bringen 2 Tim 2, 16–18 und 1 Kor 15, 12 miteinander in Verbindung: N. Brox, Die Pastoralbriefe, RNT 7, 2, Regensburg 1969, 248 und H. Conzelmann, Die Pastoralbriefe, HNT 13, Tübingen [4]1966, 83. Ausdrücklich gegen eine Gleichsetzung der Auferstehungsleugnung von 1 Kor 15, 12 mit der falschen Auferstehungslehre von 2 Tim 2, 18 sprechen sich unter den Kommentatoren der Pastoralbriefe u. a. aus: B. Weiss, Die Pastoralbriefe, Meyer K 11, Göttingen [2]1902, 278 und H. J. Holtzmann, Die Pastoralbriefe kritisch und exegetisch behandelt, Leipzig 1880, 418.

Alexandros (1 Tim 1,20) gewonnen[1] und damit (über 2 Tim 4,14) möglicherweise auch zu Apg 19,33; mehr als die Tatsache einer Gegnerschaft zu Paulus kann aber dem Namen Hymenaios auf keinen Fall entnommen werden[2]. Um einen näheren Aufschluß über den Inhalt der Behauptung »die Auferstehung ist schon geschehen« gewinnen zu können, muß diese falsche Auferstehungslehre eingeordnet werden in das Gesamtbild der Irrlehren, deren Bekämpfung die Pastoralbriefe gewidmet sind. Nun ist die Beurteilung der Häretiker der Pastoralbriefe schon seit langem eine Streitfrage, besonders seitdem Zweifel an der Verfasserschaft des Paulus laut geworden sind, und die Irrlehren zu einem gewichtigen Kriterium wurden für die Echtheitsfrage der Briefe[3]. Heute besteht weitgehend darüber Übereinkunft, daß die in den Pastoralbriefen auftretenden Gegner als eine einheitliche Größe zu verstehen sind. Diese Annahme kann umsomehr Berechtigung für sich beanspruchen, da vorausgesetzt werden darf, daß die Pastoralbriefe nicht wie die echten Paulinen[4] an bestimmte Gemeinden oder Personen gerichtet waren und damit auch nicht auf möglicherweise sehr verschiedene und verschieden bedingte Einzelfragen und Probleme einer Gemeinde Antwort zu geben hatten, sondern schon von ihrer Zielsetzung her der Bekämpfung einer in sich einheitlichen Bedrohung der »rechten Lehre« gewidmet waren[5].

---

[1] M. Dibelius, Die Pastoralbriefe, HNT 13, Tübingen [2]1931, 69: »Hymenäus ist wohl identisch mit dem 1 Tim 1,20 genannten; hier ist er offenbar noch nicht dem Satan übergeben«. – H. J. Holtzmann, a.a.O. 255.

[2] Möglicherweise sind die hier genannten Personen überhaupt nur fingierte Gestalten; damit rechnet auch F.Chr. Baur, Die sogenannten Pastoralbriefe des Apostels Paulus aufs neue kritisch untersucht, Stuttgart und Tübingen 1835, 37f.

[3] Über die Verfasserfrage neuestens bes. N. Brox, a.a.O. 22–77.

[4] Es soll allerdings angemerkt werden, daß sich die hier vorausgesetzte Lösung der Verfasserfrage – die Pastoralbriefe haben nicht den Apostel Paulus als Verfasser – noch keineswegs durchgesetzt hat. Für Paulus als den Verfasser sprachen sich in neuerer Zeit u. a. aus: A. Schlatter, Die Kirche der Griechen im Urteil des Paulus, Eine Auslegung seiner Briefe an Timotheus und Titus, Stuttgart [2]1958 ([1]1936); W. Michaelis, Einleitung in das Neue Testament, Bern [3]1961, 232–261; J. Jeremias, Die Pastoralbriefe, NTD 9, Göttingen [8]1963 (Sekretärshypothese); G. Holtz, Die Pastoralbriefe, ThHK 13, Berlin 1965 (Sekretärshypothese). Mit der Verwendung von echten Paulusfragmenten in den Pastoralbriefen rechnen W. Schmithals, RGG V, [3]1961, 146f.; H. Binder, Die historische Situation der Pastoralbriefe, in: Geschichtswirklichkeit und Glaubensbewährung, Festschrift für Bischof F. Müller, hrsg. v. F.C. Fry, Stuttgart 1967, 70–83. – Eine Auslegung der Pastoralbriefe unter durchgehend vorausgesetzter Pseudonymität bietet N. Brox, a.a.O. – Vgl. ders., Zu den persönlichen Notizen der Pastoralbriefe, BZ 13,76–94.

[5] Anders etwa W. Michaelis, Die Pastoralbriefe und die Gefangenschaftsbriefe, Zur Echtheitsfrage der Pastoralbriefe, Neutestamentliche Forschungen 1,6, Gütersloh 1930, 124: Eigentlich sei in 2 Tim an keiner Stelle deutlich von Irrlehrern die Rede. Der Brief spreche von abtrünnigen Funktionären, Störenfrieden und

F.Chr. Baur war wohl der erste, der glaubte, eine einheitliche, antignostische Polemik in den Pastoralbriefen feststellen zu können. Er bestimmte die bekämpfte Gnosis näherhin als marcionitisch[1]. Doch hat schon H.J. Holtzmann nachgewiesen, daß alles, was F.Chr. Baur zugunsten eines Marcionitismus geltend machte, sich auf gnostisches Allgemeingut beziehen läßt[2]. Eine judaistische (bzw. jüdische) Prägung dieser Gnosis lehnte H.J. Holtzmann mit F.Chr. Baur ab. Er wurde dazu gedrängt durch die von ihm vollzogene Datierung der Pastoralbriefe in die erste Hälfte des zweiten Jahrhunderts, für die er keine judaistischen Widersacher des Christentums mehr annehmen zu dürfen glaubte. Da F.Chr. Baur in den echten Paulinen eine durchgehende antijudaistische Frontstellung sah, konnte er jene Stellen der Pastoralbriefe, die auf jüdische Vorstellungen oder Beeinflussungen zurückzugehen scheinen, als Fiktionen des pseudonymen Verfassers darstellen, der mit diesen Mitteln den Eindruck echter Paulusbriefe habe erwecken wollen[3]. Unterdessen ist die These F.Chr. Baur's von einem einheitlichen Kampf der echten Paulusbriefe gegen judaistische Widersacher zusammengebrochen und damit auch das Argument, die Elemente, welche auf jüdische (oder judaistische) Beeinflussung hinweisen, als literarische Fiktionen abtun zu können.

Andererseits weisen auf eine *jüdische Beeinflussung* der Irrlehre in den Pastoralbriefen[4]: 1. Die Kennzeichnung ihrer Mythen als Ἰουδαικοὶ μῦθοι (Tit 1,14); 2. die Herkunft der Verführer vornehmlich »aus der Beschneidung« (ἐκ τῆς περιτομῆς: Tit 1,10)[5]; 3. ihre Benennung als νομοδιδάσκαλοι (1 Tim 1,7); 4. auch die Streitigkeiten um das Gesetz (μαχαὶ νομικαί) und die törichten Streitfragen und Geschlechterregister (μωραὶ ζητήσεις καὶ γενεαλογίαι; vgl. Tit 3,9) können jüdischen Einflüssen angelastet werden.

Eine Charakterisierung der Häretiker in den Pastoralbriefen als *Gnostiker* scheint durch folgende Hinweise nahegelegt[6]: 1. Hinter 1 Tim 4,3 scheint

---

unlauteren Missionaren. – B. Weiss, a.a.O. sieht hinter 2 Tim 2,18 »eine einzelne Verirrung« (a.a.O. 277f.), die in keinem Zusammenhang mit einem Lehrsystem stehe.

[1] F.Chr. Baur, Die sog. Pastoralbriefe 10.25f.38f.

[2] H.J. Holtzmann, Pastoralbriefe 130f.368.

[3] F.Chr. Baur, a.a.O. 12. Vgl auch H.J. Holtzmann, a.a.O. 153.158; H.H. Mayer, Über die Pastoralbriefe, Göttingen 1913, 58: »ob sie [sc. die Irrlehrer] Judaisten waren, ist durchaus fraglich. Wahrscheinlich hat die paulinische Fiktion die ganze Erörterung über die νομοδιδάσκαλοι und das Gesetz hereingebracht«.

[4] Für eine tatsächliche jüdische Beeinflussung der Häresien sprechen sich aus u.a. G. Holtz, Pastoralbriefe 22f.; W. Michaelis, Pastoralbriefe 124; N. Brox, Pastoralbriefe 33; H. Conzelmann, Pastoralbriefe 54.

[5] Scheinbar kamen nicht alle Häretiker aus dem Judentum (μάλιστα οἱ ἐκ τῆς περιτομῆς).

[6] Vgl. dazu bes. N. Brox, a.a.O. 33–39.

ein Eheverbot aus grundsätzlichen dogmatischen Erwägungen zu stehen; 2. die Häretiker hielten sich an strenge Speisevorschriften (1 Tim 4,3; Tit 1,14f.; 1 Tim 5,23). Beide Haltungen passen zum weltnegativen dualistischen Grundverständnis der Gnosis. 3. Die Lehren werden als (falsche) Gnosis bezeichnet (1 Tim 6,20); die Häretiker behaupteten Gott »zu kennen« (Tit 1,16). 4. Schließlich wird gerade die Behauptung einer schon geschehenen Auferstehung für gnostische Gegnerschaft angeführt (2 Tim 2,16–18).

Zwar lassen sich durch die Zusammenfassung der einzelnen häretischen Elemente nicht die Umrisse eines schon bekannten gnostischen Systems gewinnen, strittig ist auch, ob gewisse Streitpunkte zwischen dem Verfasser des Briefes und den »Irrlehrern« auf typisch gnostische oder typisch jüdische Beeinflussung zurückgeführt werden müssen[1], doch dürfte die Beurteilung der gegnerischen Position in den Pastoralbriefen als eine stark jüdisch geprägte Gnosis eine gewisse Wahrscheinlichkeit für sich beanspruchen.

2. Der Inhalt der Behauptung »Auferstehung ist schon geschehen«

1. Als unmöglich scheidet die Vorstellung aus, die in 2 Tim 2,18 berichtete Behauptung, die Auferstehung sei schon geschehen, könne sich auf die Auferweckung des Christus beziehen. Zwar verwendet Paulus selbst, wenn er mit Hilfe einer substantivischen Wendung von der allgemeinen Auferweckung der Toten spricht, stets den Zusatz (ἐκ) τῶν νεκρῶν, während in Röm 6,5 und Phil 3,10 von der Auferweckung des Christus die Rede ist ohne einen derartigen Zusatz. Andererseits sind aber aus den nichtpaulinischen neutestamentlichen Schriften diese Formulierungen bekannt: Mt 22,

---

[1] Einen Streitpunkt bilden vor allem die Genealogien (Tit 1,10). N. Brox, a.a.O. 35 und M. Dibelius, Pastoralbriefe 10 betonen deren Zusammenhang mit gnostischen Systemen; anders vor allem G. Kittel, Die γενεαλογίαι der Pastoralbriefe, ZNW 20,49–69. – Nicht gangbar ist der Weg, den H.J. Holtzmann aufzeigen möchte, um auch für die Behauptung, die Auferstehung sei schon geschehen, einen jüdischen Ursprung zu finden: er verweist auf Simon den Goeten, der von den Toten auferstehen konnte (nach den Acta Petri et Pauli Kap. 52) und Dositheus, der nie gestorben sei und der Begründer der sadduzäischen Auferstehungsleugner gewesen sein soll (H. J. Holtzmann, a.a.O. 139ff.). Diese Notizen sind zu problematisch und zweifelhaft. Größere Nähe besteht zu den Acta Pauli et Theclae 14: Demas und Hermogenes sagten: »Und wir werden dich über die Auferstehung belehren, von der dieser sagt, daß sie geschehe, nämlich, daß sie schon in den Kindern geschehen ist, die wir haben, und wir auferstanden sind, indem wir den wahren Gott erkannt haben« (zit. nach W. Schneemelcher, in: Hennecke-Schneemelcher 2,245. Text bei R. Lipsius – M. Bonnet, Acta Apostolorum Apokrypha 1, Leipzig 1891, 235–269, bes. 245).

23: προσῆλθον αὐτῷ Σαδδουκαῖοι, λέγοντες μὴ εἶναι ἀνάστασιν oder Apg 23,8: Σαδδουκαῖοι γὰρ λέγουσιν μὴ εἶναι ἀνάστασιν (vgl. Mk 12,18; Lk 20,27). Eine Behauptung von Irrlehrern, die Christus als schon auferstanden bekannte, wäre auch völlig sinnlos. Fraglich könnte es erscheinen, ob von den Gegnern der künftigen Auferstehung der Toten auch die Auferstehung des Christus in irgendeiner Weise bestritten wurde, welche die Kritik des Verfassers der Pastoralbriefe hätte herausfordern müssen. Einen Hinweis dafür könnte man sehen hinter 2 Tim 2,8: »Behalte im Gedächtnis Jesus Christus, der von den Toten auferweckt worden ist, aus der Nachkommenschaft Davids, nach meinem Evangelium«. Steht dahinter das Wissen um eine Bestreitung der Auferweckung des Christus oder das Wissen von einer Spiritualisierung oder Umdeutung der Auferweckung, wie dies in gnostischen Kreisen zu erwarten wäre? Die Frage ist zu verneinen. Weder aus diesem Vers, noch aus dem Zusammenhang der Stelle läßt sich erkennen, daß der Verfasser hier doketische oder allgemein gnostische Thesen zurückweisen möchte. Vielmehr soll Timotheus aus der Erinnerung an Jesus Christus und an seine siegreiche Auferstehung die Kraft gewinnen zur selbstverleugnenden Ausrichtung seines Amtes. Mit J.H. Holtzmann darf man in diesem Vers wohl einen Hinweis auf eine schon »stehend gewordene Form der zu bekennenden Messianität« ohne polemischen Hintergrund erkennen[1].

2. Verbanden die »Irrlehrer« von 2 Tim 2,16–18 mit der Leugnung der künftigen Auferstehung Toter auch eine Spiritualisierung der Auferstehung? Könnte hinter den Pastoralbriefen eine ausgebildete Gnosis als gegnerische Front nachgewiesen werden, müßte man eine Spiritualisierung der Auferstehungsvorstellung in der Tat erwarten, gleichzeitig aber auch die Leugnung der Auferstehung des Christus aus den Toten. Da aber die »Gegner« der Pastoralbriefe stark *jüdisch* ausgerichtet waren, macht es Schwierigkeiten, anzunehmen, daß sie tatsächlich die Auferstehung des Christus (und der Toten) leugneten (oder auch nur spiritualisierend umdeuteten). Dem Text läßt sich ein unzweifelhafter Hinweis dafür jedenfalls nicht entnehmen[2].

3. Wird mit der Behauptung, die Auferstehung sei schon geschehen, ausgesagt, daß tatsächlich schon Tote aus den Gräbern auferweckt sind, und zwar im Sinne einer eschatologischen Totenauferstehung (nicht als vereinzelte Totenauferweckung durch einen Wundertäter)? Diese Behauptung

---

[1] H. J. Holtzmann, Pastoralbriefe 186. Ähnlich sieht M. Dibelius, a.a.O. 67 hinter diesem Vers eine kerygmatische Formulierung. Die Erwähnung der Davidabstammung rührt wohl davon her, daß der Verfasser schon mit ἐγηγερμένον ἐκ νεκρῶν »in den Zusammenhang des Römerbriefes eingemündet war« (H. J. Holtzmann, a.a.O. 408).

[2] Für eine echte Spiritualisierung des Auferstehungsbegriffes hinter 2 Tim 2, 16–18 sprechen sich u.a. aus: F. Chr. Baur, a.a.O. 38; W. Lütgert, Die Irrlehrer der Pastoralbriefe, BFTh 13,3, Gütersloh 1909, 58; N. Brox, Pastoralbriefe 248.

allein könnte an sich noch orthodox gewesen sein. Man denke an Mt 27,52: beim Tode Jesu öffneten sich Gräber, und viele Leiber von entschlafenen Heiligen wurden auferweckt[1]. Mit der Behauptung von der schon geschehenen Auferweckung müßte dann wohl auch die Leugnung jeder weiteren Auferstehung von Verstorbenen miteingeschlossen gewesen sein. In diesem Falle wäre mit der Aussage, die Auferstehung ist schon geschehen, die Vernichtung aller Verstorbenen behauptet. Für die Noch-Lebenden kämen dann zwei Möglichkeiten in Betracht: entweder glaubten sie, nur jene würden in den Genuß der Heilsvollendung kommen, welche die Parusie noch erlebten (da es künftige Auferweckung eben nicht gebe)[2], oder aber sie glaubten, die Endzeit, das Millennium sei schon angebrochen. Gerade zu dieser Daseinshaltung könnte auch die strenge Askese und der Verzicht auf Ehe passen[3]. War dies die Einstellung der »Irrlehrer«, dann könnte man von einer Spiritualisierung der Auferstehungserwartung eigentlich nicht sprechen: die Auferstehung würde sich ihrer Meinung nach auf einige wenige Fälle beschränkt haben; eine weitere Auferstehung sei nicht zu erwarten.

4. Es muß ernsthaft mit der Möglichkeit gerechnet werden, daß der Verfasser der Pastoralbriefe hier seine Gegenspieler bewußt oder unbewußt verzerrt darstellt. Die Charakterisierung der falschen Meinung als nichtiges, leeres Geschwätz (V. 16) durch den Verfasser legt es nahe, daß er die Behauptung »die Auferstehung ist schon geschehen« tatsächlich als in sich widersinnig und nicht weiter diskutabel verstand, auf jeden Fall aber von seinen Lesern so verstanden wissen wollte. Möglicherweise verbanden sich mit dem Satz von 2 Tim 2, 18 Vorstellungen, wie sie in Iren. I, 23.5[4] und Justin Apol. I, 26.4[5] wiederkehren:

»Durch seine Taufe nämlich empfangen seine Schüler die Auferstehung, sie können fortan nicht mehr sterben,
sind unvergänglich, ewig jung und unsterblich«
(Irenäus I, 23.5).

---

[1] Eine Nähe zu solchen Anschauungen, die seiner Meinung nach in der frühen Christenheit eine größere Verbreitung eingenommen hatten, zu 2 Tim 2,18 und 1 Kor 15,12 vermutet H.-W. Bartsch (H.-W. Bartsch, Die Argumentation des Paulus in 1 Cor 15,3–11, ZNW 55,261–274).

[2] So A. Schlatter, Die Kirche der Griechen im Urteil des Paulus 242.

[3] H. v. Soden, Handkommentar zum Neuen Testament 3, Freiburg und Leipzig 1891 (²1893), 160f.: »Am nächsten liegt, daß sie die zu allen Zeiten immer neu auftretende schwärmerische Meinung, das Millennium sei schon angebrochen, es gäbe keinen Tod mehr, hatten, also auch eine Wiederkunft Christi nicht mehr erwarteten, womit die Verwerfung der Ehe (1 Tim 4,3) unter Einwirkung der Vorstellungen Lk 20,35 f.; Mt 19,12 trefflich stimmen würde«.

[4] Irenäus von Lyon, Adversus haereses, Text: MPG 7.

[5] Justinus Martyr, Apologia, Text: E. J. Goodspeed, Die ältesten Apologeten, Göttingen 1914, 43.

Mit Sicherheit läßt sich der kurzen Notiz von 2 Tim 2,18 keine eindeutige Angabe entnehmen über die Stellung der Häretiker der Pastoralbriefe zur Auferstehung[1]. Es muß damit gerechnet werden – und das wäre allerdings im tiefsten ungnostisch –, daß die Irrlehrer für die ganze menschliche Existenz, also auch für den Leib, behaupteten: wir sind schon vollendet, weder eine Parusie noch eine künftige Auferstehung ist Gegenstand unserer Hoffnung; die End- und Heilszeit ist schon angebrochen. Wahrscheinlicher allerdings ist es, daß zwar die Häretiker der Pastoralbriefe eine Spiritualisierung der Auferstehungshoffnung durchgeführt hatten, daß aber der Verfasser der Pastoralbriefe in 2 Tim 2,16–18 von ἀνάστασις im Sinne einer leiblichen Auferstehung spricht und den Häretikern – bewußt oder unbewußt – eine Auferstehungslehre unterstellt, welche die Auferstehung (auch des Leibes) in der Vergangenheit ansetzt. Zeugnisse derartiger Mißverständnisse oder Entstellungen sind in der Geschichte der Ketzerbekämpfung nicht einmalig[2]. Mit dieser Beurteilung von 2 Tim 2,18 würde die Tatsache übereinstimmen, daß im Zeitraum der Entstehung neutestamentlicher Schriften das Wort ἀνάστασις für die Aussage einer auch den Leib umfassenden Auferstehung steht.

III. KEIN GLAUBE AN DIE UNSTERBLICHKEIT DER SEELE

Die über Jahrhunderte hin verbreitetste Deutung der historischen Situation von 1 Kor 15 war: die Auferstehungsleugner vertraten eine populär-platonisierende Unsterblichkeitslehre[3]. Als Griechen, unter dem Einfluß platonischer Philosophie, mußte ihnen der Leib als Übel erscheinen, als das Gefängnis der Seele. Für das Leben nach dem Tod erwarteten sie eine Befreiung der Seele vom Leib; dieser zerfällt, die Seele aber lebt weiter. Eine

---

[1] H.-F. Weiß, Paulus und die Häretiker 127 betont zu Recht, man müsse sich davor hüten, »die gnostischen Texte des 2. Jahrhunderts mit allzugroßer Selbstverständlichkeit und Sicherheit, d.h. ohne die notwendige Differenzierung, für die Rekonstruktion der ›Gnosis‹ zur Zeit des Paulus selbst zu benutzen«. Hinsichtlich der Bestreitung der künftigen Auferstehung in 1 Kor 15,12 und 2 Tim 2,16–18 allerdings glaubt er mit Sicherheit eine sachliche Gleichsetzung vornehmen zu dürfen (H.-F. Weiß, Paulus und die Häretiker, Zum Paulusverständnis in der Gnosis, in: Christentum und Gnosis, hrsg. von F.-W. Eltester, BZNW 37, 126f.).

[2] Vgl. A. Hilgenfeld, Die Ketzergeschichte des Urchristentums, Leipzig 1884, 156; W. Schmithals, Die Gnosis in Korinth 150. – Möglicherweise verbergen auch die oben genannten Berichte von Irenäus (Adv. Haer. I, 23, 5) und Justin (Apol. I. 26, 4) ähnliche Mißverständnisse.

[3] Dazu oben Kapitel 1. Vgl. P. Trummer, Anastasis, Beitrag zur Auslegung und Auslegungsgeschichte von 1 Kor 15 in der griechischen Kirche bis Theodoret, Dissertation (Graz), Wien 1970, 5.

neue Verhaftung der Seele an einen Auferstehungsleib erschien ihnen nicht als erstrebenswert. Die gedanklichen Schwierigkeiten, welche der Glaube an die leibliche Auferstehung angesichts des Zerfalls der toten Leiber bereitete, mußten sie in ihrer Ablehnung einer Auferstehung der Toten, wie Paulus sie verkündet hatte, bestärken. Es wäre – diese Situation vorausgesetzt – nicht notwendig, in solchen Auferstehungsleugnern auch schon philosophisch Gebildete zu sehen, wie dies etwa J. H. Wilson unterstellt[1]. Auch im einfachen Volk könnte der Seelenglauben in einer populärwissenschaftlichen Gestalt Verbreitung gefunden haben. Der Hinweis auf 1 Kor 1,26 (es sind »nicht viele Weise dem Fleische nach« unter den korinthischen Gläubigen) beweist daher noch nichts[2].

Gegen diese Beurteilung der korinthischen Leugner als Anhänger des Glaubens an die Unsterblichkeit der Seele sprechen jedoch im wesentlichen die nämlichen Gründe, die oben angeführt wurden, um zu zeigen, daß Paulus in Korinth keine durch Gnosis verursachte Auferstehungsleugnung bekämpfen mußte[3].

1. Paulus setzt voraus, was er beweisen müßte: daß nämlich nur *leibliche* Auferstehung genügen kann, daß ein Weiterleben der Seele allein zu wenig ist[4].

2. Paulus geht auf die gegnerische Auffassung – wenn diese die Unsterblichkeit der Seele festhielt – gar nicht ein: von Seele ist gar nicht die Rede (ψυχή kommt nicht vor; auch kein entsprechendes Wort), und ψυχικός bezeichnet genau das *Nicht*-Göttliche im Menschen, das Irdische (1 Kor 15, 44.46).

3. Paulus wendet sich nicht gegen einen Dualismus, nicht gegen die Abwertung des Leibes, weil er Materie und daher ein Übel sei. Schwierigkeiten macht seinen Gesprächspartnern die Tatsache, daß dieser Leib, mit dem die Auferstehung geschehen soll, ja zerfällt; nicht aber ist die Rede davon, daß die leibliche Auferstehung abgelehnt wird wegen der Verachtung der Materie[5].

4. Paulus beurteilt die Auferstehungsleugnung in ihren Konsequenzen als radikale Jenseitsleugnung. Der Gedankengang von 1 Kor 15,12–19.29–34 würde unverständlich unter der Voraussetzung, Paulus wolle sich hier mit einem Glauben an die Unsterblichkeit der Seele auseinandersetzen.

Ergibt es sich also, daß die korinthischen Auferstehungsleugner nicht be-

---

[1] J. H. Wilson, The Corinthians Who Say There Is No Resurrection of the Dead, ZNW 59,91 f.
[2] J. H. Wilson, a. a. O.
[3] Den Nachweis für die hier nicht belegten Thesen siehe oben.
[4] So bes. J. Schniewind, Die Leugner der Auferstehung 110–113.
[5] Vgl. oben Kapitel 5.

haupteten: Unsterblichkeit der Seele statt Auferstehung des Leibes[1] und daß
sie auch nicht als Gnostiker die Erlösung und Befreiung des Geist-Pneuma
aus dem Leibe an die Stelle der Lehre von der leiblichen Auferstehung
setzten – welche Vorstellungen hatten dann die Korinther? Was besagt ihre
These, Auferstehung Toter gibt es nicht?

IV. Das Erleben der Parusie sichert das Heil –
die Toten sind verloren

Dem Text von 1 Kor 15 zufolge glaubten die Auferstehungsleugner in der
Gemeinde des Paulus nicht an ein Weiterleben der *Seele* nach dem Tode.
Auch Gnostiker scheiden als Urheber der Behauptung »es gibt keine Auferstehung Toter« aus, und es fehlen überzeugende Hinweise dafür, daß die
Korinther die Auferstehungshoffnung spiritualisierten und eine schon geschehene ἀνάστασις behaupteten.

Andererseits zeigt die Exegese von 1 Kor 15:

1. Paulus versucht der Auferstehungsleugnung zu begegnen mit dem
Nachweis für die Möglichkeit eines pneumatischen Auferstehungsleibes.

2. Nicht die Unzulänglichkeit der Materie, sondern die offenkundige Zerstörung des irdischen Leibes ist der Einwand, den er zurückweisen muß.

3. Seine Argumentation richtet sich durchgehend gegen eine Position, welche *jede* Zukunftshoffnung bestreitet.

4. Paulus kennt in seinen Ausführungen nur die Alternative: Heil durch
Auferstehung oder Unheil.

5. Die Praxis der Totentaufe wurde wahrscheinlich nicht von den Auferstehungsleugnern geübt. Sie ist daher kein Argument, das eine Zukunftshoffnung für die Toten bei den Leugnern bezeugt.

Diese Beobachtungen führen zu dem Ergebnis: die korinthischen Auferstehungsleugner hatten keine Hoffnung für die Toten. Dennoch: das eigentliche Charakteristikum dieser Korinther ist nicht der radikale Jenseitspessimismus. Sie waren keine Epikuräer, sondern sie kannten sehr wohl eine
Hoffnung auch über die gegenwärtige Wirklichkeit hinaus – allerdings nur

---

[1] Vor allem im deutschen Sprachraum überwog in den letzten Jahren jene
Interpretation von 1 Kor 15, welche pneumatisches Schwärmertum oder gnostischen Enthusiasmus für die Auferstehungsleugner verantwortlich machte (Belege
siehe oben). Im englischen Sprachraum scheint die These, es handle sich bei den
Auferstehungsleugnern um Vertreter des »griechischen« Glaubens an die Unsterblichkeit der Seele, noch mehr verbreitet zu sein. So z.B. R. Mc L. Wilson, Gnosis
and the New Testament, Oxford 1968, 53; vgl. auch A.L. Moore, The Parousia
in the New Testament, Supplements to Novum Testamentum 13, Leiden 1966,
177f.

für die Lebenden. Dafür zeugen der Glaube an die Auferweckung und das Heilswirken des Christus und die Erwartung seiner Wiederkunft.

1. Der Glaube an das Heil durch den Christus

Wie oben gezeigt wurde, standen die Korinther zum Glauben an den auferstandenen Kyrios Christus, der gestorben war »für unsere Sünden« (1 Kor 15,3), d.h. sie glaubten an das Heil, das ihnen durch den Christus Jesus angeboten und ermöglicht war[1]. Dieses Heil sicherte ihnen die Befreiung von ihren Sünden und die Teilnahme an dem kommenden Reich Gottes. Darauf war ihre Hoffnung gerichtet. Sie erwarteten also sehr wohl eine Zukunft und von dieser die Erfüllung der Hoffnungen, die sie auf das Evangelium von dem stellvertretend gestorbenen und auferweckten Christus setzten.

Ihre Toten hielten sie für ausgeschlossen von der Teilhabe an diesem Heil. Auch für sich selbst sahen sie die Auswirkungen des Heils, das vom auferweckten Christus herkommen sollte, noch nicht erschöpft: die Erfüllung der Verheißungen erwarteten sie von der baldigen Parusie.

2. Die Parusieerwartung in der Gemeinde

1. Paulus spricht in den beiden Korintherbriefen unbefangen und unpolemisch von der Erwartung der Ankunft des Herrn Jesus und von dem bevorstehenden Tag des Gerichtes[2]. Die Rolle, welche die Parusieerwartung bei

---

[1] Da die Bestreitung der Totenauferweckung vor allem in der Schwierigkeit begründet sein dürfte, sich die Wiederherstellung und Wiederbelebung des Leichnams vorzustellen, muß der Glaube an die Auferweckung des Christus als inkonsequent erscheinen. Andererseits war auch im hellenistischen Bereich die Wiedererweckung einzelner durch Gottheiten nicht unbekannt; möglicherweise erleichterte auch das Wissen um die kurze Dauer des Todeszustandes bei Jesus die Ausnahme. Belege für solche Anschauungen: R. Mach, Der Zaddik in Talmud und Midrasch, Leiden 1957, 174; F. Nötscher, Zur Auferstehung nach drei Tagen, in: Vom Alten zum Neuen Testament, Bonn 1962, 234; E. Rohde, Psyche, Seelencult und Unsterblichkeitsglaube der Griechen, Tübingen 1898 (²1907).

[2] Zur Herkunft der Parusieerwartung des Apostels aus apokalyptischen Vorstellungen vgl. W.G. Kümmel, Die Bedeutung der Enderwartung für die Lehre des Paulus, in: Heilsgeschehen und Geschichte, Gesammelte Aufsätze 1953–1964, hrsg. von E. Grässer, O. Merk, A. Fritz, Marburg 1965, Marburger Theologische Studien 3, 36–47; R. Bultmann, Geschichte und Eschatologie, Tübingen 1958; C.H. Dodd, The Apostolic Preaching and its Development, New York 1962, 57f. 62ff.; G. Schrenk, Die Geschichtsanschauungen des Paulus, in: Studien zu Paulus, Zürich 1954, 49–80; H. Conzelmann, Artikel »Eschatologie«, RGG II, 3. Auflage, 669; H.J. Schoeps, Paulus, Die Theologie des Apostels im Lichte der

Paulus als ein wesentlicher Bestandteil seiner Verkündigung, als Norm und ständiges Korrektiv christlicher Lebensführung und als treibende Kraft in seinem persönlichen Leben spielte, ist kaum zu überschätzen und ist auch nicht bestritten[1]. Man kann wohl annehmen, daß für den Apostel, angesichts seiner lebendigen Erwartung des »Tages des Herrn«[2], eine Leugnung der kommenden Parusie des Christus sich weit weniger mit der Zugehörigkeit zu einer Gemeinde von Christusgläubigen hätte vereinbaren lassen als etwa die Leugnung der eschatologischen Totenauferweckung (nicht allerdings die Auferweckung des Christus selbst), denn auch für den Paulus der Korintherbriefe – und damit auch für die Gemeinden dieser Jahre – war die »normale« christliche Zukunftshoffnung auf die Parusie ausgerichtet[3]. Die Auferstehung bildete die Ausnahme. Wahrscheinlich nahm sie auch in der

---

jüdischen Religionsgeschichte, Tübingen 1959, 85–110; K. Schubert, Die Entwicklung der eschatologischen Naherwartung im Frühjudentum, in: Vom Messias zum Christus, hrsg. von K. Schubert, Wien–Freiburg–Basel 1964, 1–54; H.-W. Kuhn, Enderwartung und gegenwärtiges Heil, Studien zur Umwelt des NT 4, Göttingen 1966.

[1] Vgl. dazu R. Kabisch, Die Eschatologie des Paulus in ihren Zusammenhängen mit dem Gesamtbegriff des Paulinismus, Göttingen 1893; J. Weiß, Die Predigt Jesu vom Reiche Gottes, Göttingen [2]1900 (Neudruck 1964); ders., Das Urchristentum, Göttingen 1917; F. Guntermann, Die Eschatologie des Heiligen Paulus, Neutestamentliche Abhandlungen 13,4.5, Münster 1932, 9–14; O. Kuss, Exkurs »Die Heilsgeschichte«, in: Der Römerbrief, erste Lieferung, Regensburg 1947, 275–291; ders., Die Rolle des Paulus in der theologischen Entwicklung der Urkirche, in: MThZ14, bes. 135–139; W.G. Kümmel, Futurische und präsentische Eschatologie im ältesten Urchristentum, NTS 5, 113–125; A.J. Sint, Parusie-Erwartung und Parusie-Verzögerung im paulinischen Briefcorpus, in: Zeitschrift für Katholische Theologie 86, Innsbruck 1964, 47–79 (abgedruckt in: Vom Messias zum Christus, Die Fülle der Zeit in religionsgeschichtlicher und theologischer Sicht, hrsg. von K. Schubert, Wien–Freiburg–Basel 1964, 233–277); H.-A. Wilcke, Das Problem eines messianischen Zwischenreiches bei Paulus, Zürich–Stuttgart 1967, 151–155; P. Stuhlmacher, Erwägungen zum Problem von Gegenwart und Zukunft in der paulinischen Eschatologie, ZThK 64, 423–450; U. Luz, Das Geschichtsverständnis des Paulus, Beiträge zur evangelischen Theologie, München 1968, bes. 310–317.

[2] Die enge Verbindung der Vorstellung vom »Tag des Herrn« als dem Tag des Gerichtes und der »Parusie« ist schon dadurch bedingt, daß Parusie als jüngere Bezeichnung für das ursprünglichere ἡμέρα τοῦ κυρίου erst bei Paulus in das Urchristentum eingedrungen sein dürfte. Vgl. A. Oepke, Artikel παρουσία, ThWNT 5, 856–869; siehe auch Exkurs »Herrentag« bei A. Grabner-Haider, Paraklese und Eschatologie bei Paulus, NtAbh 4, Münster 1968, 80–91.

[3] Die »individuelle« Hoffnung für den Fall des vorzeitigen Todes, wie sie Phil 1,23 wohl ausgesprochen ist, mag bei Paulus stets als theoretische Möglichkeit neben der Hoffnung auf die endgültige Erfüllung seines Geschickes bei der Parusie des Christus einhergegangen sein, einen Niederschlag in den älteren Briefen, auch in 1 Korinther, hat sie nicht gefunden; grundsätzlich ist aber beides bei Paulus wohl zu vereinbaren. Vgl. dazu P. Stuhlmacher, a.a.O. 447f.

Verkündigung nicht die gleiche bedeutende Stelle ein wie die Parusie. Trotz der sich im Laufe der Jahre häufenden Todesfälle blieb die *Auferstehung* (bei der Parusie) der Sonderfall[1].

Von dieser Voraussetzung aus gesehen, wäre es ausgeschlossen, daß in der Gemeinde auch die *Parusie* des Christus hätte geleugnet werden können und daß – vorausgesetzt allerdings, Paulus hätte davon Kenntnis erhalten – dies nicht einen deutlichen Niederschlag in den Briefen gefunden hätte, denn von der Parusie erwartete doch Paulus das Heil und die Vollendung, trotz des Bewußtseins, schon antizipierend am endgültigen Heil teilzuhaben[2]. Tatsache ist aber, daß die Hinweise auf die Parusie und das Gericht am Tag des Herrn[3] – und damit die Hinweise auf eine noch ausstehende letzte Ent-

---

[1] Daß die Auferstehung der Toten bei der Erstverkündigung des Evangeliums in Thessalonich noch nicht Gegenstand der Verkündigung des Paulus gewesen sein sollte, ist unwahrscheinlich. Die Missionstätigkeit des Apostels erstreckte sich schon über zu lange Zeit, als daß er nicht auch schon mit diesem Problem konfrontiert worden wäre (gegen B. Henneken, Verkündigung und Prophetie im 1. Thessalonicherbrief, Stuttgarter Bibelstudien 29, Stuttgart 1969, 76f.). Wahrscheinlicher dürfte es sein, daß die wohl verkündete Lehre von der Auferstehung Toter angesichts der Verstehensschwierigkeiten, die sich hellenistisch denkenden Menschen stellten, und vielleicht auch durch Einflüsse von anderer Seite, wieder in den Hintergrund getreten war, keine bestimmende Macht auf den Glauben mehr ausübte, und schließlich nicht mehr in Anspruch genommen wurde. – Für die Möglichkeit, Paulus habe in seiner ersten Verkündigung in Thessalonich die Totenauferstehung noch nicht gepredigt, sprechen sich aus: W. Bornemann, Die Thessalonicherbriefe, Meyer K 10, Göttingen 1894; F. Guntermann, Die Eschatologie des Hl. Paulus, Münster 1932, 42ff.; M. Dibelius, An die Thessalonicher, HNT 9, Göttingen [3]1937, 23. Dagegen E. von Dobschütz: »Daß Paulus von der Totenauferstehung in Thessalonich nicht geredet haben sollte, ist allerdings unglaublich und weder durch den Hinweis auf die Kürze der Zeit noch auf die lebhafte Parusieerwartung wahrscheinlich zu machen« (in: Die Thessalonicherbriefe, Meyer K 10, Göttingen 1909, 189); eine ähnliche Stellung bezieht B. Rigaux, Les Epîtres de Saint Paul aux Thessaloniciens, Paris–Gembloux 1956, 527 (dort auch Angabe weiterer Literatur).

[2] Vgl. dazu bes. O. Kuss, W.G. Kümmel, P. Stuhlmacher a.o. S. 192 Anm. 1 angegebenen Ort.

[3] Zu den paulinischen Gerichtsaussagen vgl. F. Guntermann, a.a.O. bes. 211 bis 241; H. Braun, Gerichtsgedanke und Rechtfertigungslehre bei Paulus, Untersuchungen zum Neuen Testament 19, Leipzig 1930; L. Mattern, Das Verständnis des Gerichtes bei Paulus, AbThANT 47, Zürich 1966; U. Luz, Das Geschichtsverständnis des Paulus, München 1968, bes. 310–317 (dort, Seite 316, auch eine notwendige Korrektur zum Ergebnis von L. Mattern: nach Paulus *kann* das Gericht auch für den Christen noch entscheiden über Heil oder Unheil; die Rechtfertigung aus dem Glauben ist nicht ein unverlierbarer, schon endgültig gesicherter Besitz. L. Mattern dagegen: Paulus erwarte für die Christen nur ein Gericht, das über »die unterschiedliche Güte des Werkes der Christen« ergehe (a.a.O. 192), und: »nach Paulus entscheidet das Gericht über das unterschiedlich gute Werk des Christen, nicht über Heil oder Unheil, gerecht oder ungerecht« (a.a.O 193). Vgl.

scheidung über das Schon-Vollendet-Sein – im ersten Korintherbrief einen breiten Raum einnehmen, vor allem auch in 1 Kor 15, wo die Parusie und das Überleben des Großteils der Gemeinde als Selbstverständlichkeit vorausgesetzt sind (vgl. 1 Kor 15,23–28.50–54.58). Wie selbstverständlich bezieht der Apostel auch immer wieder die Ankunft des Herrn in Herrlichkeit mit ein in seine Ermahnungen. Der kommende Tag des Herrn beeinflußt maßgebend die Beurteilung der Welt und des Umgangs mit ihr (1 Kor 7,23.29–31)[1].

Von einem lebendigen Warten auf die Parusie in der Gemeinde zeugen 1 Kor 1,7–9 (ἀπεκδεχομένους τὴν ἀποκάλυψιν κτλ). Auch 1 Kor 3,10–15 und 1 Kor 4,1–5 zeigen, daß die Erwartung des Gerichts, und zwar in seiner Funktion als letzte Instanz, die über den endgültigen Heilsbesitz erst noch entscheiden wird – die Möglichkeit, daß auch das πνεῦμα des Sünders verlorengeht, ist nicht ausgeschlossen in 1 Kor 5,5[2] –, nicht bedroht ist in der korinthischen Gemeinde. Von der nahen Erwartung der Parusie, nicht aber gegen die Behauptung, die Vollendung sei schon vollgültig unter uns, spricht 1 Kor 10,11: offenbar weiß sich Paulus mit den Korinthern darin einig, daß das vollgültige Ende des alten Äons noch aussteht, aber nicht mehr lange auf sich warten läßt. Dieser Haltung entspricht auch der abschließende Gruß (μαράνα θά) in 1 Kor 16,22[3].

Alle diese Beobachtungen zusammen vermitteln den Eindruck, die Erwartung der Wende, die mit dem Tag des Herrn kommen sollte, war in der

---

dazu unten Anm. 2 S. 194). Noch nicht zugänglich war die maschinengeschriebene Dissertation von G. Kittel, Erwählung und Gericht, Marburg 1967.

[1] Selbstverständlich mag es sich ergeben haben, daß die Gemeinde es unterließ, ihr Tun und Leben auch tatsächlich stets auszurichten nach der Erwartung, der Herr kommt bald und die Zeit ist verkürzt (1 Kor 7,29); gerade 1 Kor 7,23 f. 29–31 könnten darauf hinweisen. Dieser Mangel – das läßt die paulinische Sprechweise durchblicken – geht jedoch nicht zurück auf ein prinzipielles Außerachtlassen dieser noch ausstehenden Vollendung und des noch zu erwartenden Gerichtes, sondern hat seinen Grund in der menschlichen Schwäche, den Alltag konsequent auszurichten nach den letzten Maßstäben, die deswegen keineswegs geleugnet werden, noch auch ihre grundsätzliche Kraft verlieren.

[2] Die Rettung des πνεῦμα des Sünders wird erhofft, ist aber nicht gesichert. Vgl. H. Braun, a.a.O. 64; siehe auch 1 Kor 8,11; 11,30–32. Die Spannung zwischen Heilszusage und der Möglichkeit des Heilsverlustes nach Paulus darf billigerweise nicht zu Gunsten einer Seite eingeebnet werden. Dazu bes. O. Kuss, Die Rolle des Apostels Paulus in der theologischen Entwicklung der Urkirche, MThZ 14, bes. 161–164; U. Luz, a.a.O. 316.

[3] Zum eschatologischen Sinn von μαράνα θά: F. Hahn, Christologische Hoheitstitel, FRLANT 83, Göttingen 1963, 100–109; K.G. Kuhn, Artikel μαραναθά, ThWNT 4, 470–475; G. Bornkamm, Das Anathema in der urchristlichen Abendmahlsliturgie, in: Das Ende des Gesetzes, Beiträge zur evangelischen Theologie 16, München 1958, 123–132.

korinthischen Christusgemeinde nicht verdrängt von dem Bewußtsein, schon im *uneingeschränkten* Vollbesitz der Erlösung und im »Reiche Gottes« (vgl. 1 Kor 15,24) zu sein. Im Gegenteil, – die Parusie spielte eine wichtige Rolle im Leben der Gemeinde, auf sie hin war das Tun und Handeln – von Paulus her inspiriert – ausgerichtet, von ihr erwartete man die Vollendung, die Fülle des Heils und die große Wende im Leben. So legt sich die Vermutung nahe, daß wenigstens ein Teil der Gemeinde (τινές) *alles*, was man als Gläubiger zu erwarten hatte, auf das Erleben der Parusie gründete[1], daß diese Christen die *andere* Möglichkeit, in den Vollbesitz der Verheißungen zu gelangen, eben die Auferstehung, außer acht ließen und schließlich – angesichts der Schwierigkeiten, sich eine Wiederbelebung der Toten vorzustellen – verneinten[2].

2. Diese Beurteilung der korinthischen Situation scheitert nicht an den unbestreitbar in der Gemeinde vorhandenen Auswüchsen eines pneumati-

---

[1] A. Schweitzer, Die Mystik des Apostels Paulus, Tübingen 1930, 93 f.: »Daß tatsächlich im Urchristentum die Ansicht vertreten ist, nur die bei Jesu Wiederkunft Überlebenden seien zur Teilnahme am messianischen Reiche bestimmt, ergibt sich aus dem Auftreten von Auferstehungsleugnern zu Korinth«…»Diese Auferstehungsleugner sind also keine Skeptiker, sondern sie vertreten die ultra-konservative eschatologische Meinung, daß es keine Auferstehung gebe. Ihnen zufolge haben nur diejenigen etwas zu hoffen, die bei der Wiederkunft Jesu am Leben sind«. – Doch war nicht die Berufung auf apokalyptische Traditionen Ursache der Auferstehungsleugnung, sondern, wie die Spuren, bes. in V.35–45 zeigen, die Schwierigkeit, sich Auferstehung Toter vorstellen zu können.

[2] A. Schlatter erkannte richtig, daß in Korinth die übrige Eschatologie der paulinischen Verkündigung erhalten blieb. Nur die Auferstehung wurde geleugnet; man ließ die Toten fallen. Die noch Lebenden erwarteten aber Christus als Richter und von seiner Wiederkunft erhofften sie die Teilnahme an der Herrschaft Gottes (A. Schlatter, Die korinthische Theologie, BFTh 8,2, Gütersloh 1914, 65). Andererseits – und das muß als inkonsequent erscheinen – glaubt A. Schlatter, die Auferstehung sei deshalb in Korinth bestritten worden, »weil schon die Gegenwart das Vollkommene schafft« (a.a.O. 28). Die Erfüllung und das Vollkommene *erwarteten* die Korinther von der noch ausstehenden *Parusie*, und A. Schlatter hat Unrecht, wenn er urteilt: 1 Kor 15,12–19 richte sich gegen die Anschauung, es brauche keine Auferstehung, weil sie nicht mehr *nötig* ist. Dem Apostel geht es um den Nachweis, daß Auferstehung Toter *möglich* ist, nicht darum, ob sie noch nötig ist oder nicht mehr. – Diese Möglichkeit hält auch K. Heim für wahrscheinlich: »Oder sie haben mit ihrem Tod vielleicht gar nicht mehr gerechnet; sie glaubten der neue Äon gehe weiter«…»Sie hielten eine neue Stufe der apokalyptischen Ereignisse nicht mehr für notwendig. Sie sagten: ›Wir sind schon in dem neuen Zustand‹. Sie hatten gar nicht daran gedacht, was mit denen geschehen sollte, die schon gestorben waren« (K. Heim, Die Gemeinde des Auferstandenen, München 1949, 221). Diese Art von Auslegung übergeht die Tatsache, daß in 1 Kor 15,12 nicht über die noch Lebenden, sondern über die *Toten* geredet wird, daß Paulus ferner die *Möglichkeit* der Auferstehung nachweist und nicht den Irrtum zurückweist, Auferstehung sei schon geschehen.

schen und enthusiastischen Schwärmertums[1]. Die von Paulus verkündigte proleptische Schon-Gegenwart des Neuen Äons[2] war geradezu eine Herausforderung, auch schon diesem vorgreifenden Heilszustand gemäß zu leben, der kommenden Wende durch den Tag des Herrn schon möglichst viel selbst vorwegzunehmen[3]. Aber auch für solche enthusiastische Schwärmer war die Parusie nicht überflüssig. Auch sie erwarteten von ihr die Erfüllung der schon vorweggenommenen »Vollendung«, deren tatsächliche Geltung durch die Erlebnisse des täglichen Lebens ja doch ständig in Zweifel gezogen war.

So lassen sich die Auferstehungsleugner in Korinth charakterisieren als Christus-Gläubige, die von der Parusie, und nur von ihr, die Fülle des Heils erwarteten. Welches Los hatten sie aber ihren Toten zugedacht? Totale Vernichtung oder nur den Verlust des Heils, das ihnen durch die Annahme des Evangeliums verheißen war?

3. Heilsverlust oder Erlöschen der menschlichen Existenz?

Welche Folge hätte für Paulus der Tod, auf den keine Auferstehung folgt?

1. Fest steht für Paulus: der einzige Weg für die Verstorbenen zum Heil führt über die Auferstehung, und die Leugnung der Auferstehung hat als eigentlich einzig entscheidende Folge: den Toten bleibt das Heil versagt.

---

[1] Vgl. W. Lütgert, Freiheitspredigt und Schwarmgeister in Korinth; H.-D. Wendland, Gesetz und Geist. Zum Problem des Schwärmertums bei Paulus, in: Schriften des Theologischen Konvents Augsburgischen Bekenntnisses 6, Berlin 1952, 38–64. Beide, W. Lütgert und H.-D. Wendland, folgern aus der Erkenntnis, daß es in Korinth schwärmerische Enthusiasten gab, die Auferstehungsleugnung sei geradezu notwendige Folge dieser Haltung. Doch selbst wenn diese Schwärmer für sich selbst schon den Zustand der Vollendung behauptet hätten – aber sie warteten noch auf die Parusie! –, so wäre darin noch kein Grund zu sehen, warum sie deswegen für die *Toten* keine *Hoffnung* hatten. Zum Problem des Geistenthusiasmus vgl. O. Kuss, Enthusiasmus und Realismus bei Paulus, in: Auslegung und Verkündigung 1, Regensburg 1963, 260–270 (zuerst erschienen in: Festschrift für Th. Kampmann, Paderborn 1959, 23–37).

[2] A. Grabner-Haider (Paraklese und Eschatologie 141–150) nennt die Auferstehungsleugner »judenchristliche Enthusiasten«, die das Werk des Kyrios für schon vollendet halten. Auch hier wird nicht gefragt, wieso sich Enthusiasmus in der Behauptung: *Tote* werden nicht auferstehen, äußern sollte, warum mit dem Bewußtsein, *selbst* schon der Vollendung teilhaft zu sein, den *Verstorbenen* die Möglichkeit abgesprochen werden muß, durch die Auferstehung auch noch an der Gottesherrschaft partizipieren zu dürfen.

[3] Vgl. O. Kuss, a.o. Anm. 1 S. 196 a.O.; J. Schniewind, Die Auferstehungsleugner 116–118.

Darin weiß er sich auch mit den Korinthern einig: die Taufe für die Toten hat keinen Sinn und keinen Wert, denn das Heil, das sie vermitteln soll, kann die Toten ja nicht mehr erreichen, weil sie eben nicht auferstehen.

2. Wenn Christus nicht auferweckt wurde und daher auch die Verstorbenen nicht auferweckt werden, sind die Toten *verloren* (ἀπώλοντο): 1 Kor 15,18.

Was besagt dieses ἀπώλοντο für Paulus?

a) Gelegentlich verwendet Paulus ἀπόλλυμι, um das Ende des Menschenlebens zu bezeichnen. So in 1 Kor 10,9f.: ὑπὸ τῶν ὄφεων ἀπώλλυντο[1]. Auch die Septuaginta umschreibt häufig das Ende des Lebens durch den physischen Tod mit ἀπόλλυμι; sie entspricht damit dem Wortsinn des zugrundeliegenden אבד[2].

b) ἀπόλλυμι und ἀπώλεια finden sich aber auch im Zusammenhang mit Gerichtsaussagen bei Paulus[3]. ἀπώλεια bezeichnet das Ergebnis, die Folge des Nicht-Bestehens vor Gericht. Für den Apostel folgt aus dem Verworfenwerden vor dem Endgericht vor allem der *Verlust des Heiles*. Und Heilsverlust ist für den Apostel identisch mit dem Verlust des Lebens. Leben aber kann er sich nach dem Endgericht nur vorstellen als ein Leben im Zustand des Heils. Leben ohne Heil ist in Wirklichkeit kein Leben. Folge des Heilsverlustes durch das Urteil des Gerichtes ist der Tod[4].

c) R. Kabisch, E. Teichmann, J. Weiß, L. Mattern, H.-A. Wilcke[5] geben als Folge des ἀπώλοντο an: die Verstorbenen sind eines definitiven Todes gestorben; an ein Weiterleben im Hades sei nicht gedacht[6]. Andererseits hat

---

[1] Vgl. auch 2 Kor 4,9; 1 Kor 1,19 (die Weisheit geht zugrunde).

[2] אבד (kal, umkommen): Num 17,27; Deut 7,20; 8,19; 4,26; 11,17; Jos 23, 13.16; Jdt 5,31; Job 4,11; (pi., töten): Deut 11,4; Ps 5,7; Est 3,9.13; 4 Kön 11,1; 13,7.

[3] Vgl. bes. L. Mattern, Das Verständnis des Gerichtes bei Paulus, Zürich 1966, 61f.; H.-D. Wilcke, Das Problem eines messianischen Zwischenzustandes bei Paulus, Zürich 1967, 154f.

[4] Paulus spricht in diesen Zusammenhängen nicht von der Verdammung zur Höllenstrafe; die ἀπώλεια als Ergebnis des Gerichtes hat den Tod zur Folge. Über die Verbindung von Tod–Sünde–Gericht in der paulinischen Theologie vgl. den Exkurs: Sünde, Tod, Erbtod und Erbsünde, in: O. Kuss, Der Römerbrief, erste Lieferung, Regensburg 1956, 241–275, hier bes. 251ff.

[5] R. Kabisch, Die Eschatologie des Paulus in ihren Zusammenhängen mit dem Gesamtbegriff des Paulinismus, Göttingen 1893, 85; E. Teichmann, Die paulinischen Vorstellungen von Auferstehung und Gericht und ihre Beziehung zur jüdischen Apokalyptik, Freiburg und Leipzig 1896, 85, 250f.; J. Weiß, 1 Kor 355; H.-A. Wilcke, Das Problem eines messianischen Zwischenreiches bei Paulus, Zürich 1967, 154 (mit ἀπώλεια solle »nicht ein hoffnungsloser Strafzustand als ein des Lebens unwertes Sein, sondern ein Todeszustand als Aufhören der Existenz ausgedrückt werden«); L. Mattern, Das Verständnis des Gerichts bei Paulus, Zürich 1966, 61f.

[6] So J. Weiß, 1 Kor 355.

wohl J. Pedersen recht, wenn er betont, für israelitisches Denken sei Leben nicht einfach gleich Existenz und daher auch nicht einfach Tod gleich Annihilation[1]. Das könnte auch für Paulus gelten: die Behauptung, daß Tote – wenn es keine Auferstehung gibt – der ἀπώλεια und damit dem Tode verfallen sind, *muß* nicht bedeuten, daß für Paulus damit die Verstorbenen einfach völlig vergangen sind. Es gilt aber auch für sicher, daß für semitisches Denken die Vorstellung des bloßen Existierens nicht von Interesse war, keinen Wert umschloß. Erst Existenz, die sich im Leben entfaltet, ist wirklich Leben.

Paulus scheint diesen Vorstellungen zu entsprechen: um eine Näherbestimmung des Loses der Verstorbenen – vorausgesetzt, es gebe keine Auferstehung – macht er sich keine Gedanken. Sicher ist ihm, daß sie dann nicht am kommenden Heil (und das heißt am Leben) teilhaben, sondern definitiv tot bleiben. Diese Vorstellung erfüllt ihn mit Schrecken (1 Kor 15,19.30f.).

4. Ob die korinthischen Auferstehungsleugner selbst für die Verstorbenen, denen ihrer Meinung nach keine Auferstehung die Rückkehr zum Leben ermöglicht, ein trauriges Schattendasein erwarteten oder den totalen Existenzverlust, läßt sich aus dem Text von 1 Kor 15 nicht erkennen. Sicher aber ist, daß sie ihre Toten von der Teilnahme am endgültigen Heil ausgeschlossen dachten, wenn sie fälschlich behaupteten, Auferstehung Toter gibt es nicht.

---

[1] J. Pedersen, Israel, Its Life and its Cult, London 1926, 153. Vgl. P. Hoffmann, Die Toten in Christus 59–61.

LITERATURVERZEICHNIS

Das Literaturverzeichnis enthält nur Monographien und Aufsätze, die in engerem Zusammenhang mit der vorliegenden Arbeit stehen. Die übrige Literatur ist an Ort und Stelle voll zitiert (vgl. Autorenregister). Von den verwendeten Kommentaren sind hier nur jene zum ersten Korintherbrief angeführt. Auf eine Aufzählung der allgemeinen Hilfsmittel, Lexika und Sammelwerke wurde verzichtet.

Adam, A.,	Die Psalmen des Thomas u. d. Perlenlied als Zeugnisse vorchristlicher Gnosis, BZNW 24, Berlin 1959
Ahlbrecht, A.,	Tod und Unsterblichkeit in der Evang. Theologie der Gegenwart, Paderborn 1964
Allo, E.-B.;	Saint Paul, Première Epître aux Corinthiens, Paris 1934 (²1956)
Ambrosiaster,	Commentarius in Ep. Paulinas, In Corinthios, CSEL 81, Wien 1968; bzw. MPL 17
Athenagoras,	Oratio de resurrectione cadaverum, TU 4,2, Leipzig 1891
Atto v. Vercelli,	Expositio in Epistulas S. Pauli, MPL 134
Bachmann, Ph.,	Der erste Brief des Paulus an die Korinther, Kommentar z. NT (Zahn) 7, Leipzig ²1910 (¹1905, ⁴1936)
Bammel, E.,	Herkunft und Traditionselemente von 1 Kor 15,1–11, ThZ 11
Barret, C. K.,	The First Epistle to the Corinthians, BNTC, London 1968
Barret, C. K.,	From First Adam to Last, A Study in Pauline Theology, New York 1962
Barth, C.,	Die Interpretation des NT in der valentinianischen Gnosis, TU 3,7, Leipzig 1911
Barth, K.,	Die Auferstehung von den Toten, Eine akademische Vorlesung über 1 Kor 15, München ¹1924 (Zollikon ⁴1953)
Bartsch, H.-W.,	Die Argumentation des Paulus in 1 Kor 15,1–11, ZNW 55
Bartsch, H.-W.,	Das Auferstehungszeugnis, sein historisches und theologisches Problem, Theol. Forschung 41, Hamburg-Bergstedt 1965
Baur, F. Chr.,	Paulus, der Apostel Jesu Christi, Stuttgart 1845 (2. Aufl. in 2 Bdn., hrsg. v. E. Zeller, Leipzig 1866 und 1867)
Beetz, H.-D.,	Schöpfung und Erlösung im hermetischen Fragment »Kore Kosmu«, ZThK 63
Berghe, P. van de,	De Opstanding van de Doden, Coll. Brugenses et Gandavenses 11, Den Haag 1965
Berry, R.,	Death and Life in Christ, The Meaning of 2 Kor 5,1–10, SJTh 14
Bianchi, U.,	Gnostizismus und Anthropologie, Kairos NF 11
Billroth, G.,	Commentar zu den Briefen des Paulus an die Corinther, Leipzig 1933

Bindley, T. H., A Study in 1 Kor 15, The Expository Times 41 (Edinburgh 1929/30)
Birger, G., Memory and Manuscript, ASNU 22, Uppsala 1961
Bishop, F.F.E., The Risen Lord and the five hundred Brethren (1 Kor 15,6), CBQ 18
Bisping, A., Erklärung des ersten Briefes an die Korinther, Münster ³1883
Blank, J., Jesus und Paulus, StANT 18, München 1968
Boers, H. W., Apokalyptic Eschatology in 1 Corinthians 15, Interpretation 21 (Richmond Virg. 1967)
Bornhäuser, K., Die Gebeine der Toten, BFTh 26,3, Gütersloh 1921
Bornhäuser, K., Das Recht des Bekenntnisses zur Auferstehung des Fleisches, Diss. Gütersloh 1899
Bornkamm, G., Die Vorgeschichte des sogenannten Zweiten Korintherbriefes, Heidelberg 1961
Bousset, W., Die Hauptprobleme der Gnosis, FRLANT 10, Göttingen 1907
Bousset, W., Die Himmelsreise der Seele, ARW, Freiburg/Br. 1901 (Neudruck 1960)
Bousset, W., Die Religion des Judentums im späthellenistischen Zeitalter, HNT 21, Tübingen ³1926
Bousset, W., Der erste Brief an die Korinther, SNT 2, Göttingen 1907 (³1917)
Brakemeier, G., Die Auseinandersetzung des Paulus mit den Leugnern der Auferstehung in Korinth, Diss. Göttingen 1968
Brandenburger, E., Adam und Christus, Exeget.-Religionsgeschichtl. Untersuchung zu Röm 5,12–21 (1 Kor 15), WMANT 7, Neukirchen 1962
Brandenburger, E., Fleisch und Geist, Paulus und die dualistische Weisheit, WMANT 29, Neukirchen 1968
Braun, H., Exeget. Randglossen zum 1. Korintherbrief, in: Ges. Studien zum NT und seiner Umgebung, Tübingen 1962 (²1967)
Braun, H., Gerichtsgedanke und Rechtfertigungslehre bei Paulus, UNT 19, Leipzig 1930
Brun, L., Zur Auslegung von 2 Kor 5,1–10, ZNW 28
Bruno d. Karthäuser, Expositio in Epistolas Pauli, MPL 153
Bultmann, R., Exegetische Probleme des zweiten Korintherbriefes, Symbolae Upsaliensis 9, Uppsala 1947
Bultmann, R., Neues Testament und Mythologie, in: Kerygma und Mythos, hrsg. v. H.-W. Bartsch, Hamburg ⁵1967 (¹1948)
Bultmann, R., Karl Barth, »Die Auferstehung der Toten«, in: GluV 1, Tübingen ³1958
Bultmann, R., Der Stil der paulinischen Predigt und die kynisch-stoischen Diatribe, Göttingen 1910
Bultmann, R., Theologie des Neuen Testaments, Tübingen ⁴1961
Burkitt, Fr. Cr., Church and Gnosis, Cambridge 1932
Calvin, J., Der erste Brief an die Korinther, hrsg. v. O. Weber (Auslegung der Hl. Schrift 16), Neukirchen 1960
Campenhausen, H. von, Der Ablauf der Osterereignisse und das leere Grab, SAH, Heidelberg ³1965

Campenhausen, H. von, Tod, Unsterblichkeit und Auferstehung, in: Pro Veritate, Münster/Kassel 1963

Charlot, J. P., The Construction of the Formula in 1 Corinthians 15, 3–5, Diss. München 1968

Clavier, H., Brèves remarques sur la notion de σῶμα πνευματικόν, in: The Background of the NT and its Eschatology, hrsg. v. W. D. Davies and D. Daube, Cambridge 1956

Cleary, P., The Epistles to the Corinthians, CBQ 12

Clemens Alexandrinus, Stromata, GCS Cl. Alex. II, Leipzig 1966

Colpe, C., Die religionsgeschichtliche Schule, Darstellung und Kritik ihres Bildes vom gnostischen Erlösermythos, FRLANT 78, Göttingen 1961

Conzelmann, H., Der erste Brief an die Korinther, Meyer K, Göttingen [11]1969 (1. v. H. Conzelmann besorgte Aufl.)

Conzelmann, H., Paulus und die Weisheit, NTS 12

Conzelmann, H., Zur Analyse der Bekenntnisformel 1 Kor 15, 3–5, EvTh 25

Couchoud, P.-L., Reconstitution et Classement des Lettres de Saint Paul, RHR 87, Paris 1923

Cullmann, O., Christus und die Zeit, Die urchristliche Zeit- und Geschichtsauffassung, Zollikon–Zürich 1945 ([2]1948)

Cumont, Fr., Les Religions Orientales dans le Paganisme Romain, Paris 1929

Cyrill von Alexandria, Explanatio in Ep. primam ad Corinthios, MPG 74

Dahl, M. E., The Resurrection of the Body, Studies in Biblical Theology 36, London 1962

Dahl, N. A., Eschatologie und Geschichte im Lichte der Qumrantexte, in: Zeit und Geschichte, hrsg. v. E. Dinkler, Tübingen 1964

Dahl, N. A., Das Volk Gottes, Oslo 1941 (Neudruck Darmstadt 1963)

Deichgräber, R., Gotteshymnus und Christushymnus in der frühen Christenheit, Göttingen 1967

Deißner, K., Auferstehungshoffnung und Pneumagedanke bei Paulus, Leipzig 1912

Demke, Chr., Zur Auslegung von 2. Korinther 5, 1–10, EvTh 29

Dibelius, M., Die Geisterwelt im Glauben des Paulus, Göttingen 1909

Didymus von Alexandria, Fragmente z. ersten Korintherbrief, in: K. Staab, Pauluskommentare aus der Griechischen Kirche, Münster 1933

Dobschütz, E. von, Probleme des apostolischen Zeitalters, Leipzig 1904

Dodd, C. H., The Appearences of the Risen Lord, in: Studies in the Gospel, Oxford 1955

Dodd, C. H., The Apostolic Preaching and its Development, London [9]1960

Dupont, J., Σὺν Χριστῷ, L'Union avec le Christ suivant Saint Paul, Paris 1962

Ellis, E., 2 Corinthians 5, 1–10 in Pauline Eschatology, NTS 6

Eltester, F.-W., EIKON im Neuen Testament, BZNW 23, Berlin 1958

Eltester, F.-W., Christentum und Gnosis, Aufsätze hrsg. v. F.-W. Eltester, BZNW 37, Berlin 1969

Ernst, J., Die eschatologischen Gegenspieler in den Schriften des NT, BU 3, Regensburg 1967

Ewald, H.,   Die Sendschreiben des Apostels Paulus, Göttingen 1857

Fascher, E.,   Anastasis – Resurrectio – Auferstehung, ZNW 40

Festugière, A. J.,   La Révélation d'Hermes Trismégiste, Paris 1945–1954

Feuillet, A.,   La demeure céleste et la destinée des Chrétiens, RSR 44, Paris 1956

Finegan, J.,   Die Überlieferung der Leidens- und Auferstehungsgeschichte Jesu, BZNW 15, Berlin 1934

Foschini, B. M.,   Those who are baptized for the dead – 1 Kor 15,29, CBQ 12/13 (und Worcester 1951)

Freeborn, J. C. K.,   The Eschatology of 1 Corinthians 15, TU 87, Berlin 1964

Friedrich, G.,   Christus, Einheit und Norm der Christen, KuD 9.10

Fuchs, E.,   Die Auferstehungsgewißheit nach 1 Korinther 15, in: Zum hermeneutischen Problem in der Theologie, Tübingen 1959

Fulgentius von Ruspe,   Epistolae, MPL 65

Godet, F.,   Kommentar zu dem ersten Briefe an die Korinther, dt. Bearbeitung K. Wunderlich, Hannover 1888 (frz. 1886)

Goguel, M.,   Introduction au Nouveau Testament, Paris 1926

Goguel, M.,   La foi à la résurrection de Jésus dans le Christianisme primitif, Paris 1933

Goguel, M.,   Le caractère, à la fois actuel et futur, du salut dans la théologie paulinienne, in: The Background of the New Testament and its Eschatology, hrsg. v. W. D. Davies und D. Daube, Cambridge 1956

Grabner-Haider, A.,   Paraklese und Eschatologie bei Paulus, NtAbh 4, Münster 1968

Grass, H.,   Ostergeschehen und Osterberichte, Göttingen ³1964

Greshake, G.,   Auferstehung der Toten, Koinonia 10, Essen 1969

Groningen, G. van,   First Century Gnosticism, Its Origin and Motifs, Leiden 1967

Grosheide, F. W.,   Commentary on the First Epistle to the Corinthians, NIC, Grand Rapids/Michigan 1953

Grosheide, F. W.,   De eerste Brief van den Apostel Paulus aan de Kerk te Korinthe, Amsterdam 1932

Grotius, H.,   Annotationes in Novum Testamentum, Tomi II Pars I, Erlangen/Leipzig 1756

Gunkel, H.,   Schöpfung und Chaos in Urzeit und Endzeit, Göttingen 1895

Guntermann, Fr.,   Die Eschatologie des Hl. Paulus, NtAbh 13,4.5, Münster 1932

Gutbrod, W.,   Die Paulinische Anthropologie, BWANT 4,15, Stuttgart–Berlin 1934

Güttgemanns, E.,   Der leidende Apostel und sein Herr, FRLANT 90, Göttingen 1966

Güttgemanns, E.,   Χριστός in 1 Kor 15,3b – Titel oder Eigenname, EvTh 28

Haardt, R.,   »Die Abhandlung über die Auferstehung« des Codex Jung, Kairos NF 11

Haardt, R.,   Die Gnosis, Wesen und Zeugnisse, Salzburg 1967

Haenchen, E.,   Gab es eine vorchristliche Gnosis?, in: Die Bibel und Wir, Ges. Aufsätze 2, Tübingen 1968

Haenchen, E., Neutestamentliche und gnostische Evangelien, in: Christentum und Gnosis (BZNW 37), Berlin 1969

Hagge, H., Die beiden überlieferten Sendschreiben des Apostels Paulus an die Gemeinde zu Korinth, Jbch f. prot. Theol. 2, Leipzig 1876

Harnack, A. von, Die Verklärungsgeschichte Jesu, Der Bericht des Paulus (1 Kor 15,3 ff.) und die beiden Christusvisionen des Petrus, SAB Hist.-Phil. Klasse, Berlin 1922

Hayes, H., The Resurrection as Enthronement and the Earliest Church Christology, Interpretation 22 (Richmond-Virg. 1968)

Haymo
von Halberstadt, Enarratio in D. Pauli Epistolas, MPL 117

Heim, K., Die Gemeinde des Auferstandenen (hrsg. v. F. Melzer), München 1949

Heinrici, C.F.G., Der erste Brief an die Korinther, Meyer K 5, Göttingen ⁶1881 (erste von Heinrici besorgte Aufl.)

Heinrici, C.F.G., Das erste Sendschreiben des Apostels Paulus an die Korinthier, Berlin 1880

Heitmüller, W., Taufe und Abendmahl im Urchristentum, Religionsgeschichtl. Volksbücher I, 22.23, Tübingen 1911

Héring, J., La première Epître de Saint Paul aux Corinthiens, CNT, Neuchâtel/Paris 1949

Hermann, I., Kyrios und Pneuma, StANT 2, München 1961

Hettlinger, R.F., 2 Corinthians 5,1–10, SJTh 10 (Edinburgh 1957)

Hilgenfeld, A., Die Ketzergeschichte des Urchristentums, Leipzig 1884

Hoffmann, P., Die Toten in Christus, NtAbh 2, Münster 1966

Hofmann, J.Chr.K. von, Der erste Brief Pauli an die Korinther, Nördlingen ²1874

Holl, K., Der Kirchenbegriff des Paulus in seinem Verhältnis zu dem der Urgemeinde, SAB, Berlin 1921 (auch in: Ges. Aufsätze z. Kirchengeschichte 2, Tübingen 1928; Neudruck Darmstadt 1964)

Holsten, C., Das Evangelium des Paulus, Berlin 1880

Holsten, C., Zum Evangelium des Paulus und des Petrus, Rostock 1868

Holtzmann, H.J., Lehrbuch der ntl. Theologie, 2 Bde, Tübingen 1897 (²1911)

Hurd, J.C., The Origin of 1 Corinthians, London 1965

Jenkins, C., Origen on 1 Corinthians, JThS 9/10 (Oxford 1908/1909)

Jeremias, J., Die Abendmahlsworte Jesu, Göttingen ³1960

Jeremias, J., Flesh and Blood cannot inherid the Kingdom of God, NTS 2

Jervell, J., Imago Dei, Gen 1,26 im Spätjudentum, in der Gnosis und in den paulinischen Briefen, FRLANT 58, Göttingen 1960

Johannes
Chrysostomus, In Ep. prima ad Corinthios, Homiliae MPG 61

Jonas, H., Gnosis und spätantiker Geist I, FRLANT 51, Göttingen ³1964

Joyce, D.J., Baptism on Behalf of the Dead, Encounter 26 (Indianapolis 1965)

Kabisch, R.,   Die Eschatologie des Paulus, Göttingen 1893
Käsemann, E.,   Eine Apologie der urchristlichen Verkündigung, ZThK 49 (bzw. Exeget. Versuche u. Besinnungen I, Göttingen 1960, ⁴1965)
Käsemann, E.,   Leib und Leib Christi, BHTh 9, Tübingen 1933
Käsemann, E.,   Zum Thema der urchristlichen Apokalyptik, in: Exeget. Vers. u. Besinnungen II, Tübingen 1964
Kattenbusch, F.,   Die Vorzugstellung des Petrus und der Charakter der Urgemeinde zu Jerusalem, in: Festgabe f. K. Müller, Tübingen 1922
Kegel, G.,   Auferstehung Jesu – Auferstehung der Toten, Gütersloh 1970
Klappert, B.,   Zur Frage des semitischen oder griechischen Urtextes von 1 Kor 15,3–5, NTS 13
Klöpper, A.,   Zur paulinischen Lehre von der Auferstehung, Auslegung von 2 Kor 5,1–16, Jbch. f. Deutsche Theologie 7, Gotha 1862
Köstlin, Fr.,   Die Lehre des Apostels Paulus von der Auferstehung, Jbch. f. Deutsche Theologie 22, Gotha 1877
Kramer, W.,   Christos, Kyrios, Gottessohn, AbThANT 44, Zürich–Stuttgart 1963
Krauß, A.,   Theologischer Kommentar zu 1 Kor 15, Frauenfeld 1864
Kremer, J.,   Das älteste Zeugnis von der Auferstehung Christi, SBS 17, Stuttgart 1966
Kroll, J.,   Die Lehren des Hermes Trismegistos, Beiträge z. Gesch. d. Philosophie des Mittelalters, TU 12,2–4, Münster 1914
Kühl, E.,   Zu 2 Korinther 5,1–10, Ein Beitrag zur Frage nach dem Hellenismus bei Paulus, Königsberg 1904
Kuhn, H.-W.,   Enderwartung und gegenwärtiges Heil, Studien z. Umwelt des NT 4, Göttingen 1966
Kümmel, W.G.,   Das Bild des Menschen im Neuen Testament, AbThANT 13, Zürich 1948
Kümmel, W.G.,   Futurische und präsentische Eschatologie im ältesten Urchristentum, NTS 5
Kümmel, W.G.,   Ergänzungen zu H. Lietzmann, An die Korinther (HNT 9), Tübingen ⁴1949
Kümmel, W.G.,   Kirchenbegriff und Geschichtsbewußtsein in der Urgemeinde und bei Jesus, Symbolae Biblicae Upsaliensis, Hafniae 1943
Kümmel, W.G.,   Römer 7 und die Bekehrung des Paulus, UNT 17, Leipzig 1929
Kuss, O.,   Die Briefe an die Römer, Korinther und Galater (RNT 6), Regensburg 1940
Kuss, O.,   Enthusiasmus und Realismus bei Paulus, in: Auslegung u. Verkündigung 1, Regensburg 1963
Kuss, O.,   Zur Geschichtstheologie der paulinischen Hauptbriefe, ThGl 46.
Kuss, O.,   Die Rolle des Apostels Paulus in der theologischen Entwicklung der Urkirche, MThZ 14
Kuss, O.,   Röm 5,12–21, Die Adam-Christus-Parallele exegetisch u. biblisch untersucht, Breslau 1930

Lehmann, K.,   Auerweckt am dritten Tage nach der Schrift, Quaestiones Disputatae 38, Freiburg–Basel–Wien 1968

Lichtenstein, E.,   Die älteste christliche Glaubensformel, ZKG 63

Lietzmann, H.,   An die Korinther, HNT 9, Tübingen [4]1949 (mit Ergänzungen von W.G. Kümmel)

Löckle, o. Angabe   Zur paulinischen Lehre von der Auferstehung, Theol.
d. Vorn.,   Studien aus Württenberg 1, Ludwigsburg 1880

Lüdemann, H.,   Die Anthropologie des Apostels Paulus und ihre Stellung innerhalb seiner Heilslehre, Kiel 1872

Lührmann, D.,   Das Offenbarungsverständnis bei Paulus und in den paulinischen Gemeinden, WMANT 16, Neukirchen 1965

Lütgert, W.,   Freiheitspredigt und Schwarmgeister in Korinth, BFTh 12,3, Gütersloh 1908

Lütgert, W.,   Die Irrlehrer der Pastoralbriefe, BFTh 13,3, Gütersloh 1909

Lütgert, W.,   Die Vollkommenen im Philipperbrief und die Enthusiasten in Thessalonich, BFTh 12,6, Gütersloh 1909

Luz, U.,   Das Geschichtsverständnis des Paulus, Beiträge z. evangelischen Theologie 49, München 1968

Maier, A.,   Commentar über den ersten Brief Pauli an die Korinther, Freiburg/Br. 1857

Maly, K.,   Mündige Gemeinde, Untersuchungen zur pastoralen Führung des Apostels Paulus im 1. Korintherbrief, SBM 2, Stuttgart 1967

Mattern, L.,   Das Verständnis des Gerichtes bei Paulus, AbThANT 47, Zürich 1966

Michaelis, W.,   Die Erscheinungen des Auferstandenen, Basel 1944

Moe, O.P.,   Paulus und die evangelische Geschichte, Leipzig 1912

Moffat, J.,   The First Epistle of Paul to the Corinthians, Moffat NT, London 1938 ([8]1954)

Molitor, H.,   Die Auferstehung der Christen und Nichtchristen nach dem Apostel Paulus, NtAbh 16,1, Münster 1933

Moore, A.L.,   The Parousia in the New Testament, Suppl. to NovT 13, Leiden 1966

Mosheim, J.L.,   Erklärung des Ersten Briefes des heiligen Apostels Paulus an die Gemeinde zu Corinthus, Altona–Flensburg 1741 ([2]1762 Flensburg)

Moule, C.F.D.,   St. Paul and Dualism, The pauline conception of Resurrection, NTS 13

Mundle, W.,   Das Problem des Zwischenzustandes in dem Abschnitt 2 Kor 5,1–10, in: Festgabe für A. Jülicher, Tübingen 1927

Murmelstein, B.,   Adam, Ein Beitrag zur Messiaslehre, WZKM 35 (Wien 1928)

Mussner, F.,   »Schichten« in der paulinischen Theologie, dargetan an 1 Kor 15, BZ NF 9

Mussner, F.,   Die Auferstehung Jesu, München 1969

Neander, A.,   Auslegung der beiden Briefe an die Corinther, hrsg. v. W. Beyschlag, Berlin 1895

Neander, A.,   Geschichte der Pflanzung und Leitung der Kirche durch die Apostel, Hamburg 1832 ([3]1841)

Neufeld, H.V.,	The Earliest Christian Confessions, New Testament Tools and Studies 5, Leiden 1963
Nieder, L.,	Die Motive der rel.-sittl. Paränese in den paulinischen Gemeindebriefen, MThS Hist. 12, München 1956
Nikolainen, T.A.,	Der Auferstehungsglaube in der Bibel und ihrer Umwelt, Religionsgeschichtl. Teil: Helsinki 1944; neutestamentlicher Teil: Helsinki 1946
Norden, E.,	Agnostos Theos, Untersuchungen z. Formengeschichte religiöser Rede, Leipzig–Berlin 1913 (⁴1956)
Olshausen H.,	Die Briefe an die Korinther, Bibl. Commentar über sämtl. Schriften des NT 3, Königsberg 1836 (²1840)
Origenes,	Homilien zum ersten Korintherbrief, Fragmente in: JThS 9/10 (Oxford 1908/1909) hrsg. v. C. Jenkins
Pelagius,	Commentarius in ep. Pauli, Text bei A. Souter, Pelagius's Expositions of Thirteen Epistles of St. Paul 2, Texts and Studies 9, Cambridge 1926
Percy, E.,	Der Leib Christi, Lunds Universitets Årsskrift NF Adv. 1, 38, Lund 1942
Pfleiderer, O.,	Das Urchristentum, seine Schriften und Lehren, 2 Bde, Berlin 1887 (²1902)
Preisker, H.,	Zur Totentaufe, ZNW 23
Quispel, G.,	Der gnostische Anthropos und die jüdische Tradition, Eranos-Jahrbuch 22, Zürich 1953/54
Quispel, G.,	Makarius, das Thomasevangelium und das Lied von der Perle, Suppl. to NovT 15, Leiden 1967
Räbiger, J.F.,	Krit. Untersuchung über den Inhalt der beiden Briefe des Apostels Paulus an die Korinthische Gemeinde, Breslau 1847
Raeder, M.,	Vikariatstaufe in 1 Kor 15,29?, ZNW 46
Rawlinson, A.E.J.,	The New Testament Doctrine of the Christ, London 1926
Reitzenstein, R.,	Die Formel »Glaube, Liebe, Hoffnung« bei Paulus, Nachrichten von der K. Ges. der Wissenschaften zu Göttingen, Phil.-Hist. Klasse, Göttingen 1916/1917
Reitzenstein, R.,	Die hellenistischen Mysterienreligionen nach ihren Grundgedanken und Wirkungen, Stuttgart 1910 (Neudruck Darmstadt 1956)
Rissi, M.,	Die Taufe für die Toten, AbThANT 42, Zürich 1962
Robertson, A.-Plummer, A.,	Commentary on the First Epistle of St. Paul to the Corinthians, ICC Edinburgh ⁴1955
Robinson, J.A.T.,	The Body, A Study in Pauline Theology, SBTh 5, London 1952
Rohde, E.,	Psyche, Seelencult und Unsterblichkeitsglaube der Griechen, Tübingen 1898 (²1907)
Rowley, H.H.,	Apokalyptik, ihre Form und Bedeutung zur biblischen Zeit, Einsiedeln–Zürich–Köln ³1965
Rückert, L.I.,	Der erste Brief Pauli an die Korinther, Leipzig 1836
Rusche, H.,	Die Leugner der Auferstehung von den Toten in der korinthischen Gemeinde, MThZ 10
Sand, A.,	Der Begriff »Fleisch« in den paulinischen Hauptbriefen, BU 2, Regensburg 1967
Schäfer, A.,	Die Briefe an die Korinther, Münster 1903

Schauerte, H., Die Totentaufe, ThGl 50

Schenk, W., Der 1. Korintherbrief als Briefsammlung, ZNW 60

Schenke, H.-M., Auferstehungsglaube und Gnosis, ZNW 59

Schenke, H.-M., Die Gnosis, in: Umwelt des Christentums, Berlin 1965

Schenke, H.-M., Hauptprobleme der Gnosis, Kairos 7, Salzburg 1965

Scheurer, G., Das Auferstehungsdogma in der vornicänischen Zeit, Würzburg 1896

Schlatter, A., Die korinthische Theologie, BFTh 18,2, Gütersloh 1914

Schlatter, A., Paulus, der Bote Jesu, Eine Deutung seiner Briefe an die Korinther, Stuttgart 1934

Schlier, H., Das Hauptanliegen des 1. Briefes an die Korinther, EvTh 8 (bzw. in: Die Zeit der Kirche, Freiburg 1956)

Schmidt, H., Auferstehungshoffnung im Neuen Testament, Diss. Oldenburg 1928

Schmiedel, P. W., Die Korintherbriefe, HCNT 2, Freiburg–Leipzig ²1893

Schmithals, W., Die Gnosis in Korinth, FRLANT 66, Göttingen ²1965

Schmitt, J., Jésus ressuscité dans la prédication apostolique, Paris 1949

Schnackenburg, R., Zur Aussageweise »Jesus ist (von den Toten) auferstanden«, BZ 1969

Schnedermann, G., Der erste und zweite Brief an die Corinther, München ²1895

Schniewind, J., Die Leugner der Auferstehung in Korinth, in: Nachgelassene Reden und Aufsätze, hrsg. v. E. Kähler, Berlin 1952

Schoeps, H. J., Paulus, Die Theologie des Apostels im Lichte der jüdischen Religionsgeschichte, Tübingen 1959

Schubert, K., Die Entwicklung der Auferstehungslehre von der nachexilischen bis zur frührabbinischen Zeit, BZ 6

Schwantes, H., Schöpfung der Endzeit, Stuttgart 1963

Schweitzer, A., Die Geschichte der paulinischen Forschung von der Reformation bis auf die Gegenwart, Tübingen 1911 (Neudruck 1933)

Schweitzer, A., Die Mystik des Apostels Paulus, Tübingen 1930 (²1954)

Schweizer, E., Erniedrigung und Erhöhung bei Jesus und seinen Nachfolgern, AbThANT 28, Zürich ²1962

Schweizer, E., Die Leiblichkeit des Menschen: Leben–Tod–Auferstehung EvTh 29

Schweizer, E., Two New Testament Creeds Compared, in: Neotestamentica, Zürich–Stuttgart 1963

Scroggs, R., The Last Adam, A Study in Pauline Anthropology, Philadelphia 1966

Seeberg, A., Der Katechismus der Urchristenheit, Leipzig 1903 (Neudruck: München 1966)

Seidensticker, Ph., Das Antiochenische Glaubensbekenntnis 1 Kor 15,3-7, ThGl 57

Semler, J. S., Paraphrasis in Primam Pauli ad Corinthios Epistulam, Magdeburg 1770

Sevenster, J. N., Einige Bemerkungen über den Zwischenzustand bei Paulus, NTS 1

Sevenster, J. N., Some Remarks on the γυμνός in 2 Kor 5,3, in: Studia Paulina, Festschrift für J. de Zwaan, Haarlem 1953

Sickenberger, J.,   Die Briefe des Hl. Paulus an die Korinther und Römer, Bonn ⁴1932

Severian v. Gabala,   Fragmente eines Kommentars zu 1 Korinther, in: K. Staab, Pauluskommentare der gr. Kirche, NtAbh 15, Münster 1933

Simon, W.G.H.,   The First Epistle to the Corinthians, Torch, London 1959

Soden, H. von,   Sakrament und Ethik bei Paulus, in: Marburger Theol. Studien 1, Gotha 1931 (bzw. in: Urchristentum und Geschichte, hrsg. v. H. v. Campenhausen, Tübingen 1951)

Souter, A.,   Pelagius's Expositions of Thirteen Epistles of St. Paul Texts and Studies 9, Cambridge 1926

Staab, K.,   1 Kor 15,29 im Lichte der Exegese der Griechischen Kirche, Analecta Biblica 17/18 (Rom 1963)

Staab, K.,   Pauluskommentare aus der griechischen Kirche, NtAbh 15, Münster 1933

Stanley, D.M.,   Christ's Resurrection in Pauline Soteriology, Rom 1961

Stegmann, B.A.,   Christ, The Man from Heaven, A Study of 1 Kor 15,45–47 in the Light of the Anthropology of Philo, Washington 1927

Straatman, J.W.,   De realiteit van's Heeren opstanding uit de dooden, Groningen 1862

Strack, H.-
Billerbeck, P.,   Kommentar zum Neuen Testament aus Talmud und Midrasch, München 1922–1961

Stuhlmacher, P.,   Erwägungen zum ontologischen Charakter der καινὴ κτίσις bei Paulus, EvTh 27

Stuhlmacher, P.,   Erwägungen zum Problem von Gegenwart und Zukunft in der paulinischen Eschatologie, ZThK 64

Stürmer, K.,   Auferstehung und Erwählung, BFTh 53, Gütersloh 1953

Tannehill, R.C.,   Dying and Rising with Christ, BZNW 32, Berlin 1966

Teichmann, E.,   Die paulinischen Vorstellungen von Auferstehung und Gericht und ihre Beziehung zur jüdischen Apokalyptik, Freiburg/Br.-Leipzig 1896

Tertullian, Q.S.Fl.,   De Resurrectione Carnis, CCh Series Lat. 2

Tertullian, Q.S.Fl.,   Adversus Marcionem, CCh 1

Theodor v. Mopsuestia,   Commentarius in B. Pauli epistolas ad Corinthios, Katenenfragmente bei: K. Staab, Pauluskommentare aus der griechischen Kirche, Münster 1933

Theodoret v. Cyrus,   Auslegung der Briefe an die Korinther, MPG 82

Thomas v. Aquin,   Contra Gentiles, Op. omnia 13, Editio Leonina, Rom 1930

Thompson, K.C.,   1 Corinthians 15,29 and Baptism for the Dead, in: Studia Evangelica 2, TU 87, Berlin 1964

Tillmann, F.,   Die Wiederkunft Christi nach den paulinischen Briefen, BSt 14, Freiburg 1909

Titius, A.,   Der Paulinismus unter dem Gesichtspunkt der Seligkeit, Tübingen 1900

Trummer, P.,   Anastasis, Beitrag zur Auslegung und Auslegungsgeschichte von 1 Kor 15 in der griechischen Kirche bis Theodoret, Dissertation (Graz), Wien 1970

Vielhauer, Ph.,   Oikodomae, Das Bild vom Bau in der christl. Literatur vom Neuen Testament bis Cl. Alexandrinus, Karlsruhe 1939

Volz, P.,	Die Eschatologie der jüdischen Gemeinde im neutesta-mentlichen Zeitalter, Tübingen ²1934
Walafriedus Strabo,	Glossa Ordinaria, Ep. prima ad Corinthios, MPL 114
Wegenast, K.,	Das Verständnis der Tradition bei Paulus und den Deu-teropaulinen, WMANT 8, Neukirchen 1962
Weinel, H.,	Biblische Theologie des Neuen Testaments, Tübingen ⁴1928
Weiß, H.-F.,	Paulus und die Häretiker, in: Christentum und Gnosis, BZNW 37, Berlin 1969
Weiß, J.,	Der erste Korintherbrief, Meyer K 5, Göttingen ⁹1910 (1. von J. Weiß besorgte Aufl.)
Weiß, J.,	Beiträge zur paulinischen Rhetorik, Göttingen 1897
Weiß, J.,	Die Predigt Jesu vom Reiche Gottes, Göttingen Neudruck der 2. Aufl. (1900) mit einem Anhang aus der 1. Aufl. (1892) 1964
Weiß, J.,	Das Urchristentum, Göttingen 1917
Wendland, H.-D.,	Die Briefe an die Korinther, NTD 7, Göttingen ¹¹1964
Wette, W.M.L.de,	Kurze Erklärung der Briefe an die Korinther, Kurzge-faßtes exeget. Handbuch 2,2, Leipzig ²1845 (¹1841)
Wettstein, J.J.,	Novum Testamentum, Amsterdam 1751/52
Wilamowitz-Moellendorf, U. v.,	Der Glaube der Hellenen, Neudruck Darmstadt 1955
Wilcke, H.-A.,	Das Problem eines messianischen Zwischenreiches bei Paulus, AbThANT 51, Zürich 1967
Wilckens, U.,	Kreuz und Weisheit, KuD 3, Göttingen 1957
Wilckens, U.,	Weisheit und Torheit, BHTh 26, Tübingen 1959
Wilckens, U.,	Der Ursprung der Überlieferung der Erscheinungen des Auferstandenen, in: Dogma u. Denkstrukturen, hrsg. v. W. Joest und W. Pannenberg, Göttingen 1963
Wilson, J.H.,	The Corinthians who say there is no Resurrection of the Dead, ZNW 59
Wilson, R.McL.,	Some recent Studies in Gnosticism, NTS 6
Wilson, R.McL.,	Gnosis and the New Testament, Oxford 1968
Wrede, W.,	Paulus, Religionsgeschichtl. Volksbücher I, 5.6, Tübingen ²1907

ABKÜRZUNGSVERZEICHNIS

AbThANT	Abhandlungen zur Theologie des Alten und Neuen Testaments
ARW	Archiv für Religionswissenschaft
ASNU	Acta Seminarii Neotestamentici Upsaliensis
BFTh	Beiträge zur Förderung christlicher Theologie
BHTh	Beiträge zur historischen Theologie
Bl-Debr	F. Blass, Grammatik des ntl. Griechisch, bearb. von A. Debrunner, Göttingen ⁹1954
BNTC	Black's New Testament Commentaries
BSt	Biblische Studien
BU	Biblische Untersuchungen
BWANT	Beiträge zur Wissenschaft vom Alten und Neuen Testament
BZ	Biblische Zeitschrift
BZNW	Beihefte zur Zeitschrift für die ntl. Wissenschaft und die Kunde der älteren Kirche
CBQ	The Catholic Biblical Quarterly
CCh	Corpus Christianorum seu nova Patrum collectio
CIG	Corpus Inscriptionum Graecarum
CNT	Commentaire du Nouveau Testament
CSEL	Corpus scriptorum ecclesiasticorum latinorum
EvTh	Evangelische Theologie
FRLANT	Forschungen zur Religion und Literatur des Alten und Neuen Testaments
GCS	Die griechischen christlichen Schriftsteller der ersten drei Jahrhunderte
GluV	Glaube und Verstehen
HCNT	Hand-Commentar zum Neuen Testament
Hennecke-Schneemelcher	E. Hennecke, Ntl. Apokryphen, Tübingen ³1959f.
HNT	Handbuch zum Neuen Testament
HThK	Herders Theologischer Kommentar zum Neuen Testament
ICC	The International Critical Commentary of the Holy Scriptures of the Old and New Testaments
JBL	Journal of Biblical Literature
JThSt	The Journal of theological Studies
KuD	Kerygma und Dogma
Meyer K	Kritisch-exegetischer Kommentar über das Neue Testament, begr. von H.A.W. Meyer
MPG	Patrologia, Series Graeca, ed. J.P. Migne
MPL	Patrologia, Series Latina, ed. J.P. Migne
MThS	Münchener theologische Studien
MThZ	Münchener theologische Zeitschrift

NGG	Nachrichten von der (bis 1924: Königlichen) Gesellschaft der Wissenschaften zu Göttingen
NIC	The New International Commentary on the New Testament
NovT	Novum Testamentum
NtAbh	Neutestamentliche Abhandlungen
NTD	Das Neue Testament Deutsch
NTS	New Testament Studies
RGG	Die Religion in Geschichte und Gegenwart ³1956ff
RHR	Revue de l'histoire des religions
RNT	Regensburger Neues Testament
RSR	Recherches de science religieuse
SAB	Sitzungsberichte der Deutschen (bis 1944: Preußischen) Akademie der Wissenschaften zu Berlin
SAH	Sitzungsberichte der Heidelberger Akademie der Wissenschaften
SBM	Stuttgarter biblische Monographien
SBTh	Studies in Biblical Theology
SJTh	Scottish Journal of Theology
SNT	Die Schriften des Neuen Testaments neu übersetzt und für die Gegenwart erklärt
StANT	Studien zum Alten und Neuen Testament
ThGl	Theologie und Glaube
ThHK	Theologischer Handkommentar zum Neuen Testament
ThWNT	Theologisches Wörterbuch zum Neuen Testament
ThZ	Theologische Zeitschrift
TSt	Texts and Studies
TU	Texte und Untersuchungen zur Geschichte der altchristlichen Literatur. Archiv für die griechisch-christlichen Schriftsteller der ersten drei Jahrhunderte
UNT	Untersuchungen zum Neuen Testament
WMANT	Wissenschaftliche Monographien zum Alten und Neuen Testament
WZKM	Wiener Zeitschrift für die Kunde des Morgenlandes
ZKG	Zeitschrift für Kirchengeschichte
ZKTh	Zeitschrift für Katholische Theologie
ZNW	Zeitschrift für die ntl. Wissenschaft und die Kunde der älteren Kirche
ZThK	Zeitschrift für Theologie und Kirche

STELLENREGISTER
(in Auswahl)

Zeichenerklärung

Kursiv gedruckte Zahlen bezeichnen die Hauptstelle(n) des jeweiligen Verses oder Versabschnittes.

A Mit A verbundene Zahlen beziehen sich auf Stellen oder Namen, die *nur* in den Anmerkungen auf dieser Seite vorkommen.

* Der Asteriskus bezeichnet die mehrmalige Nennung einer Stelle oder eines Namens auf der gleichen Seite.

Nachneutestamentliche Apokryphen

Christliche nachneutestamentliche Literatur

Antike Literatur

81